#기출문장
#반복훈련

처음 만나는
수능 구문

이 책을 쓰신 분들

홍정환   박주경   이승현
최영미   김민지   Enoch Chung

교재 검토에 도움을 주신 분들

강성옥   권기용   권예나   김대수   김도훈
김미영   김봉수   김순주   김재희   김정옥
김현미   남미지   손명진   송주영   신인숙
오택경   이명언   이민정   이서진   이용훈
이혜인   임해림   전미정   조운호   한지원

Chunjae
Makes
Chunjae

▼

기획총괄	김성희
편집개발	김보영, 최윤정, 조원재, 이시현
디자인총괄	김희정
표지디자인	윤순미, 안채리
내지디자인	디자인뮤제오, 박희춘, 임용준
제작	황성진, 조규영

발행일	2020년 12월 1일 초판 2020년 12월 1일 1쇄
발행인	(주)천재교육
주소	서울시 금천구 가산로9길 54
신고번호	제2001-000018호
고객센터	1577-0902

기출문장으로 공략하는

처음 만나는 수능 구문

Basic

기본

Preview

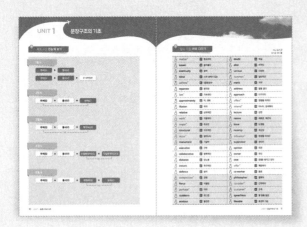

01 준비 운동

- **목표 구문 한눈에 보기**
  도식으로 단원의 목표 구문을 확인합니다.

- **필수 기출 어휘 다지기**
  기출 문장 속 주요 어휘를 확인합니다. 막힘없이 문장을 읽어내리려면 단어 학습은 필수입니다.
  ★ 초빈출 어휘는 꼭 외워두세요.

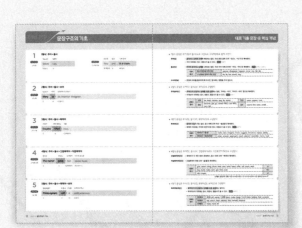

02 핵심 노트

- **대표 기출 문장**
  단원의 대표 기출 문장을 확인합니다. 조각퍼즐 형태로 연결된 문장을 보며, 목표 구문의 문장 속 위치와 역할을 함께 점검합니다.

- **핵심 개념**
  대표 기출 문장에 포함된 단원의 목표 구문과 핵심 개념을 익힙니다.

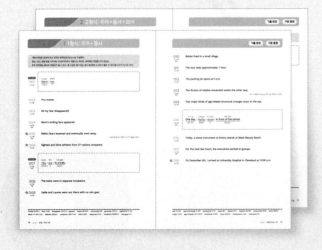

03 집중 훈련

- **개념 점검**
  학습 포인트를 세부 유형별로 점검합니다.

- **구문 훈련**
  대표 문장의 구조와 해석을 확인하고, 유사한 구조의 기출 문장을 반복 학습하며 실전 감각을 키웁니다.
  ★ 중요한 문장에 더욱 집중하세요.

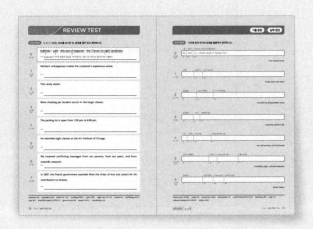

04 최종 점검

• 구조+해석

새로운 기출 문장을 분석하고 해석하며 단원을 정리
합니다. 두 가지 이상의 구문이 섞인 난이도 높은
예문도 포함되어 있어서, 구문 실력을 한 단계 높일
수 있습니다.

• 구조+영작

구조에 맞게 문장을 쓰며 내신 서술형 기초를 다집
니다.

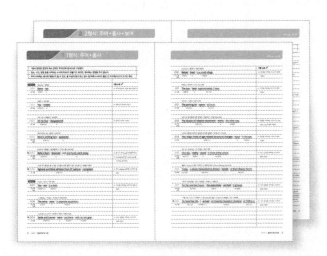

05 구문분석노트

• 기출 문장 상세 분석

끊어 읽기와 직독직해를 통해 문장 구조를 점검하고,
구문과 관련된 정보를 확인합니다.

이 책에 사용된 기호

S	주어(= subject)	to-v	to부정사
V	동사(= verb)	v-ing	동명사 또는 현재분사
O	목적어(= object)	p.p.	과거분사(= past participle)
IO	간접목적어(= indirect object)	/	문장 성분 및 의미 단위 끊어 읽기
DO	직접목적어(= direct object)	〈 〉	긴 (수식)어구
C	보어(= complement)	[ ]	문장 속에 포함된 종속절
M	수식어(= modifier)	[〈 〉]	종속절 속 긴 (수식)어구 또는 종속절

Contents

1 수능과 모의고사는 어떤 시험인가요?

수능(대학수학능력시험)은 대학 교육에 필요한 학습 능력을 측정하는 시험으로 각 대학의 선발 지표가 되며, 고등학교 교육과정의 내용과 수준에 맞게 출제됩니다. 영어영역은 국어, 수학에 이어 70분간 치러지며 총 45문항이 출제되고, 100점 만점에 점수별 등급이 정해지는 절대평가입니다.

수능 영어영역	듣기 (문항 번호)	독해 (문항 번호)	총 문항 수 (시간)
	17문항 (1~17)	28문항 (18~45)	45문항 (70분)

등급	1	2	3	4	5	6	7	8	9
점수	90	80	70	60	50	40	30	20	20미만

교육청 모의고사(전국연합학력평가 – 시·도 교육청 주관)는 고등학생의 수능 시험 적응을 위해 실시하는 시험으로, 연 4회(1, 2학년 – 3월, 6월, 9월, 11월) 시행됩니다. 시험 형식은 수능과 유사하며, 각 학년별 수준에 맞는 내용으로 출제됩니다.

평가원 모의고사(수능모의평가 – 교육과정 평가원 주관)는 고등학교 3학년 학생들이 11월 수능 실전에 대비하기 위해 치르는 시험으로 연 2회(6월, 9월) 치르게 됩니다. 시험 유형과 난이도가 수능 시험과 가장 유사하게 출제되기 때문에 중요하게 생각하고 대비해야 합니다.

학년별 시험 구분		3월	6월	9월	11월
	1학년	교육청	교육청	교육청	교육청
	2학년	교육청	교육청	교육청	교육청
	3학년	교육청	평가원	평가원	수능

2 영어 독해는 어떻게 출제되나요?

독해 28문항(18번~45번)은 20개 유형이 골고루 출제되며, 문항 난이도에 따라 2점과 3점으로 출제됩니다. 2020년 9월 1학년 교육청 모의고사를 기준으로 유형별 문항 수를 살펴보면 다음과 같습니다.

*3점 문항

유형별 문항 수	목적	분위기	주장	*지칭	요지	주제	제목	도표	일치	안내문
	1	1	1	1	1	1	1	1	1	2
	*어법	어휘	*빈칸	연결어	글의 순서	*문장삽입	무관한 문장	요약문	*단일장문	복합문단
	1	1	4	0	2	2	1	1	1 (2문항)	1 (3문항)

지문 소재는 생활 속에서 벌어지는 일상적인 에피소드와 심리, 사회·문화, 자연·환경, 과학·의학, 교육·철학, 예술·스포츠와 같은 전문 분야의 소재들이 골고루 출제됩니다. 전문 분야의 소재들이 빈칸이나 요약문 등 비교적 어려운 유형과 접목될 때 난이도가 높아질 수 있으므로, 평소 다양한 분야에 관심을 가지고 배경지식을 쌓으면 도움이 됩니다.

1 고등학교 영어 공부의 핵심은 "구문"이다!

구문이란 '문장의 구성'을 뜻하고, 수많은 문법 규칙들 중에서도 자주 쓰이는 표현입니다. 따라서 구문을 공부하는 것은 문장의 구조를 큰 덩어리로 묶어서 파악하고, 올바른 해석을 연습하는 것입니다.

고등학교 영어는 중학교 영어보다 지문이 길어지고 문장의 구조도 복잡해집니다. 단순 암기 위주의 중학교 문법에서 벗어나서 문장을 보는 능력을 키우면, 복잡한 문장의 구조를 빠르게 파악하여 정확히 해석할 수 있고, 나아가 문단 전체 의미를 파악하는 지문 독해력도 키울 수 있습니다.

2 구문 학습 어떻게? — 재료는 "기출", 방법은 "반복"!

개념 설명에 최적화된 예문들은 구문을 이해하는 데 도움이 될 수는 있겠지만, 모의고사와 수능에서 마주할 문장과는 난이도에 큰 차이가 있습니다. 그러므로 실제 기출 지문의 문장들을 익혀두는 것이 중요합니다. 1학년 교육청 모의고사를 기준으로 가장 긴 문장을 살펴보면 다음과 같습니다.

... It/ **may be**/ **the respect** [I give every student], **the daily greeting** [I give at my
주어 동사 보어₁ ↳ 수식어(관계대명사절) 보어₂ ↳ 수식어(관계대명사절)

classroom door], **the undivided attention** [when I listen to a student], **a pat on the**
보어₃ 수식어(시간의 부사절) 보어₄

shoulder [whether the job was done well or not],/ **an accepting smile**,/ or **simply "I love**
수식어(양보의 부사절) 보어₅ 보어₆

you" [when it is most needed]. ... [고1 6월]
수식어(시간의 부사절)

→ 그것(동기 부여)은 내가 모든 학생에게 하는 존중, 교실 문에서 하는 매일의 인사, 내가 학생의 말을 들을 때의 완전한 집중, 일을 잘 했든 못 했든 해주는 어깨 토닥임, 포용적인 미소, 혹은 가장 필요할 때의 그저 "사랑해"라는 말일 수도 있다.

이처럼 길고 복잡한 문장도 기본적인 구문이 모여서 만들어진 것입니다. 같은 구조의 여러 기출 문장을 반복해서 분석하고 해석하는 훈련을 통해 구문의 기초를 다지고 실전 감각도 익힐 수 있습니다.

「처음 만나는 수능 구문 Basic」은 고1 11월 및 고2 3, 6, 9, 11월 모의고사 지문을 문장별로 나누어 분석한 뒤, 유사한 구조별로 분류하여 각 단원을 구성하였습니다. 기출 문장으로 「어휘 → 구문 훈련 → 문장 쓰기」의 학습 과정을 반복하며, 독해의 기본이 되는 문장구조를 익히고, 고등학교 영어 내신 서술형까지 대비할 수 있습니다.

구문 기초 지식

1 단어와 품사

단어는 성격과 쓰임이 비슷한 것끼리 묶어 8개의 품사로 분류할 수 있고, 품사에 따라 문장 속 역할과 의미가 달라진다.

[고1 6월]

<u>Positively</u> or <u>negatively</u>, <u>our parents</u> and <u>families</u> are <u>powerful influences</u> on <u>us</u>.
   부사   접속사   부사   대명사   명사   접속사   명사   동사   형용사   명사   전치사 대명사
→ 긍정적이든 부정적이든, 우리의 부모들과 가족들은 우리에게 강력한 영향을 미친다.

명사	사람, 동물, 사물, 장소 등의 이름을 나타내는 말 *e.g.* Amy, giraffe, cellphone, restaurant, …

대명사	명사를 대신하는 말 *e.g.* I, you, we, he, she, it, they, this, that, …

동사	사람, 동물, 사물 등의 동작이나 상태를 나타내는 말 *e.g.* be동사(am, is, are), 일반동사(eat, sleep, like, …), 조동사(will, can, may, …)

형용사	사람, 동물, 사물의 상태, 모양, 성질, 수량 등을 나타내는 말 *e.g.* old, colorful, large, warm, many, …

부사	장소, 방법, 시간, 정도 등을 나타내는 말 *e.g.* here, really, always, fortunately, very, …

전치사	명사나 대명사 앞에 위치하여 장소, 방향, 시간, 수단 등을 나타내는 말 *e.g.* at, in, to, over, about, by, for, of, …

접속사	단어와 단어, 구와 구, 절과 절을 이어주는 말 *e.g.* and, but, or, so, when, because, if, …

감탄사	놀람이나 기쁨, 슬픔 등의 감정을 나타내는 말 *e.g.* oh, ah, wow, oops, …

2 문장의 구성 요소

문장을 이루는 구성 요소에는 주어, 동사, 목적어, 보어, 수식어가 있다.

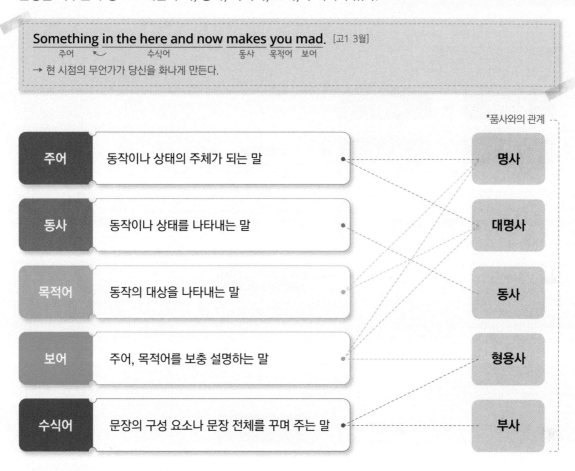

3 구와 절

두 개 이상의 단어가 모이면 구나 절이 된다.

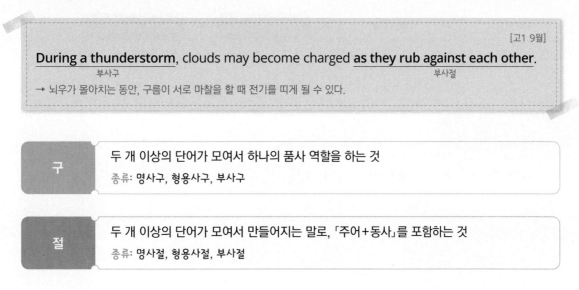

UNIT 1 문장구조의 기초

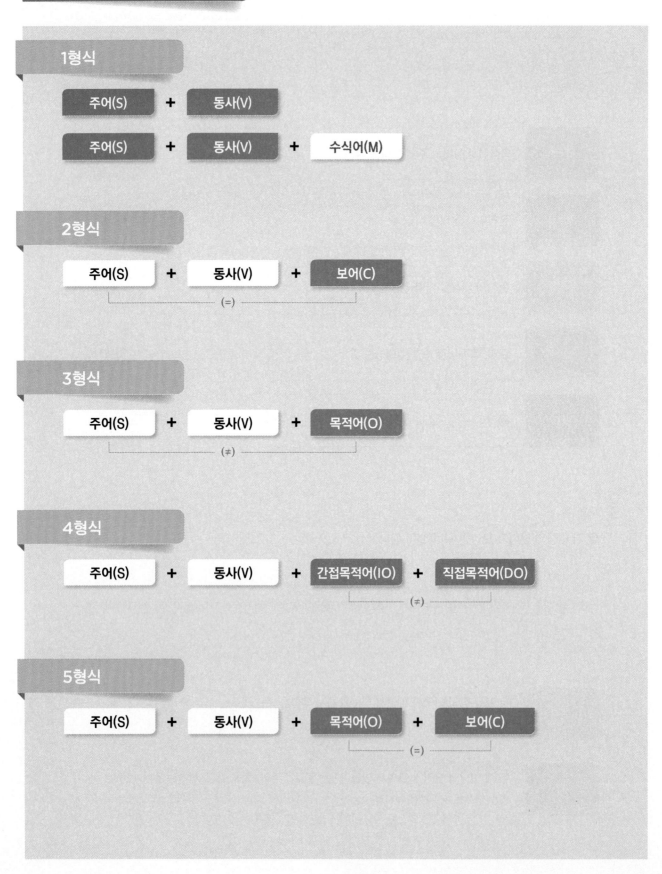

1형식

주어(S) + 동사(V)

주어(S) + 동사(V) + 수식어(M)

2형식

주어(S) + 동사(V) + 보어(C)
(=)

3형식

주어(S) + 동사(V) + 목적어(O)
(≠)

4형식

주어(S) + 동사(V) + 간접목적어(IO) + 직접목적어(DO)
(≠)

5형식

주어(S) + 동사(V) + 목적어(O) + 보어(C)
(=)

필수 기출 **어휘 다지기**

01 ☐	matter★	동	중요하다	26 ☐	doubt	명	의심
02 ☐	lessen	동	줄어들다	27 ☐	alter	동	바꾸다
03 ☐	eventually	부	결국	28 ☐	various	형	다양한
04 ☐	blind	형	시각 장애가 있는	29 ☐	common★	형	일반적인
05 ☐	athlete★	명	(운동)선수	30 ☐	merit	명	가치
06 ☐	separate	형	분리된	31 ☐	address	동	말을 걸다
07 ☐	last★	동	지속되다	32 ☐	approach	동	다가가다
08 ☐	approximately	부	약, 대략	33 ☐	affect★	동	영향을 미치다
09 ☐	illusion	명	착각	34 ☐	attend★	동	다니다, 참석하다
10 ☐	relative	형	상대적인	35 ☐	lecture	명	강연
11 ☐	work★	동	작동하다	36 ☐	recent	형	새로운, 최근의
12 ☐	major★	형	주요한	37 ☐	issue	명	논쟁점
13 ☐	structural	형	구조적인	38 ☐	recency	명	최신성
14 ☐	occur★	동	일어나다	39 ☐	influence★	동	영향을 미치다
15 ☐	monument	명	기념비	40 ☐	supervisor	명	관리자
16 ☐	executive	명	간부	41 ☐	opinion	명	의견
17 ☐	collaborative	형	협력적인	42 ☐	owner	명	주인
18 ☐	diabetes	명	당뇨병	43 ☐	owe	동	(돈을) 빚지고 있다
19 ☐	instant	형	즉각적인	44 ☐	offer★	동	제공하다
20 ☐	defence	명	방어	45 ☐	co-worker	명	동료
21 ☐	competition★	명	경쟁	46 ☐	philosopher	명	철학자
22 ☐	fierce	형	치열한	47 ☐	consider★	동	간주하다
23 ☐	perhaps★	부	아마	48 ☐	customer★	명	고객
24 ☐	stubborn	형	완고한	49 ☐	speechless	형	할 말을 잃은
25 ☐	anxious	형	불안한	50 ☐	likeable	형	호감이 가는

문장구조의 기초

1 1형식: 주어 + 동사

대표 문장
고2 9월

Steve는	달렸다
Steve	**ran.**
S(명사)	V

대표 문장
고2 6월 응용

당신은	있다	기차 안에
You	**are**	**in a train.**
S(대명사)	V	M(장소)

2 2형식: 주어 + 동사 + 보어

대표 문장
고2 3월

Mary는	~이다	인테리어 디자이너
Mary	**is**	**an interior designer.**
S	V	C(명사구)

3 3형식: 주어 + 동사 + 목적어

대표 문장
고1 11월

의심이	가득 채웠다	그를
Doubts	**filled**	**him.**
S	V	O(대명사)

4 4형식: 주어 + 동사 + 간접목적어 + 직접목적어

대표 문장
고2 6월 응용

주인은	주었다	그녀에게	약간의 음식을
The owner	**gave**	**her**	**some food.**
S	V	IO(대명사)	DO(명사구)

5 5형식: 주어 + 동사 + 목적어 + 보어

대표 문장
고2 6월

철학자들은	부른다	그것을	'공리주의'라고
Philosophers	**call**	**it**	*utilitarianism.*
S	V	O	C(명사)

▶ 1형식 문장은 주어(S)와 동사(V)로 구성되고, 수식어(M)도 함께 쓰인다.

주어(S)
- 동작이나 상태의 주체에 해당하는 말로, 주로 문장 앞에 오며 '~은/는, ~이/가'로 해석한다.
- 주어 자리에는 명사, 대명사가 올 수 있다. `LINK` UNIT 5

동사(V)
- 주어의 동작이나 상태를 나타내는 말로, 주로 주어 뒤에 쓰이며 '~이다, ~하다'로 해석한다. `LINK` UNIT 2 ~ UNIT 4

1형식 동사	동사(V)만으로 의미 완전	appear, disappear, happen, occur, rise, fall, die, ...
	수식어(M) 있어야 의미 완전	be, lie, live, stand, stay, ...

수식어(M)
- 문장의 의미를 풍부하게 해 주지만, 형식에는 영향을 주지 않는다.

▶ 2형식 문장은 주어(S), 동사(V), 보어(C)로 구성된다.

주격보어(C)
- 주어(S)의 성질이나 상태를 보충 설명하는 말로, '주어는 ~이다', '주어가 ~하다' 등으로 해석한다.
- 주격보어 자리에는 명사, 대명사, 형용사가 올 수 있다. `LINK` UNIT 7

2형식 동사	상태	be, keep, remain, stay, lie, stand, ...	인식	seem, appear, look, ...
	변화	become, get, go, come(~되다), run(~되다), turn, fall, ...	감각	sound, feel, taste, smell, ...

▶ 3형식 문장은 주어(S), 동사(V), 목적어(O)로 구성된다.

목적어(O)
- 동작의 대상이 되는 말로, 동사 뒤에 오며 주로 '~을/를'로 해석한다.
- 목적어 자리에는 주어와 마찬가지로 명사, 대명사가 올 수 있다. `LINK` UNIT 6

3형식 동사	목적어가 '~을/를'	make, take, imagine, mean, suggest, introduce, repeat, admit, ...
	목적어가 '~에/와/에게'	enter, answer, approach, reach, attend / resemble, marry / suit

▶ 4형식 문장은 주어(S), 동사(V), 간접목적어(IO), 직접목적어(DO)로 구성된다.

간접목적어(IO)
- 목적어가 두 개인 4형식 문장에서, 동사 뒤에 오며 '~에게'로 해석한다.

직접목적어(DO)
- 간접목적어 뒤에 오며 '~을/를'로 해석한다.

4형식 동사	give, award, bring, show, lend, owe, send, hand, offer, tell, teach, wish	to
	buy, build, make, earn, get, find, cook	for
	ask, inquire	of

★ 3형식 문장으로 전환 시(S+V+IO+DO = S+V+O+전치사+O) 필요한 전치사 ↵

▶ 5형식 문장은 주어(S), 동사(V), 목적어(O), 보어(C)로 구성된다.

목적격보어(C)
- 목적어(O)의 성질이나 상태를 보충 설명하는 말이다.
- 목적격보어 자리에는 명사, 대명사, 형용사가 올 수 있다. `LINK` UNIT 7

5형식 동사	일반동사	(호칭) call, name / (상태) leave, make, keep / (사고) think, believe, find, consider
	지각동사	see, watch, hear, witness, feel, behold, observe
	사역동사	make, have, let

1 1형식: 주어 + 동사

- 1형식 문장은 문장의 최소 단위인 주어(S)와 동사(V)로 구성된다.
- 장소, 시간, 방법 등을 나타내는 수식어구(M)가 덧붙기도 하지만, 형식에는 영향을 주지 않는다.
- 주어 자리에는 명사와 대명사가 올 수 있고, 둘 이상의 명사 또는 명사 앞/뒤에 수식어가 붙은 긴 어구(명사구)가 오기도 한다.

대표 문장
001
고2 9월

Steve는   달렸다
Steve / **ran**.
S(명사)   V

002
고2 6월

You matter.

003
고2 3월

All my fear disappeared!

004
고2 6월
응용

Mom's smiling face appeared.

★ **005**
고2 3월
응용

Bella's fears lessened and eventually went away.

★ 동사의 앞이나 뒤에도 수식어가 붙을 수 있다.

★ **006**
고2 3월

Sighted and blind athletes from 37 nations competed.

대표 문장
007
고2 6월
응용

당신은   있다   기차 안에
You / **are** / **in a train**.
S(대명사) V   M(장소)

008
고2 6월
응용

The twins were in separate incubators.

★ **009**
고2 9월

Sadie and Lauren were out there with no rain gear.

---

matter 중요하다   fear 두려움   disappear 사라지다 (↔ appear)   lessen 줄어들다   eventually 결국   go away 사라지다   sighted 볼 수 있는
blind 시각 장애가 있는   athlete (운동)선수   compete 시합을 치르다   twins 쌍둥이   separate 분리된   incubator 인큐베이터   rain gear 우비

010
고2 11월
응용

Bahati lived in a small village.

011
고2 6월

The tour lasts approximately 1 hour.

012
고2 3월

The parking lot opens at 9 a.m.

013
고2 6월
응용

The illusion of relative movement works the other way.

★「in+방법/방식(way)」에서 in은 생략되기도 한다.

014
고2 3월

Two major kinds of age-related structural changes occur in the eye.

015
고2 9월
응용

어느 날   Kathy는   서 있었다   학교 앞에
One day, / Kathy / stood / in front of the school.
M₁(시간)   S(명사)   V   M₂(장소)

016
고2 9월

Today, a stone monument to Amory stands at Black Beauty Ranch.

017
고2 6월
응용

For the next two hours, the executives worked in groups.

☆ **018**
고2 3월

On December 6th, I arrived at University Hospital in Cleveland at 10:00 a.m.

---

last 지속되다   approximately 약, 대략   parking lot 주차장   open 열다   illusion 착각   relative 상대적인   movement 움직임   work 작동하다
major 주요한   age-related 나이와 관련된   structural 구조적인   occur 일어나다   monument 기념비   executive 간부

2 2형식: 주어+동사+보어

- 2형식 문장은 주어(S)와 동사(V)에 보어(C)가 덧붙는다.
- 보어 자리에는 명사, 대명사와 형용사가 올 수 있고, 주어의 성질이나 상태를 보충 설명한다.

대표 문장

019
고2 3월

Mary는   ~이다   인테리어 디자이너
Mary / **is** / **an interior designer**.
   S   V   C(명사구)
   └─── (=) ───┘

020
고2 11월
응용

Crowdfunding is a new and more collaborative way.

021
고1 11월

The application deadline is November 23rd.

022
고2 6월
응용

Mistakes are the best teachers.

023
고2 9월

We are the CEOs of our own lives.

024
고2 11월
응용

Our dangers today are high blood pressure or diabetes.

☆ **025**
고2 6월
응용

They often become leaders.

026
고2 9월
응용

The book became an instant bestseller.

027
고2 3월
응용

Eventually, attack becomes the best form of defence.

---

crowdfunding 크라우드 펀딩   collaborative 협력적인   application deadline 지원 마감일   high blood pressure 고혈압   diabetes 당뇨병
instant 즉각적인   eventually 결국   attack 공격   form 형태   defence 방어

- 상태, 인식, 변화, 감각 등을 나타내는 동사들이 2형식 문장에 주로 쓰인다.
- 특히 감각동사의 주격보어로는 항상 형용사가 오며, 주로 '~하게'라는 의미로 부사처럼 해석된다.

028
고2 3월
응용

경쟁이 ~하다 치열한
The competition / is / fierce.
   S   V C(형용사)

029
고2 9월
응용

Others remain unsolved to this day.

030
고2 3월
응용

Sometimes animals seem unconcerned.

031
고2 6월
응용

Perhaps the teacher appears stubborn.

032
고2 3월
응용

I grew anxious.

033
고2 11월

She became confident in her singing.

☆**034**
고2 3월
응용

Words like these sound good.

035
고2 6월
응용

You feel sleepy after a short time.

☆**036**
고1 11월
응용

They're too small, or they don't taste good.

---

competition 경쟁　fierce 치열한　remain (~않은 채) 남아 있다　unsolved 풀리지 않은　seem (~인 것처럼) 보이다　unconcerned 태연한
perhaps 아마　appear ~인 것 같다　stubborn 완고한　anxious 불안한　confident 자신감 있는

3 3형식: 주어 + 동사 + 목적어

- 3형식 문장은 주어(S)와 동사(V)에 목적어(O)가 덧붙는다.
- 목적어 자리에는 명사, 대명사가 올 수 있고, 주로 '~을/를'로 해석되며 목적어는 주어와 무관(S≠O)하다.

대표 문장

037
고1 11월

의심이　　가득 채웠다　그를
Doubts / **filled** / **him**.
　S　　　　　V　　　O(대명사)
　　　└──── (≠) ────┘

038
고2 9월

Our teachers, coaches, and parents taught us.

039
고2 3월
응용

We alter them in various ways.

☆**040**
고2 9월

One day, the old man invited him for a drink during the break time.

041
고2 6월

사람들은　사랑한다　영웅들을
People / **love** / **heroes**.
　S　　　　V　　　O(명사)

042
고1 11월

The common dating rule has scientific merit.

043
고2 3월

You see platter after platter of different foods.

☆**044**
고1 11월

The farmer quickly developed a strong friendship with him.

★ 전치사 뒤에 오는 대명사, 명사는 전치사의 목적어이다.

045
고2 9월

That day, the young woodcutter brought 15 trees to their boss.

---

doubt 의심　fill (가득) 채우다　alter 바꾸다　various 다양한　during ~ 동안　hero 영웅　common 일반적인　rule 규칙　scientific 과학적인
merit 가치　platter 접시　develop 키우다　strong 진한　woodcutter 나무꾼

· 목적어가 '~에, ~에게, ~와' 등으로 해석되는 동사들도 있는데, 전치사가 필요 없이 바로 목적어가 온다는 점에 유의해야 한다.

046
고2 11월

갑자기	그녀는	멈추었다	노래를	그리고 말을 걸었다	그녀에게	곧바로
Suddenly	she	stopped	the song	and addressed	her	directly.
M_1	S_1	V_1	O_1(명사)	V_2	O_2(대명사)	M_2

047
고2 6월
응용

She approached the woman.

☆ **048**
고2 11월
응용

They affect people's mood.

049
고2 11월
응용

He attended University College London.

050
고2 11월
응용

I recently attended your lecture about recent issues in business.

051
고2 11월
응용

It reached the double digits in 2014.

052
고2 9월
응용

Philip entered the tent with the medicine.

053
고2 9월
응용

Railways faced infrastructure-related challenges.

054
고2 6월

The recency of events highly influences a supervisor's opinion during performance appraisals.

---

address 말을 걸다   approach 다가가다   affect 영향을 미치다   attend 다니다, 참석하다   lecture 강연   recent 새로운, 최근의   issue 논쟁점
double digits 두 자리 숫자   medicine 약   recency 최신성   supervisor 관리자   opinion 의견   performance appraisal 직무 수행 평가

4 4형식: 주어+동사+간접목적어+직접목적어

- 4형식 문장은 목적어가 2개인 문장으로, 동사 뒤에 간접목적어(IO)와 직접목적어(DO)가 덧붙는다.
- 간접목적어, 직접목적어 자리에는 명사, 대명사가 오며, 각각 '~에게'와 '~을/를'로 해석한다.
- 간접목적어 앞에 전치사(to/for/of)를 붙여 문장 뒤로 보내면 3형식 문장으로 바뀐다.
  - '전달'의 의미를 나타내는 give 등은 to, '노력, 정성'이 들어가는 make 등은 for, ask는 of를 쓴다.

대표 문장

055
고2 6월
응용

주인은　　　주었다　그녀에게　약간의 음식을
The owner / **gave** / **her** / **some food**.
　　S　　　　　V　　 IO(대명사)　 DO(명사구)

(→ The owner gave **some food to her**.)

056
고2 3월
응용

You owe me a pot of gold.

057
고1 11월
응용

The farmer offered him lamb meat and cheese.

058
고2 6월
응용

She gave the cashier some food stamps.

059
고2 3월

The nurse showed Lina an opening in the side of the incubator.

☆060
고2 6월
응용

그녀의 업적은　얻어주었다 그녀에게　　Prince Claus 상을
Her work / **won** / **her** / **a Prince Claus Award**.
　　S　　　　V　　IO(대명사)　　　DO(명사구)

(→ Her work won **a Prince Claus Award for her**.)

☆061
고2 11월
응용

한 동료가　　　묻는다　당신에게　　똑같은 질문을
A co-worker / **asks** / **you** / **the same question**.
　　S　　　　　V　 IO(대명사)　　　DO(명사구)

(→ A co-worker asks **the same question of you**.)

---

owner 주인　　owe (돈을) 빚지고 있다　　pot 항아리　　offer 제공하다　　lamb meat 양고기　　cashier 계산원　　food stamp 구호 대상자용 식량 카드
opening 창　　award 상　　co-worker 동료

5 5형식: 주어+동사+목적어+보어

- 5형식 문장은 주어(S)와 동사(V)에 목적어(O)와 보어(C)가 덧붙는다.
- 보어 자리에는 명사, 대명사와 형용사가 올 수 있고, 목적어의 성질이나 상태를 보충 설명한다.

대표 문장

062
고2 6월

철학자들은   부른다   그것을   '공리주의'라고
Philosophers / **call** / **it** / *utilitarianism*.
     S   V   O   C(명사)
                          └── (=) ──┘

063
고1 11월
응용

Churchill called this "dining diplomacy."

064
고2 11월
응용

Our brain considers this a danger.

065
고2 6월
응용

They made him Consulting Engineer of G.E.

066
고2 9월
응용

이것은   만든다   우리가   더 확신하게   (말로) 서술된 믿음에
This / **makes** / **us** / **more confident** / **in said beliefs**.
  S   V   O   C(형용사)   M

067
고2 3월

This made the customer speechless.

068
고2 11월
응용

They find you likeable.

---

philosopher 철학자   utilitarianism 공리주의   dining diplomacy 식사 외교   consider 간주하다   danger 위험   Consulting Engineer 고문 엔지니어
confident 확신하는   belief 믿음   customer 고객   speechless 할 말을 잃은   likeable 호감이 가는

구조+해석 S, V, C, O(IO, DO)를 표시한 뒤, 문장을 끊어 읽고 해석하시오.

0
고2 9월

Kuklinski / calls / this sort of response / the "I know I'm right" syndrome.
　　S　　　V　　　　　O　　　　　　　　　　　　C

→ Kuklinski는 이러한 종류의 응답을 '내가 옳다는 것을 나는 안다'는 증후군이라고 불렀다.

1
고2 3월
응용

Workers' unhappiness makes the customer's experience worse.

→ _____

2
고1 11월
응용

This rarely works.

→ _____

3
고2 6월
응용

More cheating per student occurs in the larger classes.

→ _____

4
고2 11월

The parking lot is open from 1:00 pm to 6:00 pm.

→ _____

5
고2 3월
응용

He attended night classes at the Art Institute of Chicago.

→ _____

6
고2 3월

We received conflicting messages from our parents, from our peers, and from scientific research.

→ _____

7
고2 9월

In 2007, the French government awarded Khan the Order of Arts and Letters for his contribution to cinema.

→ _____

---

response 응답　experience 경험　rarely 거의 ~ 않는　cheating 부정행위　open 개방한　night class 야간 수업　receive 받다　conflicting 상충하는
peer 동료　scientific research 과학적 연구　government 정부　award 수여하다　contribution 공로

구조+영작 구조에 맞게 주어진 표현을 활용하여 영작하시오.

0
고2 6월
응용

그는	살았다	Kansas City의 길모퉁이에서
He	lived	on a street corner in Kansas City.
S	V	M

*live, street corner

1
고2 3월

신체는	작용한다	같은 방식으로
S	V	M

*body, work, the same

2
고1 11월

일관성은	항상 가져온다	더 나은 결과들을
S	V	O

*consistency, bring, better result

3
고2 3월

호기심은	~이다	생명체의 본질
S	V	C

*curiosity, essence, life

4
고2 11월

나는	보았다	한 노파를	빵 한 덩어리를 가진
S	V	O	

*see, old woman, a loaf of bread

5
고1 11월
응용

논리의 영역들은	만든다	문화 상대주의를	불가능하게
S	V	O	C

*boundary, logic, cultural relativism

6
고2 3월
응용

할머니는	보여 주었다	Yolanda에게	실내의 나무를
S	V	IO	DO

*show, indoor

---

street corner 길모퉁이   body 신체   consistency 일관성   old woman 노파   a loaf of bread 빵 한 덩어리   boundary 영역   logic 논리
cultural relativism 문화 상대주의   indoor 실내의

UNIT 2 동사: 시제

단순시제: 현재, 과거, 미래

주어	+	be동사
		am/are/is
		was/were
		will be

주어	+	일반동사
		동사원형/동사원형+(e)s
		동사원형+(e)d/불규칙 과거형
		will+동사원형

완료형: 현재/과거/미래 완료

주어	+	동사
		have[has]+p.p.
		had+p.p.
		will have+p.p.

진행형: 현재/과거/미래/완료 진행

주어	+	동사
		am/are/is+v-ing
		was/were+v-ing
		will be+v-ing

주어	+	동사
		have[has] been+v-ing
		had been+v-ing
		will have been+v-ing

필수 기출 어휘 다지기

01	ethical	형	윤리적인	26	amount	명	양
02	moral	형	도덕적인	27	innocent	형	온순한
03	comparatively	부	비교적	28	raging	형	맹렬한
04	harmless	형	무해한	29	belonging	명	소지품
05	substitute	명	대체물	30	tie	동	묶다
06	rest	동	휴식을 취하다	31	stay up		깨어 있다
07	foundation	명	토대	32	cooperation	명	협동
08	mastery	명	숙달	33	hot topic		관심이 많은 주제
09	attitude★	명	태도	34	mass media		대중 매체
10	provide★	동	제공하다	35	as of		~일자로
11	chaos	명	혼돈	36	request	동	요청하다
12	embrace	동	감싸다	37	installation	명	설치
13	slow down		늦추다	38	pay attention to		~에 주목하다
14	innovation	명	혁신	39	happen★	동	일어나다
15	cause★	동	일으키다	40	bomb	명	폭탄
16	public service		공공 시설물	41	land	동	떨어지다
17	desirable	형	바람직한	42	hold★	동	개최하다
18	additional★	형	추가적인	43	regular customer		단골 고객
19	concern★	명	우려	44	vehicle	명	차량
20	artistry	명	예술성	45	century★	명	세기,100년
21	appreciation	명	감식력	46	think of★		~을 생각하다
22	suffer from		~로 고통받다	47	search for		~을 찾다
23	addictive	형	중독적인	48	suddenly★	부	갑자기
24	tendency	명	성향	49	alarming	형	놀라운, 걱정스러운
25	impressive	형	인상적인	50	spread	명	확산

1 단순시제: 현재, 과거, 미래

대표 문장
고2 9월

나는 　~이다　 Springfield 공립학교 교장

| I | am | the principal of Springfield Public School. |

V (현재)

2 완료형: 현재/과거/미래 완료

대표 문장
고2 3월 응용

귀금속은　　　　　~해 왔다　　　돈으로서 바람직한　　　수천 년에 걸쳐

| Precious metals | have been | desirable as money | accross the millenia. |

V (현재완료)

3 진행형: 현재/과거/미래/완료 진행

대표 문장
고2 9월 응용

우리는　　요청하고 있다　　　과속 방지턱의 설치를　　　　　　Pine Street에

| We | are requesting | the installation of speed bumps | on Pine Street. |

V (현재진행)

대표 문장
고1 11월 응용

사람들은　　마셔 오고 있다　　　커피를　　수 세기 동안

| Humans | have been drinking | coffee | for centuries. |

V (현재완료진행)

▶ 동사의 형태로 현재, 과거, 미래 시제를 나타낼 수 있다.

단순시제
- 현재 시제는 현재의 동작이나 상태, 반복적인 습관, 속담, 불변의 진리 등을 나타낸다.
- 과거 시제는 과거의 동작이나 상태, 역사적 사실 등을 나타낸다.
- 미래 시제는 미래에 일어날 일에 대한 계획이나 예측 등을 나타낸다.

현재	am/are/is, 동사원형/동사원형+(e)s	~이다, ~하다
과거	was/were, 동사원형+(e)d/불규칙	~이었다, ~했다
미래	will be, will+동사원형	~일 것이다, ~할 것이다

▶ 「have[has]/had+p.p.」로 동사의 완료형을 나타낼 수 있다.

완료
- '과거~현재'/'과거 이전(*대과거)~과거'/'현재~미래'의 두 시점을 연결하여 이전 시점에 시작된 일이 나중 시점까지 영향을 미치고 있음을 나타낸다.
- have[has]/had는 조동사, p.p.는 완료의 의미를 나타내는 과거분사(동사원형+-(e)d/불규칙)이다.

현재완료 / 과거완료	have[has]+p.p./ had+p.p.	〈완료〉 이미[막] ~했다	just, already, yet
		〈경험〉 ~한 적이 있다	ever, never, before, once
		〈계속〉 ~해 왔다	since, for, so far, how long
		〈결과〉 ~해 버렸다	go, come, leave, lose, buy
미래완료	will have+p.p.	~했을 것이다	by the time+미래시점

★ 대과거: 과거에 일어난 두 가지 일 중 먼저 일어난 일을 과거완료로 나타내는 것

▶ 「be동사+v-ing」로 동사의 진행형을, 「have[has]/had been+v-ing」로 완료진행형을 나타낼 수 있다.

진행
- 현재/과거/미래의 특정 시점에 진행 중인 일을 나타낸다.
- be동사 뒤의 v-ing는 동사원형에 -ing를 붙인 현재분사로, 진행의 의미를 나타낸다.

현재진행	am/are/is+v-ing	~하고 있다, ~하는 중이다
과거진행	was/were+v-ing	~하고 있었다, ~하던 중이다
미래진행	will be+v-ing	~하고 있을 것이다, ~하는 중일 것이다

완료진행
- 두 시점을 연결하여 이전 시점에 시작된 일이 나중 시점까지 계속 진행 중인 상태를 나타낸다.

현재완료진행	have[has] been+v-ing	~해 오고 있는 중이다
과거완료진행	had been+v-ing	~해 오고 있던 중이다
미래완료진행	will have been+v-ing	~해 오고 있는 중일 것이다

1 단순시제: 현재, 과거, 미래

- 현재 시제는 현재의 동작이나 상태, 반복적 습관, 속담, 불변의 진리 등을 나타낸다.
- 주어에 따라 be동사는 am/are/is로, 일반동사는 동사원형/「동사원형+(e)s」로 나타내며, '~이다, ~하다'로 해석한다.

대표 문장

069
고2 9월

나는 ~이다   Springfield 공립학교 교장
I / **am** / the principal of Springfield Public School.
   V(현재)

070
고1 11월

Some people are very self-driven.

071
고1 11월

Ethical and moral systems are different for every culture.

072
고2 11월

Our world today is comparatively harmless.

073
고1 11월

Non-verbal communication is not a substitute for verbal communication.

074
고2 3월
응용

I spend more time with my family and friends.

075
고2 3월
응용

Koalas rest sixteen to eighteen hours a day.

076
고2 3월

Habits create the foundation for mastery.

☆ **077**
고2 11월

Attitude provides safe conduct through all kinds of storms.

★ 「동사원형+(e)s」는 주어가 3인칭 단수일 때 쓴다.

---

self-driven 자기 주도적인   ethical 윤리적인   moral 도덕적인   comparatively 비교적   harmless 무해한   non-verbal 비언어적 (↔ verbal)
substitute 대체물   rest 휴식을 취하다   foundation 토대   mastery 숙달   attitude 태도   provide 제공하다   safe conduct 안전 통행권

- 과거 시제는 과거의 동작이나 상태, 역사적 사실 등을 나타내고, be동사는 주어에 따라 was/were로, 일반동사는 「동사원형+(e)d」/ 불규칙으로 나타내며, '~이었다, ~했다'로 해석한다.
- 미래 시제는 미래에 일어날 일에 대한 계획이나 예측을 나타내며, 주어에 상관없이 be동사는 will be로, 일반동사는 「will+동사 원형」으로 나타내며, '~일 것이다, ~할 것이다'로 해석한다.

078
고1 11월
응용

어제   그들은   ~이었다   여러분의 생각에 완전히 빠져 있는
Yesterday / they / **were** / in love with your idea.
                         V(과거)

079
고2 3월

Theseus was a great hero to the people of Athens.

080
고2 6월

Six months ago, 55-year-old Billy Ray Harris was homeless.

081
고2 3월
응용

In the midst of the chaos, an unbelievable peace embraced me.

082
고2 9월
응용

In the years before World War I, aircraft makers slowed down innovation.

083
고2 3월
응용

꽃꽂이 작품들은   전시될 것이다   2020년 5월 9일까지
Flower arrangements / **will be** on display / until May 9, 2020.
                           V(미래)

084
고2 3월

Each first place winner will receive a $50 gift certificate.

085
고2 9월

Our team will not cause any issues to public services or other park visitors.

Athens 아테네   homeless 노숙자의   in the midst of ~의 한가운데에   chaos 혼돈   embrace 감싸다   slow down 늦추다   innovation 혁신
be on display 전시되어 있다   gift certificate 상품권   cause 일으키다   public service 공공 시설물

- 현재완료는 「have[has]+p.p.」로 나타내며, '과거~현재'를 연결하여 문맥에 따라 완료(이미[막] ~했다), 경험(~한 적이 있다), 계속(~해 왔다), 결과(~해 버렸다)의 의미를 나타낸다.
- 현재완료는 명백한 과거를 나타내는 표현(yesterday, last week, in+특정 연도 등)과 함께 쓸 수 없다.

대표 문장

086
고2 3월
응용

귀금속은　　　　　~해 왔다　　　　돈으로서 바람직한　　　　수천 년에 걸쳐
Precious metals / have been / desirable as money / across the millennia.
　　　　　　　　　 V(현재완료)

087
고2 6월
응용

I have scheduled additional customer service training for them.

088
고2 9월
응용

Parents have expressed concern for the safety of their children.

089
고2 3월

All of you have developed and grown in artistry, technique, and, above all, in knowledge and appreciation.

090
고2 3월

My wife and I have lived at the Spruce Apartments for the past twelve years.

091
고2 9월

These days, electric scooters have quickly become a campus staple.

☆**092**
고2 3월
응용

Since 1992 badminton has been an Olympic sport!

093
고2 11월
응용

Schreiber has suffered from addictive exercise tendencies.

☆**094**
고2 6월
응용

The traditional Hadza hunter has not learned algebra.

---

precious metal 귀금속　　desirable 바람직한　　millenium 천년 (*pl.* millennia)　　additional 추가적인　　concern 우려　　artistry 예술성
appreciation 감식력　　staple 주요한 것　　suffer from ~로 고통받다　　addictive 중독적인　　tendency 성향　　algebra 대수학

- 과거완료는 「had + p.p.」로 나타내며, '과거 이전(대과거) ~ 과거'를 연결하여 완료, 경험, 계속, 결과의 의미와 과거의 시간적 순서를 강조하는 대과거로 사용한다.
- 미래완료는 「will have + p.p.」로 나타내며, '현재~미래'를 연결하여 완료, 경험, 계속, 결과의 의미를 나타낸다.

095
고2 9월
응용

1940년에 사망에 이르기까지　　그는　　만들어냈다　　　　　　인상적인 양의 작품을
By his death in 1940, / he / <u>had created</u> / an impressive amount of work.
　　　　　　　　　　　　　　　　　　　V(과거완료)

096
고2 11월

For years, she had got no news of her son.

097
고2 9월
응용

The innocent spring shower had turned into a raging thunderstorm.

098
고2 6월

She had lost all of her belongings, and had only $5 in cash.

☆**099**
고2 3월
응용

His uncle had bought him a red party balloon from a charity stall, and tied it to the top button of Jake's shirt.

☆**100**
고2 3월
응용

William Miller stayed up after the family had gone to bed.

★ after(~한 뒤에)는 시간을 나타내는 접속사이다.

101
고1 11월
응용

당신은　　알아차리게 될 것이다　　　　　　동물들 사이의 협동이　　　　　되어 왔다는 것을　　관심이
You / <u>will have noticed</u> [that cooperation among animals / <u>has become</u> / a hot
　　　　V(미래완료)　　　　　　　　　　　　　　　　　　　　　　　　　V'(현재완료)
많은 주제가　　대중매체에서
topic / in the mass media].　　★ that 이하는 목적어로 쓰인 명사절이다.　**LINK** UNIT 6-2

102
고2 3월

I will have lived in this apartment for ten years as of this coming April.

---

impressive 인상적인　amount 양　innocent 온순한　spring shower 봄 소나기　raging 맹렬한　thunderstorm 뇌우　belonging 소지품
in cash 현금으로　charity stall 자선 가판대　tie 묶다　stay up 깨어 있다　cooperation 협동　hot topic 관심이 많은 주제　mass media 대중 매체

3 진행형: 현재/과거/미래/완료 진행

- 진행형은 현재/과거/미래에 진행 중인 일을 나타낸다.
- 「am/are/is+v-ing」, 「was/were+v-ing」, 「will be+v-ing」로 나타내고 '(현재) ~하고 있다', '(과거에) ~하고 있었다', (미래에) ~하고 있을 것이다'로 해석한다.

대표 문장

103
고2 9월
응용

우리는   요청하고 있다   과속 방지턱의 설치를   Pine Street에
We / **are requesting** / the installation of speed bumps / on Pine Street.
        V(현재진행)

104
고2 3월
응용

I am simply paying better attention to my human needs.

105
고2 6월

In today's version of show business, the business part is happening online.

106
고1 11월

그 노인은   쓰고 있었다   오래된 터번을   그의 머리에
The old man / **was wearing** / an old turban / on his head.
        V(과거진행)

107
고2 11월
응용

One night, my family was having a party with a couple from another city.

108
고2 3월
응용

By the end of the attack the bombs were landing on cows in the country.

109
고2 6월

이번 달에   우리는   개최하고 있을 것이다   '부모-아이' 닮은꼴 경연을
This month, / we / **will be holding** / a "parent-child" look-alike contest!
           V(미래진행)

110
고2 6월

Starting June 1st, we'll be offering our regular customers periodic inspection of vehicles for free.

---

request 요청하다   installation 설치   pay attention to ~에 주목하다   happen 일어나다   bomb 폭탄   land 떨어지다   hold 개최하다
starting (from) ~부터 시작해서   regular customer 단골 고객   periodic inspection 정기 검사   vehicle 차량   for free 무료로

- 완료진행형은 현재/과거 완료의 여러 의미 중 동작이 '계속' 진행 중임을 강조할 때 사용한다.
- 「have[has]/had been + v-ing」으로 나타내며, '~해 오고 있는/있던 중이다'로 해석한다.
- 미래진행형은 「will have been + v-ing」로 나타낼 수 있지만, 거의 쓰이지 않는다.

대표 문장
111
고1 11월
응용

사람들은   마셔 오고 있다   커피를   수 세기 동안
Humans / **have been drinking** / coffee / for centuries.
         V(현재완료진행)

112
고2 11월
응용

We have recently been working on a project.

113
고2 6월

We at the Future Music School have been providing music education to talented children for 10 years.

114
고2 6월

I have been using your coffee machines for several years.

115
고2 3월
응용

그 가족은   생각해 오고 있었다   그 개를 누군가에게 주려고
The family / **had been thinking of** / giving the dog to someone.
         V(과거완료진행)

★ giving 이하는 목적어로 쓰인 동명사구이다. **LINK** UNIT 6-1

116
고2 6월
응용

His family members had been searching for him for 16 years.

☆ **117**
고2 11월

This idea suddenly "hit" him after he had been watching a television program about the alarming spread of AIDS in Africa.

---

century 세기, 100년   talented 재능 있는   think of ~을 생각하다   search for ~을 찾다   suddenly 갑자기   hit (생각 등이 불현듯) 떠오르다
alarming 놀라운, 걱정스러운   spread 확산

구조+해석   V와 시제를 표시한 뒤, 문장을 끊어 읽고 해석하시오.

0
고1 11월

I / am / a staff member / at the Eastville Library, / and I / work / weekday afternoons.
  V₁(현재)   V₂(현재)

→ 나는 Eastville 도서관 직원이고, 나는 평일 오후에 근무한다.

1
고2 6월
응용

A pile of dried-up brown needles had accumulated beneath the tree.

→ _____

2
고1 11월
응용

Thomas Edison was indeed a creative genius.

→ _____

3
고2 3월

Since that time, I have never touched the walls or the ceiling.

→ _____

4
고2 9월

We will never see the same event and stimuli in exactly the same way at different times.

→ _____

5
고2 9월
응용

The roaring fire was spreading through the whole building.

→ _____

6
고2 9월

She is a young woman now and has become an excellent writer, public speaker, and student leader.

→ _____

7
고2 3월
응용

The life of the china bowl is always existing in a dangerous situation.

→ _____

---

a pile of 한 무더기의   dried-up 바싹 마른   needle 솔잎   accumulate 쌓이다   beneath 아래에   indeed 정말   genius 천재   ceiling 천장
event 사건   stimuli 자극   exactly 정확히   roaring 맹렬히 타오르는   public speaker 연설가   china bowl 자기 그릇   exist (특수한 조건에) 놓여 있다

구조+영작 구조에 맞게 주어진 표현을 활용하여 영작하시오.

0
고2 3월

사전 구매 티켓들은	~이다	36달러	그리고 온라인으로 구매할 수 있는
Advance tickets	are	$36	and available online.
S	V(현재)	C	

*advance ticket, available

1
고2 9월

태양이	비추었다	털들의 끝부분을	곰의 등을 따라 (나 있는)
S	V(과거)	O	

*catch, the ends of, along, back

2
고2 3월

Lisa는	겪었었다	매우 어려운 시기를	학교생활의 처음 며칠에
S	V(과거완료)	O	M

*have a hard time, first days

3
고1 11월

Dr. Wilkinson은	달아 주고 있었다	금메달을	다섯 명의 최우수 의대 졸업생 각자에게
S	V(과거진행)	O	M

*pin, top five, medical graduate

4
고2 6월
응용

신체는	갖고 있다	효율적인 체계를	자연적 방어의	병균들에 대항하는
S	V(현재)	O		

*effective, natural defence, parasite

5
고1 11월

행동 생태학자들은	관찰해 왔다	영리한 모방 행동을	우리의 가까운 동물 친척들 중 다수에게서
S	V(현재완료)	O	M

*behavioral ecologist, observe, clever, copying behavior

6
고2 9월
응용

우리는	찾고 있다	무용수들을	뮤지컬 'A Midsummer Night's Dream'을 위한
S	V(현재진행)	O	

*look for, dancer

---

available 구매할 수 있는   catch (빛이) 비추다   the ends of ~의 끝부분   along ~을 따라   pin (핀으로) 달다, 고정하다   medical graduate 의대 졸업생
natural defence 자연적 방어   parasite 병균   behavioral ecologist 행동 생태학자   observe 관찰하다   clever 영리한   copying behavior 모방 행동

UNIT 3 동사: 수동태

3형식의 수동태

주어 **+** 동사 **+** (by + 목적어)
be + p.p.

4형식의 수동태

주어 **+** 동사 **+** 목적어
be + p.p.

5형식의 수동태

주어 **+** 동사 **+** 보어
be + p.p.

주의할 수동태

주어 **+** 동사
be being + p.p.
have[has]/had been + p.p.

주어 **+** 동사 + 전치사 **+** 전치사의 목적어
be + p.p. + about/in/with ...

01	cloud	동	(판단력 등을) 흐리다	26	trait	명	특성
02	familiarity	명	친숙함	27	widely★	부	널리
03	opportunity★	명	기회	28	conductor	명	지휘자
04	moral	형	도덕적인	29	conference	명	회의
05	ethical	형	윤리적인	30	caring	형	보살피는
06	opinion	명	의견	31	region★	명	지역
07	perspective	명	관점	32	threaten	동	위협하다
08	greet	동	환영하다	33	medicine	명	약
09	disturb	동	방해하다	34	fruition	명	결실
10	judge	동	판단하다	35	recommendation	명	권고
11	prohibit	동	금지하다	36	adopt	동	채택하다
12	distribute	동	분배하다	37	modification	명	수정
13	bias	동	편견을 갖게 하다	38	disease★	명	질병
14	praise	동	칭찬하다	39	eradicate	동	근절하다
15	individual★	명	개인	40	theatrical	형	연극적인
16	credit	명	공로	41	donate	동	기부하다
17	major★	형	주요한	42	performance★	명	성취
18	breakthrough	명	획기적 발견	43	despite	전	~에도 불구하고
19	identical	형	동일한	44	effort★	명	노력
20	gene★	명	유전자	45	employee★	명	직원
21	award	동	수여하다	46	engage★	동	참여시키다
22	fossil	명	화석	47	politics	명	정치
23	prize	명	상품	48	involve★	동	참여시키다
24	presentation	명	발표	49	unprecedented	형	전례 없는
25	confidence★	명	자신감	50	peril	명	(심각한) 위험

동사: 수동태

1 3형식의 수동태

대표 문장
고2 6월 응용

그들의 시야는	흐려진다	첫인상에 의해
Their vision	**is clouded**	**by the first impression.**
S	V(수동태)	by+목적어

2 4형식의 수동태

대표 문장
고2 6월

개인들은	인정받는다	공로를	주요한 획기적 발견에 대해
Individuals	**are given**	**credit**	**for major breakthroughs.**
S	V(수동태)	O	

3 5형식의 수동태

대표 문장
고1 11월

	인생에서	우리의 열매는	불린다	우리의 결과로
	In life,	**our fruits**	**are called**	**our results.**
		S	V(수동태)	C

4 주의할 수동태

대표 문장
고1 11월 응용

주머니고양이의 생존이	위협받고 있었다	수수두꺼비에 의해
The quoll's survival	**was being threatened**	**by the cane toad.**
	V(과거진행 수동태)	

대표 문장
고2 11월

그는	놀랐다	바람의 힘에
He	**was amazed at**	**the power of the wind.**
	V(수동태+전치사)	O(전치사의 목적어)

▶ 「S+be+p.p.(+by+목적어)」는 3형식의 수동태이다.

수동태　• 동작을 행하는 '주체(S)'가 아닌 당하는 '대상(O)'이 주어로 표현되는 것을 말한다.

3형식의 수동태　• 「S+V+O」의 수동태는 「S+be+p.p.(+by+목적어)」의 형태이다.
　• 목적어는 주어 자리로 가고, 주어는 「by+목적어」의 형태로 문장의 뒤에 오거나 생략된다.

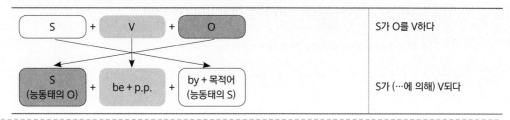

▶ 「S+be+p.p+O」는 4형식의 수동태이다.

4형식의 수동태　• 「S+V+IO+DO」의 수동태는 「S+be+p.p.+O」의 형태이다.
　• 두 개의 목적어 중 주로 간접목적어가 주어 자리로 가고, 직접목적어는 그 자리에 남는다.

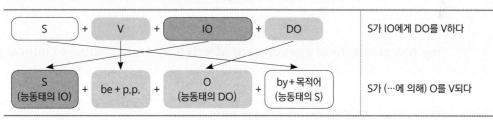

★ 직접목적어가 주어로 나올 때, 간접목적어는 전치사와 함께 쓰거나 생략한다.

▶ 「S+be+p.p.+C」는 5형식의 수동태이다.

5형식의 수동태　• 「S+V+O+C」의 수동태는 「S+be+p.p.+C」의 형태이다.
　• 목적어는 주어 자리로 가고, 목적어 뒤의 보어는 그 자리에 남는다.

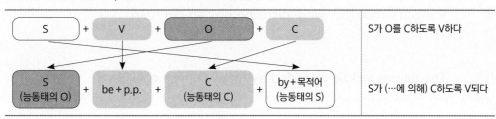

▶ 「be being+p.p.」와 「have[has]/had been+p.p.」는 각각 수동태의 진행형과 완료형이다.

진행/완료 수동태　• 수동태도 능동태와 마찬가지로 진행형과 완료형이 있다.

진행 수동태	be being+p.p.	~되고 있다, ~되는 중이다
완료 수동태	have[has]/had been+p.p.	~되었다, ~되어 왔다 〈완료, 계속, 경험, 결과〉

by 외의 전치사　• 행위자를 나타낼 때 by외의 전치사를 사용하는 관용적 표현도 있다.

be amazed at	~에 놀라다	be disappointed about	~에 실망하다
be based on	~에 근거하다	be engaged[involved] in	~에 참여하다
be covered with[in]	~로 덮여있다	be faced with	~에 직면하다
be filled with	~로 채워지다	be known to	~에게 알려지다

1 3형식의 수동태

- 「S+be+p.p.+by+목적어」는 3형식의 수동태로, 'S가 …에 의해 V되다'로 해석한다.
- be동사의 형태로 현재(am/are/is), 과거(was/were), 미래(will be)를 나타낸다.

대표 문장
118
고2 6월 응용

그들의 시야는　흐려진다　첫인상에 의해
Their vision / **is clouded** / **by the first impression**.
　　S　　　　V(수동태)　　　by+목적어

(← The first impression **clouds** their vision.)

119
고2 6월

Everyone is influenced by the familiarity of an image.

120
고1 11월 응용

We are surrounded by opportunities.

121
고1 11월 응용

Any moral or ethical opinions are affected by an individual's cultural perspective.

122
고2 11월

Justin was greeted by an old farmer.

123
고2 6월 응용

The invention of the mechanical clock was influenced by monks.

124
고1 11월 응용

Rangan's thoughts were disturbed by an old man.

125
고1 11월 응용

The games will be attended by many college coaches.

126
고2 11월 응용

All posters will be judged by San Diego Clean Environment Commission(SCEC).

---

cloud (판단력 등을) 흐리다　impression 인상　influence 영향을 미치다　familiarity 친숙함　surround 둘러싸다　opportunity 기회　moral 도덕적인　ethical 윤리적인　opinion 의견　affect 영향을 주다　perspective 관점　greet 환영하다　mechanical clock 기계식 시계　monk 승려　disturb 방해하다　attend 참석하다　judge 판단하다　environment 환경

• 수동태의 행위자가 불분명하거나 막연한 일반인일 때 「by+목적어」는 흔히 생략된다.

127
고1 11월

음식과 애완동물들은   금지된다   박물관에서
Food and pets / **are prohibited** / in the museum.
　　　　S　　　　　　　V(수동태)
(← We **prohibit** food and pets in the museum.)

☆ **128**
고2 3월
응용

Medical services are still not well distributed.

129
고2 6월
응용

Our culture is biased toward the fine arts.

130
고2 3월
응용

It is fully charged in 30 minutes via USB-cable.

131
고2 6월
응용

Many inventions were invented thousands of years ago.

132
고2 3월

His creativity was praised at the time as the mark of genius.

133
고2 6월
응용

Thomas Nast was born on September 27, 1840, in Landau, Germany.

134
고2 3월

Refreshments will be provided at the finish point.

135
고2 11월

Winning entries will be used in campus security awareness campaigns.

---

prohibit 금지하다　medical service 의료 서비스　distribute 분배하다　bias 편견을 갖게 하다　fine arts 순수 예술　charge 충전하다　via ~을 통해
invent 발명하다　praise 칭찬하다　mark 표시　genius 천재성　bear 낳다　refreshments 간단한 음식, 다과　provide 제공하다
winning entry 수상작　security awareness 보안 인식

- 「S+be+p.p.+O」는 4형식의 수동태로, 'S가 (…에 의해) O를 V되다'로 해석한다.
- 4형식 문장의 간접목적어가 목적어 자리에 남을 때에는 전치사와 함께 쓰거나 생략한다.

대표 문장

136
고2 6월

개인들은　　　인정받는다　　공로를　　주요한 획기적 발견에 대해
Individuals / **are given** / **credit** / for major breakthroughs.
　　　　S　　　　　V(수동태)　　　O

(← We **give** individuals **credit** for major breakthroughs.)

137
고2 3월

Consider identical twins; both individuals are given the same genes.

138
고1 11월
응용

In 1844 he was awarded a gold medal for mathematics by the Royal Society.

139
고1 11월

At 2:00 p.m. during the weekend, one winner of our dinosaur quiz will be given a real fossil as a prize.

☆ 140
고2 3월
응용

파란 스웨터는　　　주어졌다　　그녀에게　　그녀의 삼촌 Ed로부터
A blue sweater / **was given** / **to her** / by her uncle Ed.
　　　　S　　　　　　V(수동태)　　전치사+O

(← Her uncle Ed **gave her** a blue sweater.)

141
고2 9월

A recording of your presentation will be given to you on a memory stick.

---

individual 개인　　credit 공로　　major 주요한　　breakthrough 획기적 발견　　consider 생각하다, 여기다　　identical twins 일란성 쌍둥이　　gene 유전자

award 수여하다　　dinosaur 공룡　　fossil 화석　　prize 상품　　recording 녹화 영상　　presentation 발표

3 5형식의 수동태

- 「S+be+p.p.+C」는 5형식의 수동태로, 'S가 (…에 의해) C로 V되다', 'S가 (…에 의해) C하도록 V되다'로 해석한다.

대표 문장

142
고1 11월

인생에서   우리의 열매는   불린다   우리의 결과로
In life, / our fruits / are called / our results.
              S   V(수동태)   C
(← In life, we **call** our fruits **our results**.)

143
고1 11월
응용

Confidence is often considered a positive trait.

144
고2 3월
응용

Apple Computer's classic "Think Different" campaign is widely considered the best ad of all time.

145
고2 9월
응용

By 1828 he was made conductor of the Musical Lyceum.

146
고2 9월
응용

At one conference, the robots were called "caring machines."

☆ **147**
고2 9월
응용

This effect will be made worse for regions such as Africa.

---

confidence 자신감   positive trait 긍정적인 특성   classic 걸작   widely 널리   ad 광고 (= advertisement)   of all time 지금껏   conductor 지휘자
conference 회의   caring 보살피는   region 지역

- 수동태의 진행형은 「be being+p.p.」로 나타내고, '~되고 있다', '~되는 중이다'로 해석한다.
- 수동태의 완료형은 「have[has]/had been+p.p.」로 나타내고 '~되었다', '~되어 왔다' 등으로 해석한다.

대표 문장

148
고1 11월
응용

　　　주머니고양이의 생존이　　　　위협받고 있었다　　　　수수두꺼비에 의해
The quoll's survival / **was being threatened** / by the cane toad.
　　　　　　　　　　　　　　　　V(과거진행 수동태)
(← The cane toad **was threatening** the quoll's survival.)

149
고2 9월
응용

The medicine was being prepared.

150
고2 9월
응용

Scientific discoveries are being brought to fruition.

☆**151**
고2 3월
응용

　　많은 것이　　　　쓰여지고, 이야기되어 왔다　　　자신에게 하는 긍정적인 말에 관한
Much / **has been written and said** / about positive self-talk.
　　　　　　　V(현재완료 수동태)

152
고2 3월

The recommendation has since been adopted, with some modifications, almost everywhere.

153
고2 11월
응용

Major diseases such as smallpox, polio, and measles have been eradicated by mass vaccination.

154
고2 6월
응용

Over the centuries various writers and thinkers have been struck by the theatrical quality of social life.

155
고2 3월
응용

The apartment had been recently painted.

156
고2 6월

As of mid-morning Tuesday, close to $152,000 had been donated.

---

threaten 위협하다　　medicine 약　　scientific discovery 과학적 발견　　bring to fruition 결실을 맺다　　self-talk 자신에게 하는 말
recommendation 권고　　adopt 채택하다　　modification 수정　　disease 질병　　smallpox 천연두　　polio 소아마비　　measles 홍역
eradicate 근절하다　　mass vaccination 집단 접종　　strike 부딪치다　　theatrical 연극적인　　as of ~ 현재로　　donate 기부하다

• 수동태의 행위자를 나타낼 때 by 이외에 다른 전치사가 사용되는 관용적 표현들도 있다.

대표 문장
157
고2 11월

그는　　　　놀랐다　　　　　　바람의 힘에
He / **was amazed at** / the power of the wind.
　　　　V(수동태+전치사)　　　　O(전치사의 목적어)
(← The power of the wind **amazed** him.)

158
고1 11월
응용

She was always disappointed about her performance despite her efforts.

159
고2 9월
응용

Employees' selections are based on their needs.

160
고1 11월
응용

She was actively engaged in politics.

161
고2 11월
응용

During the war, he was involved in naval weapons research.

162
고1 11월

His hands and face were covered in wrinkles.

163
고2 9월
응용

We are faced with unprecedented perils.

164
고2 3월

Each spring in North America, the early morning hours are filled with the sweet sounds of songbirds, such as sparrows and robins.

☆ **165**
고2 9월

This is known as "motivated reasoning."

★ be known as(~로 알려지다)는 「전치사+목적어」가 행위자를 나타내지는 않지만 자주 쓰이는 관용적 표현이다.

---

amaze 놀라게 하다　disappoint 실망시키다　performance 성취　despite ~에도 불구하고　effort 노력　employee 직원　engage 참여시키다
politics 정치　involve 참여시키다　naval 해군의　weapon 무기　wrinkle 주름　unprecedented 전례 없는　peril (심각한) 위험
songbird 명금(鳴禽: 고운 소리로 우는 새)　sparrow 참새　robin 울새　motivated reasoning 의도적 합리화

구조+해석 수동태 문장의 S, V, O, C를 표시한 뒤, 문장을 끊어 읽고 해석하시오.

0
고2 9월
응용

Many of Voltaire's plays and books / were censored and burned / in public.
　　　　　　　S　　　　　　　　　　　　V(수동태)

→ Voltaire의 많은 희곡과 책이 검열을 받았고 공개적으로 불태워졌다.

1
고2 3월
응용

The balloon was filled with helium, four times lighter than air.

→ ＿＿＿＿＿＿＿＿＿＿＿＿＿＿＿＿＿＿＿＿＿＿

2
고2 6월

In fact, much research has been done on the developmental stages of childhood.

→ ＿＿＿＿＿＿＿＿＿＿＿＿＿＿＿＿＿＿＿＿＿＿

3
고2 9월
응용

The solution to Fermat's Last Theorem was not established until the late 1990s by Andrew Wiles.

→ ＿＿＿＿＿＿＿＿＿＿＿＿＿＿＿＿＿＿＿＿＿＿

4
고2 6월
응용

Food and drink will be provided before the start of the fireworks display for your enjoyment throughout the event.

→ ＿＿＿＿＿＿＿＿＿＿＿＿＿＿＿＿＿＿＿＿＿＿

5
고2 11월
응용

The indoor life is made light and delightful by glass.

→ ＿＿＿＿＿＿＿＿＿＿＿＿＿＿＿＿＿＿＿＿＿＿

6
고2 9월

Such tricks are called "placebo buttons" and they are being pushed in all sorts of contexts.

→ ＿＿＿＿＿＿＿＿＿＿＿＿＿＿＿＿＿＿＿＿＿＿

7
고1 11월

All shoes will be repaired and given to children.

→ ＿＿＿＿＿＿＿＿＿＿＿＿＿＿＿＿＿＿＿＿＿＿

---

censor 검열하다　in public 공개적으로　times ~배　light 가벼운, 밝은　than ~보다　developmental stage 발달 단계　childhood 유년기
solution 해법　establish (사실을) 밝히다　fireworks display 불꽃놀이　indoor 실내의　delightful 유쾌한　trick 속임수　push 사용하다
all sorts of 모든 종류의

구조+영작 구조에 맞게 주어진 표현을 활용하여 영작하시오.

0 고1 11월 응용

그녀는	감동받았다	그리고 그녀의 모든 학생들은	또한 깊이 감동받았다
She	was touched	and all her students	were also deeply moved.
S₁	V₁(수동태)	and+S₂	V₂(수동태)

*touch, deeply, move

1 고2 9월 응용

할인이	제공될 것이다	서점들에 의해	참가자들에게	어떤 책에 대해서든
S	V(수동태)	by+목적어	전치사+O	M

*discounts, offer, bookstore, participants

2 고2 3월 응용

비행 안전 교육이	진행되고 있다
S	V(현재진행 수동태)

*flight safety instructions, give

3 고2 6월 응용

우리는	종종 직면한다	높은 수준의 결정들에
S	V(수동태+전치사)	O(전치사의 목적어)

*face, high-level decisions

4 고2 9월 응용

수 세기 동안	유럽의 과학은	기록되었다	라틴어로
M	S	V(수동태)	M

*century, record, Latin

5 고2 3월 응용

두 명의 학생이	부여받는다	'공식 질문자'의 칭호를
S	V(수동태)	O

*give, title, official questioners

6 고2 11월 응용

태도는	개념화되어 왔다	네 가지 주요한 요소로:	감정적 (요소), 인지적 (요소), 행동적 의도 (요소),
S	V(현재완료 수동태)	M	

그리고 행동 (요소)

*attitude, conceptualize, main component, affective, cognitive, behavioral intention, behavior

---

deeply 깊게   move 감동시키다   discount 할인   offer 제공하다   safety instruction 안전 교육   decision 결정   record 기록하다   official 공식적인
attitude 태도   conceptualize 개념화하다   main component 주요한 요소   affective 감정적인   cognitive 인지적인   behavioral intention 행동적 의도
behavior 행동

UNIT 4 동사: 조동사

✈

목표 구문 한눈에 보기

조동사

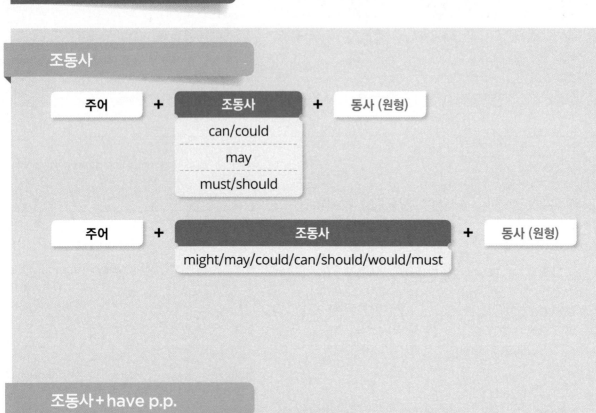

주어 + 조동사 (can/could / may / must/should) + 동사 (원형)

주어 + 조동사 (might/may/could/can/should/would/must) + 동사 (원형)

조동사 + have p.p.

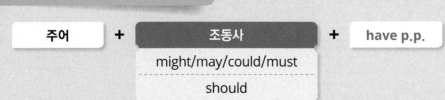

주어 + 조동사 (might/may/could/must / should) + have p.p.

다양한 조동사 표현

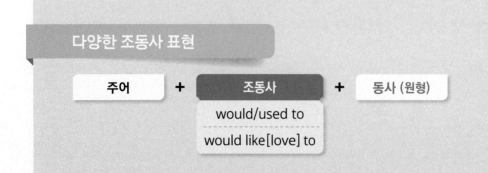

주어 + 조동사 (would/used to / would like[love] to) + 동사 (원형)

필수 기출 어휘 다지기

01	temperature★	명	체온	26	result in★	~을 야기하다
02	immediately★	부	즉시	27	loss★	명 손실
03	extend	동	확장하다	28	complex★	형 복잡한
04	save	동	구하다	29	benefit	동 혜택을 받다
05	conceal	동	감추다	30	cooperation	명 협조
06	purchase	동	구매하다	31	suggest	동 제안하다
07	submit★	동	제출하다	32	repeatedly	부 되풀이하여
08	decline	동	거절하다	33	require★	동 요구하다
09	recommendation	명	추천	34	at least★	적어도
10	based on★		~에 근거한	35	publish★	동 출판하다
11	solely	부	오로지	36	equation	명 방정식
12	upset	동	망쳐 놓다	37	regardless of	~와 관계없이
13	environment★	명	환경	38	intuition	명 직관
14	patent	명	특허	39	ancient★	형 고대의
15	enforcement	명	시행	40	completely★	부 완전히
16	limit★	명	제한	41	value★	명 가치
17	consistent	형	일관된	42	intelligence★	명 지능
18	firm	형	확고한	43	awareness	명 인지
19	reduction	명	감소	44	reason	명 이성
20	price★	명	가격	45	dangle	동 매달다
21	temporary★	형	일시적인	46	patch	명 작은 땅
22	candidate	명	후보자	47	ignore★	동 무시하다
23	appearance	명	외모	48	contractor	명 계약자
24	a lack of		~의 부족	49	enhance	동 높이다
25	genuine	형	진품의	50	contentment	명 만족도

동사: 조동사

1 조동사: 능력, 허가, 의무, 충고

대표 문장
고2 6월 응용

우리는	통제할 수 있다	우리의 체온을	다양한 방법으로
We	can control	our temperature	in lots of ways.

V(능력: can+동사원형)

대표 문장
고2 3월

각 참가자는	가져와야 한다	자신의 재료들을
Each contestant	must bring	their own materials.

V(의무: must+동사원형)

2 조동사: 가능성, 추측, should

대표 문장
고2 3월

출근하는 길에	당신은	넣을지도 모른다	휘발유를	자신의 차에
On the way to work,	you	might put	gasoline	in your car.

V(가능성 · 추측: might+동사원형)

대표 문장
고2 11월 응용

그는	제안했다	자신의 아들에게	그가 코끼리 조련사에게 가서 그 질문을 하라고
He	suggested	to his son	that he go ask the question to the elephant trainer.

V(제안)   V'((should+)동사원형)

3 조동사+have p.p.

대표 문장
고1 11월 응용

당신은	들어본 적이 있을지도 모른다	전문가의 직관에 관한 이야기들을
You	might have heard of	stories of expert intuition.

V(과거의 추측: might+have p.p.)

4 다양한 조동사 표현

대표 문장
고2 9월 응용

'Intelligence(지능)'는	포함하곤 했다	감각, 감성, 인지, 이성, 재치 등을
Intelligence	used to include	sensibility, sensitivity, awareness, reason, wit, etc.

V(과거의 습관: used to+동사원형)

▶ 조동사 can, may는 능력과 허가를, must, should는 의무와 충고를 나타낸다.

조동사의 의미 • 조동사는 동사 앞에 쓰여 동사의 의미를 풍부하게 해 준다.

능력	can/could	~할 수 있다 (= be able to)
허가	can/could	~해도 된다
	may	
의무 · 충고	must	~해야 한다 (= have[has]/had to)
	should	~하는 것이 좋겠다 (= had better)

★ must not은 강한 금지(~해서는 안 된다), should not은 금지(~하면 안 된다)를 나타낸다.
★ have[has]/had to의 부정형 don't[doesn't]/didn't have to는 불필요(~할 필요가 없다)를 나타낸다.

▶ 조동사는 가능성과 추측을 나타내고, 당위성의 should는 생략되는 경우도 있다.

가능성 · 추측

might	may	could	can	should	ought to	would	will	must
~일지도 모른다		~일 수도 있다		(아마) ~일 것이다		~일 것이다		~임에 틀림없다

(매우 불확실)◀──────────────────────────────────────▶(거의 확실)

★ cannot(↔ must)는 '~일리가 없다' 라는 의미로 강한 부정적 추측을 나타낸다.

should의 생략 • 요구, 주장, 제안, 필요, 명령 등을 나타내는 동사의 목적어로 쓰인 that절((that+)S+V~)이 당위성을 나타낼 때 that절의 동사는 「(should+)동사원형」으로, should를 생략할 수 있다.

요구 · 주장	ask, demand, require, insist	권고	recommend
제안	suggest, propose	명령	order, command

▶ 「조동사+have p.p.」는 과거 사실에 대한 가능성 · 추측 또는 후회 · 유감을 나타낸다.

「조동사+have p.p.」의 의미

과거 사실에 대한 가능성 · 추측	must+have p.p.	~했음에 틀림없다 〈과거 사실의 단정적 추측〉
	could+have p.p.	~했을 수도 있다 〈과거 사실의 추측〉
	may+have p.p	~했을지도 모른다 〈과거 사실의 불확실한 추측〉
	might+have p.p.	(어쩌면) ~했을지도 모른다 〈may보다 더 약한 추측〉
과거 사실에 대한 후회 · 유감	should+have p.p.	~했어야 하는데 (하지 않았다) 〈과거 사실에 대한 후회 · 유감〉
	ought to+have p.p.	
	needn't+have p.p.	~할 필요 없었는데 (실제로는 했다) 〈과거 사실에 대한 후회 · 유감〉

★ 「can't+have p.p.」는 '~했을 리가 없다' 라는 의미로 과거 사실에 대한 부정적인 추측을 나타낸다.

▶ used to, would like to와 같은 조동사 표현도 있다.

다양한 조동사 표현

would	~하곤 했다 〈과거의 규칙적 습관〉
used to	~하곤 했다 〈과거의 상태 · 불규칙적 습관〉
would like[love] to	~하고 싶다 〈바람 · 소망〉

1 조동사: 능력, 허가, 의무, 충고

- can/could/be able to는 능력을 나타내며 '~할 수 있다/~할 수 있었다'로 해석한다.
- may, can/could는 허가를 나타내며 '~해도 된다' 또는 '~할 수 있다'로 해석한다.

대표 문장

166
고2 6월
응용

우리는　　통제할 수 있다　　우리의 체온을　　다양한 방법으로
We / **can control** / our temperature / in lots of ways.
　　　V(능력: can+동사원형)

167
고2 3월
응용

Foods can immediately influence the genetic blueprint.

☆**168**
고1 11월
응용

Plants can't change location or extend their reproductive range without help.

169
고2 3월
응용

Respirators could save many lives.

170
고1 11월
응용

Yesterday he could not attend to business.

☆**171**
고2 6월

Evil types such as Iago in the play *Othello* are able to conceal their hostile intentions behind a friendly smile.

172
고1 11월
응용

The Greeks were able to understand right and wrong in their lives.

173
고2 9월

당신은　　구매할 수 있다　　선물용 회원권을　　다음의 등급들 중에서
You / **may purchase** / a gift membership / at any of the following levels.
　　　V(허가: may+동사원형)

174
고2 11월

An individual student or a group of students may submit a video.

---

temperature 체온　immediately 즉시　influence 영향을 끼치다　genetic blueprint 유전자 청사진　location 위치　extend 확장하다
reproductive range 번식 범위　respirator 인공호흡기　save 구하다　attend to business 일을 처리하다　conceal 감추다
hostile intention 적대적 의도　purchase 구매하다　level 등급　submit 제출하다

- must, have[has]/had to는 강한 의무를 나타내고 '(반드시) ~해야 한다/~해야 했다'로 해석한다.
- should는 의무, 충고를 나타내며 '~해야 한다' 또는 '~하는 것이 좋겠다'로 해석한다.

대표 문장
175
고2 3월

각 참가자는   가져와야 한다   자신의 재료들을
Each contestant / **must** bring / their own materials.
V(의무: must+동사원형)

176
고1 11월
응용

I must decline the recommendation.

177
고1 11월
응용

The sport marketer must avoid marketing strategies based solely on winning.

☆**178**
고2 6월
응용

A bridge must not upset the balance of the environment.

★ must not은 강한 금지(~하면 안 된다)를 나타낸다.

179
고1 11월

You have to question the out-of-date ideas.

180
고2 9월
응용

New entrants have to fight their way/ through "patent thickets."

☆**181**
고2 11월

Photos should be in color (black-and-white photos are not accepted).

182
고2 6월

Enforcement of the limit should be consistent and firm.

183
고2 6월

The participants should make a reservation no later than May 31.

---

decline 거절하다   recommendation 추천   avoid 피하다   strategy 전략   based on ~에 근거한   solely 오로지   upset 망쳐 놓다
environment 환경   out-of-date 구식의   entrant 참가자   fight one's way 헤쳐나가다   patent 특허   thicket 덤불   enforcement 시행
limit 제한   consistent 일관된   firm 확고한   make a reservation 예약하다   no later than 늦어도 ~까지는

- might, may, could, can, should, ought to, would, will, must는 가능성, 추측의 의미가 있고, might에서 must로 갈수록 확신의 정도가 강해진다.

대표 문장
184
고2 3월

출근하는 길에　　　당신은　넣을지도 모른다　휘발유를　　자신의 차에
On the way to work,/ you / might put / gasoline / in your car.
　　　　　　　　　　　　　V(가능성 · 추측: might+동사원형)

185
고2 11월
응용

A reduction in prices might see a temporary increase in sales for the seller.

186
고1 11월
응용

Candidates' appearance and introduction may tell of a lack of coordination, fear, and poor interpersonal skills.

187
고2 11월
응용

These buildings may be old and genuine.

188
고2 11월
응용

A fad diet could actually result in a loss of muscle mass.

189
고2 6월
응용

Situational explanations can be complex.

190
고2 6월

Sudden success or winnings can be very dangerous.

191
고2 11월
응용

Our project would benefit greatly from your cooperation.

☆**192**
고2 9월

"I must be losing my strength," the young man thought.

★ 조동사 뒤의 「be+v-ing」는 현재진행형을 나타낸다.

---

reduction 감소　　price 가격　　temporary 일시적인　　candidate 후보자　　appearance 외모　　a lack of ~의 부족　　coordination 신체 조정력
interpersonal skill 대인 관계 기술　　genuine 진품의　　fad diet 일시적으로 유행하는 다이어트　　result in ~을 야기하다　　loss 손실　　muscle mass 근육량
complex 복잡한　　sudden 갑작스러운　　winnings 상금　　benefit 혜택을 받다　　cooperation 협조　　lose strength 힘을 잃다

- 요구, 주장, 제안, 필요, 명령 등을 나타내는 동사의 목적어로 쓰인 that절의 내용이 '~해야 한다'라는 의미의 당위성을 나타낼 때 that절의 동사는 「(should +)동사원형」 형태이다.
- that절은 명사 역할을 하는 명사절로 「that+S+V ~」의 형태이며 '~하는 것을'로 해석한다. **LINK** UNIT 6-2

대표 문장
193
고2 11월
응용

그는　제안했다　자신의 아들에게　그가　가서　그 질문을 하라고　코끼리 조련사에게
He / suggested / to his son [that he / go / ask the question / to the elephant trainer].
　　　V(제안)　　　　　　　　　　　V'((should+)동사원형)

194
고2 6월

A nurse on the floor repeatedly suggested that the twins be kept together in one incubator.

195
고1 11월
응용

Swedish law requires that at least two newspapers be published in every town.

196
고2 9월

In physics, the principle of relativity requires that all equations describing the laws of physics have the same form regardless of inertial frames of reference.

---

suggest 제안하다　floor 층　repeatedly 되풀이하여　keep together 한데 모아두다　Swedish law 스웨덴 법　require 요구하다　at least 적어도
publish 출판하다　every 모든, ~마다　physics 물리학　the principle of relativity 상대성 이론　equation 방정식　describe 설명하다
the laws of physics 물리학 법칙　form 형태　regardless of ~와 관계없이　inertial frames of reference (물리학) 관성좌표계

3 조동사+have p.p.

- 「might/may/could/must+have p.p.」는 과거 사실에 대한 가능성 · 추측을 나타내며, 조동사에 따라 확신의 정도가 다르다.
- 「should+have p.p.」는 과거 사실에 대한 후회 · 유감(~했어야 하는데(하지 않았다))을 나타낸다.

대표 문장
197
고1 11월
응용

당신은　　들어본 적이 있을지도 모른다　　　　전문가의 직관에 관한 이야기들을
You / <u>might have heard</u> of / stories of expert intuition.
　　　V(과거의 추측: might+have p.p.)

198
고2 9월
응용

Tomorrow's menu of the ancient foragers' might have been completely different.

199
고2 3월
응용

Four outs in a row may have been bad luck.

200
고2 6월
응용

They could have spent the time seeing patients.

201
고2 6월
응용

I must have slept half the day.

202
고2 6월
응용

For many of the habits, there must have been some value.

☆**203**
고2 6월
응용

He should have been guarding the area.

---

hear of ~에 대해 듣다　　expert intuition 전문가의 직관　　ancient 고대의　　forager 수렵 채집 생활인　　completely 완전히　　in a row 연달아
spend time v-ing ~하는 데 시간을 보내다　　half the day 반나절　　habit 습관　　value 가치　　guard 지키다　　area 장소, 지역

4 다양한 조동사 표현

- would/used to는 과거의 규칙적 습관/과거의 상태·불규칙적 습관을 나타내며 '~하곤 했다'로 해석한다.
- would like[love] to는 바람이나 소망을 나타내며 '~하고 싶다'로 해석한다.

대표 문장

204
고2 9월
응용

'Intelligence(지능)'는 　　포함하곤 했다　　　　　　　　　　　감각, 감성, 인지, 이성, 재치 등을
Intelligence / **used to include** / sensibility, sensitivity, awareness, reason, wit, etc.
　　　　　　V(과거의 습관: used to+동사원형)

205
고2 11월
응용

Chinese priests used to dangle a rope from the temple ceiling.

206
고2 9월

He and I would search through patches of clover at our grandparents' house for hours.

☆**207**
고2 3월
응용

She would ignore safety standards and would not listen to other contractors.

208
고2 9월

우리는　　　촬영하고 싶다　　　　Sunbury Park에서　　　　2019년 11월 14일　　　　　오전 9시부터
We / **would like to film** / at Sunbury Park / on November 14th, 2019, / from 9 a.m.
　　　V(바람·소망: would like to+동사원형)
오후 3시까지
to 3 p.m.

209
고2 6월
응용

We'd like to have you back as a customer.

210
고2 3월

Companies would like to enhance employee contentment on the job for several reasons.

☆**211**
고2 6월

I have heard wonderful things about your company and would love to join your team.

---

intelligence 지능　sensibility 감각　sensitivity 감성　awareness 인지　reason 이성　wit 재치　priest 사제　dangle 매달다　temple 사원
ceiling 천장　ignore 무시하다　safety standard 안전 기준　contractor 계약자　have ~ back ~을 되찾다　enhance 높이다　contentment 만족도

REVIEW TEST

구조+해석 조동사와 동사를 표시한 뒤, 문장을 끊어 읽고 해석하시오.

0
고1 11월

The stage director / <u>must gain</u> / the audience's attention / and <u>direct</u> / their eyes /
V(의무: must+동사원형₁)　　　　　　　　　　　　　　　　(동사원형₂)
to a particular spot or actor.

→ 무대 감독은 관객의 관심을 얻고, 그들의 시선을 특정한 장소나 배우로 향하게 해야만 한다.

1
고2 3월

I would like to update the apartment with a new coat of paint.

→

2
고2 9월
응용

He is able to convey his artistry in a pure form.

→

3
고2 3월
응용

I'd look for my standing and compare my progress with the progress of all the
other leaders.

→

4
고2 11월

In his lifetime, he must have painted hundreds of houses, inside and out.

→

5
고1 11월
응용

On a date with a wonderful somebody, subtle things like bad breath or wrinkled
clothes may spoil your noble efforts.

→

6
고2 9월
응용

A lone genius might create a classic work of art or literature, but he could never
create an entire industry.

→

---

audience 관객　　attention 관심　　direct ~로 향하게 하다　　particular 특정한　　spot 장소　　update 새롭게 하다　　a coat of paint 페인트칠
convey 전달하다　　artistry 예술적 재능　　pure 순수한　　standing 순위　　in one's lifetime 평생 동안　　subtle 미묘한　　wrinkled 구겨진　　spoil 망치다
noble 고상한　　lone 혼자인　　classic 최고 수준의　　work of art 예술 작품　　literature 문학　　entire 전체의　　industry 산업

구조+영작 구조에 맞게 주어진 표현을 활용하여 영작하시오.

0
고2 6월
응용

그들은	타협할 수 있었다	집안일에 관하여
They	were able to compromise	regarding the housework.
S	V(능력: be able to+동사원형)	M

*compromise, regarding, housework

1
고2 6월
응용

그의 아내는	가지고 있음에 틀림없다	일종의 '생체 시계'를	그녀의 머릿속에
S	V(추측: must+동사원형)	O	M

*have, some kind of, internal clock, brain

2
고1 11월
응용

당신은	할 수 있다	몇 가지 일들을	한 번에
S	V(능력: can+동사원형)	O	M

*do, several, at once

3
고2 6월
응용

너무 많은 제한들은	저해할지도 모른다	정상적인 자율성의 발달을
S	V(추측: may+동사원형)	O

*limit, spoil, normal, development, autonomy

4
고2 9월
응용

우리는	요청하고 싶다	허가를
	V(바람·소망: would like to+동사원형)	O

*request, permission

5
고2 9월
응용

비디오 게임들은	미칠 수 있다	부정적인 영향을	소비 습관들에
S	V(가능성: can+동사원형)	O	M

*have, negative impact, spending habit

6
고2 9월
응용

이러한 능력은	처음으로 생겨났을지도 모른다	150만 년 전에서 50만 년 전 사이에
S	V(과거의 추측: may+have p.p.)	M

*capacity, first, emerge, between, million

---

compromise 타협하다   regarding ~에 관하여   housework 집안일   internal 체내의   at once 한 번에   normal 정상적인   development 발달   autonomy 자율성   request 요청하다   permission 허가   negative 부정적인   spending habit 소비 습관   capacity 능력   emerge 생겨나다   million 100만

UNIT 5 주어

문장의 주어

주어	+	동사
명사(구)/대명사		
동명사(구)		
to부정사(구)		
명사절		

주어 자리의 It

It	+	is[was]	+	~	+	to부정사구
						that절

It	+	is[was]	+	시간, 날씨, 거리

It	+	seems[appears]	+	that ~.

It	+	is[was]	+	강조 어구	+	that ~.

도치된 주어

주어 아닌 어구	+	동사	+	주어
부사(구)				
보어				
부정어(구)				
There/Here				

01	mindless	형	무의식적인	26	facility	명	시설
02	repetition	명	반복	27	assume★	동	생각하다
03	habitat	명	서식지	28	maturation	명	성인
04	influence★	명	영향력	29	matter	동	중요하다
05	destination	명	목적지	30	doubtful	형	의심스러운
06	recovery	명	회복	31	originate	동	유래하다
07	overall	형	전반적인	32	discover★	동	발견하다
08	desire★	명	욕구	33	unbearably	부	견딜 수 없을 정도로
09	distinguish	동	구별하다	34	willpower	명	의지력
10	circumstance	명	상황	35	finite	형	유한한
11	reassuring	형	용기를 북돋우는	36	cancellation	명	취소
12	locate	동	~에 위치하다	37	authorized	형	인가된
13	affect★	동	영향을 미치다	38	period★	명	기간
14	extraordinary	형	놀라운	39	opposite	형	반대의
15	engagement	명	참여	40	subjective	형	주관적인
16	relative	형	상대적인	41	famine	명	기근
17	context★	명	맥락	42	ultimate	형	궁극적인
18	technically	부	엄밀히 말하면	43	effortful	형	수고스러운
19	factor★	명	요인	44	surface	명	표면
20	reference	명	언급	45	rarely	부	거의 ~ 않는
21	vacuum	명	진공	46	urgent	형	긴급한
22	necessary★	형	필요한	47	appropriate★	형	적절한
23	identify	동	확인하다	48	interaction	명	상호 작용
24	natural	형	당연한	49	inherent	형	내재적인
25	apparent★	형	분명한	50	example★	명	예, 본보기

1 명사와 명사구 주어

대표 문장
고1 11월

영화에서 (관객의) 집중을 얻는 것은 ~이다 쉬운

Achieving focus in a movie **is** **easy**.

S(동명사구) V(단수)

2 명사절 주어

대표 문장
고2 11월

그가 발견한 것은 ~이었다 놀라운

What he found **was** **extraordinary**.

S(명사절: What+S+V) V(단수)

3 가주어 it

대표 문장
고2 3월 응용

× ~할 수 있다 도움이 되는 당신 자신의 에세이를 큰 소리로 읽는 것이

It **can be** **helpful** **to read** your own essay aloud.

S(가주어) S'(진주어: to부정사구)

4 다양한 주어 표현

대표 문장
고2 9월 응용

× ~이었다 견딜 수 없을 정도로 더운 시카고의 어느 날

It **was** an unbearably hot Chicago day.

S(비인칭 주어) 날(day)

5 주어의 자리바꿈

대표 문장
고1 11월 응용

식물들로부터 나온다 화합물들이

From plants **come** **chemical compounds**.

부사구 V S(도치)

▶ (대)명사와 명사구는 문장의 주어 자리에 올 수 있다.

(대)명사 주어 · 명사와 대명사는 문장의 주어 자리에 올 수 있고, '~은/는'으로 해석한다.

명사구 주어 · 「명사+수식어」 형태의 명사구 주어가 오면 '수식어 → 명사' 순으로 해석하고, 동사는 명사의 수에 일치시킨다.
· 동명사와 to부정사는 명사구로서, 문장의 주어 자리에 올 수 있고, '~하는 것은'으로 해석한다.
· 동명사와 to부정사 주어는 단수 취급하여 단수 동사를 쓴다.

▶ 명사절은 문장의 주어 자리에 올 수 있다.

명사절 주어 · 접속사 that, whether, 관계대명사 what, 의문사가 이끄는 명사절은 주어 자리에 올 수 있다.
· 명사절 주어는 단수 취급하여 단수 동사를 쓴다.

That+S+V ~	~라고 하는 것은 〈확실한 정보〉
Whether+S+V ~ (or not)	~인지 (아닌지)는 〈불확실한 정보〉
What+(S)V ~	~하는 것은 〈불완전한 구조〉
의문사+(S)+V ~	누가[무엇이/어느 쪽이/언제/어디서/왜/어떻게] ~하는지는

▶ 가주어 it은 진주어 to부정사구나 명사절 대신 문장 앞에 올 수 있다.

가주어 it · to부정사구나 명사절이 주어로 쓰이면, 가주어 it을 쓰고, 진주어는 뒤로 보낸다.
· 가주어 it은 해석하지 않고, 진주어인 to부정사구나 명사절을 주어로 해석한다.

의미상 주어 · to부정사구의 주어가 문장의 주어 또는 목적어와 일치하지 않을 때 의미상 주어를 쓴다.
· 진주어 to부정사구 앞에 「for[of]+목적격」 형태로 의미상 주어가 오면, '~가 …하는 것은'으로 해석한다.

▶ it은 비인칭 주어나 It is[was] ~ that ... 강조 구문의 주어로 올 수 있다.

비인칭 주어 it · 시간, 날씨, 거리, 명암, 요일, 상황 등을 나타내는 문장의 주어로, 해석하지 않는다.
· It seems[appears] that ~의 주어 It도 비인칭 주어로, '~인 것 같다/~인 듯하다'로 해석한다.

강조 구문의 it · It is[was] ~ that ...은 '…한 것은 바로 ~이다'라는 의미로 특정 어구를 강조할 때 사용되는 표현이다.

▶ 주어가 문장의 앞에 오지 않고, 자리가 바뀌는 경우도 있다.

도치 · 강조 등의 이유로 다른 어구가 문장 맨 앞에 위치했을 때, 주어와 동사의 자리가 바뀌는 것을 말한다.

부사(구)/보어 도치	「부사(구)/보어+V+S」 또는 「부사(구)/보어+S+V」
부정어 도치	「Not/Never/Little/Hardly/Only 등+(조동사+)V+S」
유도부사 도치	「There/Here+V+S」

★ 문장의 동사가 일반동사일 때는 조동사 do를 이용하여 「do/does/did+S+동사원형」 형태의 도치가 일어난다.

1 명사와 명사구 주어

- 명사와 대명사, 명사구는 문장의 주어 자리에 올 수 있다.
- 「명사+수식어」 형태의 명사구 주어는 '수식어 → 명사' 순으로 해석하며, 동사는 명사의 수에 일치시킨다.

212
고2 3월

당신은　　빠져든다　　　무의식적인 반복으로
You / **fall into** / mindless repetition.
S(대명사)　　V

213
고2 6월

They can be equally dangerous as well.

214
고2 6월
응용

She counted out the coins from her piggy bank.

215
고2 3월

Business looked like a zero-sum game.

216
고2 9월
응용

Scooter companies provide safety regulations.

217
고2 6월
응용

tarsier의 서식지는　　　　　　대개 ~이다　　　열대우림 지역
The habitat ⟨of the tarsier⟩ **is generally** / tropical rain forest.
S(명사구)　　　　　　　V

218
고2 6월

The average life span of an impala is between 13 and 15 years in the wild.

219
고2 11월
응용

Color in painting is a major influence on our emotions.

☆**220**
고2 3월
응용

A puddle of water on the ground gradually dries out, disappears, and then falls later as rain.

---

fall into 빠져들다　　mindless 무의식적인　　repetition 반복　　equally 똑같이　　piggy bank 돼지 저금통　　safety regulations 안전 규정　　habitat 서식지
average life span 평균 수명　　influence 영향력　　puddle 웅덩이　　disappear 사라지다

- 동명사(v-ing), to부정사(to-v)는 명사구로서 주어 자리에 올 수 있고, '~하는 것은'으로 해석한다.
- 동명사와 to부정사 주어는 단수 취급하여 단수 동사를 쓴다.

대표 문장
221
고1 11월

영화에서 (관객의) 집중을 얻는 것은　~이다　쉬운
Achieving focus in a movie / **is** / **easy**.
　　S(동명사구)　　　　　　V(단수)

222
고2 6월

Listening is not enough.

223
고2 6월

Taking pictures is allowed.

224
고2 11월

Driving faster will not get you to your destination any sooner.

225
고2 3월

Introducing recovery in all aspects of my life has transformed my overall experience.

226
고2 3월
응용

Taking one full day off every week makes me more productive.

227
고1 11월
응용

보는 것은　　　당신의 코앞에 있는 것을　　　필요로 한다　　끊임없는 노력을
To see [what is in front of your nose] **needs** / constant struggle.
　　S(to부정사구)　　　　　　　　　　　V(단수)
★ to부정사구 내 목적어로 관계대명사 what이 이끄는 명사절이 쓰였다. **LINK** UNIT 6-2

228
고2 6월

To trigger desire in a child is to trigger desire in the whole family.

★ 동사 뒤의 to부정사구는 보어이고, '~하는 것'으로 해석한다. **LINK** UNIT 7-2

229
고2 9월
응용

To be unable to distinguish a brother-in-law as the brother of one's wife or the husband of one's sister would seem confusing.

---

achieve 얻다　　allow 허용하다　　destination 목적지　　recovery 회복　　aspect 면　　transform 바꾸다　　overall 전반적인　　productive 생산적인
constant 끊임없는　　struggle 노력　　trigger 촉발하다　　desire 욕구　　distinguish 구별하다

- That절 주어는 「That+S+V ~」의 형태로 '~라고 하는 것은'의 의미이며 확실한 정보를 나타낸다.
- Whether절 주어는 「Whether+S+V ~ (or not)」의 형태로 '~인지 (아닌지)는'의 의미이며 불확실한 정보를 나타낸다.
- That절과 Whether절은 완전한 구조를 이루며, 명사절 주어는 단수 취급한다.

230
고2 9월

우리가 우리의 상황에 영향을 미칠 수 있는 힘을 가지고 있다는 것은　　　　~이다　　매우 용기를 북돋우는 생각
[**That** we hold the power 〈to influence our circumstances〉] **is** / **a very reassuring**
　　　　S(명사절: That+S+V ~)　　　　　　　　　　　　　　　V(단수)
thought.

(= **It** is a very reassuring thought **that we hold the power to influence our circumstances**.)

★ 명사절이 주어로 쓰이면, 주로 가주어 it을 대신 쓰고, 명사절은 문장 뒤로 보낸다. **LINK** UNIT 5-3

231
고2 11월

That a woman in her 80s can breakdance surprises younger people.

232
고2 3월
응용

어떤 사람이 기업가가 되느냐 되지 않느냐 하는 것은　　　　~이다　　환경, 인생 경험, 그리고
[**Whether** someone becomes an entrepreneur or not] **is** / **a function of environment**,
　　　　S(명사절: Whether+S+V ~)　　　　　　　　　　V(단수)
개인적인 선택의 기능
life experiences, and personal choices.

(= **It** is a function of environment, life experiences, and personal choices **whether someone becomes an entrepreneur or not**.)

233
고2 6월

Whether a woman was a slave or came from a wealthier class made a great deal of difference.

☆**234**
고2 3월

Whether the item is located in the first, last, or middle position sometimes affects the selection of or response to that item.

---

hold 가지고 있다　circumstance 상황　reassuring 용기를 북돋우는　surprise 놀라게 하다　entrepreneur 기업가　function 기능　personal 개인적인
slave 노예　wealthy(wealthier) 부유한　class 계층　locate ~에 위치하다　affect 영향을 미치다　selection 선택　response 반응

- 관계대명사 What절 주어는 「What+(S+)V ~」의 형태로 불완전한 구조를 이루며 '~하는 것은'으로 해석한다.
- 의문사절 주어는 「의문사+(S+)V ~」의 형태로 의문사에 따라 '누가[무엇이/어느 쪽이/언제/어디서/왜/어떻게] ~하는지는'으로 해석한다.

대표 문장
235
고2 11월

그가 발견한 것은   ~이었다   놀라운
[What he found] was / extraordinary.
S(명사절: What+S+V)   V(단수)

236
고1 11월

What is needed is active engagement with children.

☆**237**
고2 11월
응용

What makes it different is the relative height between a young child and an adult.

238
고1 11월

What differed in both of these situations was the price context of the purchase.

239
고2 9월

What is commonly known as "average life expectancy" is technically "life expectancy at birth."

240
고2 3월

당신이 당신의 교수들을 어떻게 부를 것인지는   ~에 달려 있다   많은 요인들   나이, 대학 문화,
[How you address your professors] depends on / many factors, / such as age,
S(명사절: How+S+V ~)   V(단수)
그리고 교수 자신의 선호도 같은
college culture, and their own preference.

---

extraordinary 놀라운   active 적극적인   engagement 참여   relative 상대적인   height 신장   context 맥락   average life expectancy 평균 기대 수명
technically 엄밀히 말하면   address 부르다   depend on ~에 달려 있다   factor 요인   college 대학   preference 선호

3 가주어 it

- to부정사(to-v)구가 주어로 쓰이면, 주로 가주어 it을 쓰고, 진주어 to부정사구를 뒤로 보낸다.
- 가주어 it은 해석하지 않고, 진주어 to부정사구를 주어로 해석한다.
- 「It is[was] ~ for[of]+목적격+to부정사구」 형태로 to부정사의 의미상 주어가 함께 쓰이기도 한다.

대표 문장

241
고2 3월
응용

× ~할 수 있다   도움이 되는   당신 자신의 에세이를 큰 소리로 읽는 것이
It / **can be** / **helpful** 〈**to read** your own essay aloud〉.
S(가주어)   S'(진주어: to부정사구)

242
고2 11월
응용

It's possible to lie with numbers.

243
고2 3월
응용

It is hard to find any references to "vacuum" prior to Booth.

244
고2 3월
응용

A year later, it was necessary to change the door lock.

☆ **245**
고2 9월

In particular, it is useful to make material personally meaningful.

246
고2 9월

× ~이다   거의 불가능한   우리가   감정이 없는 삶을 상상하는 것은
It / **is** / **nearly impossible** / **for us** 〈**to imagine** a life without emotion〉.
S(가주어)   의미상 주어   S'(진주어: to부정사구)

247
고1 11월
응용

It is so important for us to identify context.

248
고2 9월
응용

It is difficult for them to see themselves fully through the eyes of others.

249
고2 9월

It is natural for words to change their meaning over time and with new circumstances.

---

aloud 큰 소리로   lie 거짓말하다   reference 언급   vacuum 진공   prior to 이전에   necessary 필요한   door lock 문 자물쇠   in particular 특히
material 자료   meaningful 의미 있는   impossible 불가능한   imagine 상상하다   identify 확인하다   natural 당연한

- 접속사 that과 whether, 관계대명사 what과 의문사가 이끄는 명사절이 주어로 쓰이면, 주로 가주어 it을 쓰고, 명사절을 뒤로 보낸다.
- 가주어 it은 해석하지 않고, 진주어 명사절을 주어로 해석한다.

250
고2 3월

×　~이다　이제 분명한　　　　　　　　　우리가 생활 보조 시설로 이사를 해야만 한다는 것이
It / **is** / **now apparent** [**that** we must move to an assisted-living facility].
S(가주어)　　　　　　　　　　　　　　　S′(진주어: 명사절(that+S+V ~))

251
고2 6월
응용

It is assumed that a new set of conditions would be desirable.

252
고2 11월

It is evident that we can learn and remember information long after maturation.

253
고2 9월

×　　중요하지 않다　　　　　　당신이 차, 커피, 청바지 혹은 전화기를 사고 싶어 하는지는
It / **doesn't matter** [**whether** you want to buy tea, coffee, jeans, or a phone].
S(가주어)　　　　　　　　　　　S′(진주어: 명사절(whether+S+V ~))

254
고2 9월
응용

It is doubtful whether any heavier curse could be forced on man.

255
고2 3월
응용

×　~이다　정말 매우 놀라운　　　그 사상들이 얼마나 비슷한가는
It / **is** / **indeed very striking** [**how** similar the ideas are].
S(가주어)　　　　　　　　　　　S′(진주어: 명사절(how+형용사+S+V))
　　　　　　　　　　　　　　　★ 명사절을 이끄는 의문사 how 뒤에는 형용사나 부사가 올 수 있다.

256
고1 11월
응용

It is not clear just where coffee originated or who first discovered it.

---

apparent 분명한　facility 시설　assume 생각하다　condition 상황　desirable 바람직한　evident 분명한　maturation 성인　matter 중요하다
doubtful 의심스러운　curse 저주　striking 놀라운　similar 비슷한　originate 유래하다　discover 발견하다

4 다양한 주어 표현

- 시간, 날씨, 거리, 명암, 날짜, 요일, 상황 등을 나타내는 문장의 주어 It은 비인칭 주어이다.
- It seems[appears] that ~의 주어 It도 비인칭 주어이며, '~인 것 같다/~인 듯하다'로 해석한다.

대표 문장

257
고2 9월
응용

　　　×　~이었다　　　견딜 수 없을 정도로 더운 시카고의 어느 날
It / was / an unbearably hot Chicago day.
S(비인칭 주어)　　　　　　　　날(day)

258
고2 11월

It was a dark time.

259
고2 9월
응용

It was August 18, 1999.

260
고2 11월

It was 1983 and Sloop was entering the sixth grade.

261
고2 3월

It was a beautiful September morning.

262
고2 9월

　~인 것 같다　　　　의지력은 유일한 것
It appears [that willpower is finite].
　It appears　　that ~

263
고2 9월
응용

It would appear that conditions improved.

264
고2 11월
응용

It seems that your cancellation request was sent to us after the authorized cancellation period.

☆**265**
고2 11월

Today it often seems we remember very little.

★ It seems that ~ 구문에서 that은 생략되기도 한다.

---

unbearably 견딜 수 없을 정도로　　time 시기　　grade 학년　　willpower 의지력　　finite 유한한　　improve 개선되다　　cancellation 취소　　request 요구
authorized 인가된　　period 기간

- It is[was] ~ that ...은 '...한 것은 바로 ~이다[이었다]'라는 의미로 사용되는 표현이다.
  - It is[was]와 that 사이에 강조하고자 하는 어구가, that 뒤에 문장의 나머지 부분이 모두 온다. (단, 동사 강조 불가)
  - 강조 구문의 that 이하는 불완전한 구조를 이룬다. (단, 수식어(부사) 강조 시 완전한 구조)
  - 강조 대상에 따라 that 대신 who(m)(사람), which(사물), where(장소), when(시간)을 쓰기도 한다.

266
고2 6월

바로 ~이다　그 두 번째 기차　　　　반대 방향으로 움직이고 있는 것은
It is / **the second train** [**that** is moving in the opposite direction].
It is　　　강조 어구(S)　　　　　　that+나머지 어구(V+M)
(← **The second train** is moving in the opposite direction.)

267
고2 9월

It is not only beliefs, attitudes, and values that are subjective.

268
고2 11월
응용

During a famine, it's not the lack of calories that is the ultimate cause of death.

269
고1 11월
응용

It is the mark of effortful activities that they interfere with each other.

270
고2 11월
응용

It was then that Bahati finally realized the meaning of the words of the poor old woman.

271
고2 9월
응용

It was with great pleasure that I attended your lecture at the National Museum about the ancient remains.

☆**272**
고2 6월

It is not the temperature at the surface of the body which matters.

273
고2 11월
응용

At that very moment, it was he who showed me the right way.

---

opposite 반대의　direction 방향　belief 신념　attitude 태도　value 가치관　subjective 주관적인　famine 기근　lack of ~의 부족
ultimate 궁극적인　mark 신호　effortful 수고스러운　activity 활동　interfere with ~을 간섭하다　realize 깨닫다　temperature 온도　surface 표면

5 주어의 자리바꿈

- 주어는 보통 문장의 앞에 오지만, 강조 등의 이유로 다른 어구(부사, 보어 등)가 문장 맨 앞에 올 수 있다.
- 부사(구)나 보어가 문장 앞에 올 때 「부사(구)/보어+V+S」 형태로 도치가 일어나기도 한다.
- 부정어(구)가 문장 앞에 올 때는 반드시 「부정어+V+S」 또는 「부정어+조동사+S+V」 형태로 주어와 동사의 위치가 바뀌는 도치가 일어난다.

대표 문장
274
고1 11월
응용

식물들로부터　　　나온다　　　　　화합물들이
From plants / **come** / **chemical compounds**.
　부사구　　　　　V　　　　　　　S(도치)
(← **Chemical compounds** come from plants.)

275
고2 9월
응용

On the table in the rooms were two bowls.

☆ **276**
고2 3월
응용

Only some years later did the concept become popular.

277
고2 3월
응용

그 어린 소녀의 바로 뒤에서 따라가고 있는　　　~였다　　　　그 가족의 독일 셰퍼드종 개
Following just behind the baby girl / **was** / **the family's Alsatian dog**.
　　　　　　　보어　　　　　　　　　　V　　　　　　　S(도치)
(← **The family's Alsatian dog** was following just behind the baby girl.)

278
고2 6월
응용

Enclosed are copies of my receipts and guarantees.

279
고1 11월

거의 ~ 않는　~하다　　전화들은　　긴급한
Rarely / **are** / **phone calls** / **urgent**.
　부정어　　V　　　S(도치)
(← **Phone calls** are rarely urgent.)

☆ **280**
고1 11월

Never before had these subjects been considered appropriate for artists.

---

chemical compound 화합물　bowl 그릇　concept 개념　enclose 동봉하다　receipt 영수증　guarantee 보증서　rarely 거의 ~ 않는　urgent 긴급한
subject 대상　consider 여기다　appropriate 적절한

- 유도부사(There/Here)가 문장 앞에 쓰인 「There/Here+V+S」 형태의 도치 구문도 자주 사용된다.
- 뒤에 오는 주어가 단수면 단수 동사, 복수면 복수 동사를 쓴다.

281
고1 11월
응용

×	있다	쌍방향 상호 작용이		행사와 맥락 간에

There / is / a two-way interaction / between the event and the context.
There   V   S(단수)

282
고1 11월
응용

There exists an inherent logical inconsistency in cultural relativism.

283
고2 9월

There was a crack like a rifle shot.

284
고2 3월
응용

Once upon a time there was a king of Armenia.

285
고2 3월
응용

There were no bedtime stories.

286
고2 9월

여기   있다   아주 훌륭한 예가
Here / is / an excellent example.
Here   V   S(단수)

287
고2 11월

Here's the interesting part.

---

interaction 상호 작용   event 행사   inherent 내재적인   logical inconsistency 논리적 모순   cultural relativism 문화 상대주의   crack 날카로운 소리
rifle shot 총성   bedtime story 잠들기 전에 읽어 주는 이야기   example 예, 본보기   part 부분

REVIEW TEST

구조+해석 S와 V를 표시한 뒤, 문장을 끊어 읽고 해석하시오.

0
고1 11월

It / was / already late evening / but there / was / no sign of the old man.
S₁(비인칭 주어) / V₁   V₂   S₂(도치)

→ 벌써 늦은 저녁이 되었지만 노인이 올 기미가 없었다.

1
고2 11월

The problem of amino acid deficiency is not unique to the modern world by any means.

→ _____

2
고1 11월

It was the first day of her school and she went to her new school by bus.

→ _____

3
고2 6월

Is it possible that two words can change someone's day, someone's life?

→ _____

4
고2 9월
응용

Studying relatively simple systems avoids unnecessary complications.

→ _____

5
고2 6월
응용

It's what goes on inside your head that makes the difference.

→ _____

6
고2 9월
응용

It is hard to develop new things in big organizations, and it is even harder to do it by yourself.

→ _____

7
고1 11월

It has been determined that it takes only a few seconds for anyone to assess another individual.

→ _____

---

amino acid deficiency 아미노산 결핍   unique 유일한   modern 현대의   by any means 결코   relatively 비교적   avoid 피하다   complication 문제
develop 개발하다   organization 조직   by oneself 혼자 힘으로   determine 판단하다   assess 평가하다   individual 개인

구조+영작 구조에 맞게 주어진 표현을 활용하여 영작하시오.

0
고2 6월

계속해서 반복하는 것은	이름을	대화 내내	더 굳건히 할 것이다	그것을	당신의 기억 속에서
Continuing to repeat	the name	throughout conversation	will further cement	it	in your memory.
S(동명사구)			V	O	M

*continue, repeat, conversation, cement, memory

1
고2 3월

그것들은	떨어진다	바닥에	땡그랑 소리와 함께
S(대명사)	V	M	M

*fall, floor, clatter

2
고2 9월
응용

×	흔히 ~이다	더 효율적인	선별적 필기 기술을 발달시키는 것이
S(가주어)	V	C	S'(진주어: to부정사구)

*efficient, technique, selective, note-taking

3
고2 11월

×	~이다	분명한	그 이미지에서	무용수들은	입고 있다	전통적인 한국 의상을
S(가주어)	V	C	S'(진주어: that절(that+M+S+V+O)			

*image, wear, traditional, dress

4
고1 11월
응용

표면적으로는	~처럼 보일 수도 있다	그 아이가 반항적이고 까다로운 것
M	it may seem	(that+)S+V+C

*surface, resistant, difficult

5
고2 11월

×	있다	입장료가 없는	그리고 예약은	필요하지 않다
There	V₁	S₁(도치)	and+S₂(명사)	V₂(수동태)

*admission fee, booking, need

6
고2 6월

이 세상에서,	똑똑하거나 능력이 있는 것은	~ 하지 않다	충분한
M	S(동명사구)	V	C

*competent, enough

---

repeat 반복하다   conversation 대화   cement 굳건히 하다   memory 기억   clatter 땡그랑 소리   efficient 효율적인   selective 선별적인
note-taking 필기   resistant 반항적인   difficult 까다로운   admission fee 입장료   booking 예약   competent 능력이 있는

UNIT 6 목적어

목표 구문 **한눈에 보기**

필수 기출 어휘 다지기

아는 단어 ☑
초빈출 어휘 ★

01	expert★	명 전문가	26	destiny	명 운명
02	fierce	형 사나운	27	alter	동 바꾸다
03	astonished	형 깜짝 놀란	28	fate	명 운명
04	challenge	동 시험하다	29	judgment	명 판단
05	mechanical	형 기계식의	30	unreasonably	부 터무니없이
06	reason with	~을 설득하다	31	explore	동 탐구하다
07	integrate	동 통합하다	32	award	동 수여하다
08	indicate★	동 보여 주다	33	convince	동 확신시키다
09	hopeless	형 절망적인	34	outcome	명 결과
10	doubt	동 의심하다	35	envelope	명 봉투
11	encounter★	동 만나다	36	lecture	동 설교하다
12	offspring	명 자손	37	limit★	명 제한
13	escape	동 탈출하다	38	set	동 두다
14	determine★	동 결정하다	39	enforce	동 시행하다
15	structure★	명 구조	40	constant★	형 지속적인
16	smoothly	부 원활하게	41	conflict	명 갈등
17	hire★	동 고용하다	42	instinctive	형 본능적인
18	ownership	명 소유권	43	commonly	부 보통, 대개
19	transnational	형 초국가적인	44	persuasion	명 설득
20	implement	동 시행하다	45	debt	명 빚
21	apparently	부 명백히	46	imaginative	형 상상력이 풍부한
22	lower	동 ~을 낮추다	47	employee★	명 직원
23	professor	명 교수	48	initial	형 초기의
24	authority	명 권위	49	solidify	동 굳어지다
25	coworker	명 동료	50	on behalf of	~을 대표하여

1 명사와 명사구 목적어

대표 문장
고2 3월

나는　즐겨왔다　　　이곳에서 사는 것을　그리고 희망한다　계속해서 그렇게 할 것을

I　have enjoyed　living here　and hope　to continue doing so.

　V₁　　　　　O₁(동명사구)　　V₂　　　O₂(to부정사구)

2 명사절 목적어

대표 문장
고2 11월

Edison은　알게 되었다　마케팅과 발명이 통합되어야 한다는 것을

Edison　learned　that marketing and invention must be integrated.

　　V　　　　O(명사절: that+S+V)

3 가목적어 it, 재귀목적어

대표 문장
고2 6월 응용

의사들은　거의 항상 알게 될 것이다　　×　이득이라는 것을　다른 누군가를 고용하는 것이

Doctors　will almost always find　it　advantageous　to hire someone else.

　　　V　　　　　O(가목적어)　　O'(진목적어: to부정사구)

4 전치사의 목적어

대표 문장
고2 11월

우리는　걱정할 필요가 없다　　굶주리는 것에 대해

We　do not have to worry　about starving.

　　　　　　　　　전치사　O(동명사)

5 전치사구를 동반하는 동사구문

대표 문장
고2 6월

당신은　보아야 한다　삶을　일련의 모험으로

You　have to see　life　as a series of adventures.

　　　　V　　　　O　전치사+O(명사구)

▶ (대)명사와 명사구는 문장의 목적어 자리에 올 수 있다.

(대)명사 목적어 · 명사와 대명사는 문장의 목적어 자리에 올 수 있고, '~을/를' 또는 '~에게'로 해석한다.

명사구 목적어 · 동명사와 to부정사는 명사구로서, 문장의 목적어 자리에 올 수 있고, '~하는 것을'로 해석한다.

동명사를 목적어로 쓰는 동사	avoid, enjoy, finish, keep, mind, quit, stop ...
to부정사를 목적어로 쓰는 동사	agree, decide, expect, hope, plan, refuse, want ...
둘 다 목적어로 쓰는 동사	의미 차이 없는 것	like, love, hate, prefer, attempt, intend, start, begin, continue ...
	의미 차이 있는 것	forget, remember, regret, try ...

▶ 명사절은 문장의 목적어 자리에 올 수 있다.

명사절 목적어 · 접속사 that, whether[if], 관계대명사 what, 의문사가 이끄는 명사절은 목적어 자리에 올 수 있다.

that절(that+S+V ~)	~라고 하는 것을 〈that 생략 가능〉
whether/if절(whether[if]+S+V ~)	~인지 (아닌지)를 〈동사 ask, doubt, tell, know, wonder 등의 목적어〉
관계대명사 what절(what+(S)+V ~)	~하는 것을 〈불완전한 구조〉
의문사절(의문사+(S)+V ~)	누가[무엇이/어느 쪽이/언제/어디서/왜/어떻게] ~하는지를

▶ 가목적어 it과 재귀목적어는 문장의 목적어 자리에 올 수 있다.

가목적어 it · to부정사구나 명사절이 목적어로 쓰이면, 가목적어 it을 쓰고, 진목적어는 뒤로 보낸다.
· 가목적어 it은 해석하지 않고, 진목적어를 목적어로 해석한다.
· 가목적어 it은 주로 make, think, believe, find, consider 등의 5형식 동사와 함께 쓰인다.

재귀목적어 · 목적어가 문장의 주어와 같을 때, 재귀대명사를 사용하고, '자신을/자신에게'로 해석한다.

★ 주어에 따라 재귀대명사 myself, yourself, herself, himself, itself, ourselves, yourselves, themselves 사용
★ 강조용법의 재귀대명사와 달리 생략 불가

▶ 전치사 뒤에도 목적어가 올 수 있다.

전치사의 목적어 · 「전치사+(대)명사」 형태의 전치사구에서 전치사 뒤에 오는 말이다.
· (대)명사, 명사구(동명사), 명사절(whether절, what절, 의문사절)이 올 수 있다.
· 동사의 목적어와 달리 전치사의 목적어는 단독으로 문장의 구성 요소로서의 역할을 할 수 없다.

★ to부정사(구)와 that절, if절은 전치사의 목적어 자리에 올 수 없다.

▶ 일부 동사는 전치사구와 짝을 이루어 쓰이기도 한다.

· 「동사+목적어+전치사구」의 형태로 전치사구가 본동사와 연결되어 특정 의미를 갖기도 한다.

as	간주	A를 B로	see [view/think of/regard] A as B	with	공급	A에게 B를	provide [present]/fill A with B
to	부가	A를 B에	add/apply A to B	from	금지	A가 B하는 것을	prevent [keep/stop] A from B
for	이유	A에게 B에 대해	thank [criticize] A for B		구분	A를 B와	distinguish/separate A from B
	교환	A를 B로	substitute A for B	of	인식	A에게 B를	remind/convince A of B

1 명사와 명사구 목적어

- 명사와 대명사는 문장의 목적어 자리에 올 수 있고, 주로 '~을/를'이나 '~에게'로 해석한다.
- 동명사(v-ing), to부정사(to-v)는 명사구로서 목적어 자리에 올 수 있고, '~하는 것'으로 해석한다.
  - 동명사를 목적어로 쓰는 동사: avoid, enjoy, finish, keep, mind, quit, stop 등
  - to부정사를 목적어로 쓰는 동사: agree, decide, expect, hope, plan, refuse, want 등

☆ **288**
고2 9월

Jacob의 동료는	바라보았다	그를	그리고 주었다	그에게	안 된다는 신호를

Jacob's partner / looked at / him / and gave / him / the thumbs-down.
V₁ ··· O₁(대명사) ··· V₂ ··· IO(대명사) ··· DO(명사구)

289
고1 11월
응용

Today, experts understand the importance of strength training.

290
고1 11월

The hunter owned a few fierce and poorly-trained hunting dogs.

291
고2 6월
응용

Maria and Alice wished the astonished woman a merry Christmas.

대표 문장
292
고2 3월

나는	즐겨왔다	이곳에서 사는 것을	그리고 희망한다	계속해서 그렇게 할 것을

I / have enjoyed / living here / and hope / to continue doing so.
V₁ ··· O₁(동명사구) ··· V₂ ··· O₂(to부정사구)

293
고2 3월

It automatically stops running after 8 minutes.

294
고2 6월
응용

At the entrance he keeps taking photos with his cell phone.

295
고2 3월

She decided to take advantage of an upcoming project for the class.

296
고2 6월
응용

They agreed to always take a meal break at the appropriate meal hour.

---

expert 전문가   strength training 근력 운동   hunter 사냥꾼   own 소유하다   fierce 사나운   astonished 깜짝 놀란   automatically 자동으로
entrance 입구   take advantage of ~을 이용하다   upcoming 다가오는   break (휴식) 시간   appropriate 적절한

- 동명사와 to부정사 둘 다 목적어로 쓰는 동사도 있다.
  - 둘 다(의미 차이 없음): like, love, hate, prefer, attempt, intend, start, begin, continue 등
  - 둘 다(의미 차이 있음): forget, remember, regret, try 등

297
고2 9월

이 문제들 중 일부는 / 계속해 왔다 / 수학자들을 시험하는 것을 / 현대까지
Some of these problems / have continued / to challenge mathematicians / until modern
　　　　　　　　　　　　 V　　　　　　　　　 O(to부정사구)

times.

298
고2 3월
응용

The kids continued waving and shouting on the climbing bars.

299
고1 11월

At the first curve, my heart started beating fast.

300
고2 6월
응용

People started to follow the mechanical time of clocks.

301
고2 3월
응용

나는 노력했다 / 그 생각을 설명하려고
I / tried / to explain the idea.
　　 V　　　 O(to부정사구)

302
고2 6월
응용

Lucas tried reasoning with her.

303
고1 11월

He regretted fixing up the old man's bicycle.

304
고2 3월

I remember thinking to myself, "Well, I could do that."

305
고2 9월
응용

Participants may forget to be nervous.

---

challenge 시험하다　modern times 현대　wave 손을 흔들다　shout 외치다　climbing bar 철봉 사다리　mechanical 기계식의　explain 설명하다
reason with ~을 설득하다　fix up ~을 수리하다　participant 참가자　nervous 불안해하는

2 명사절 목적어

- 접속사 that과 whether[if]가 이끄는 명사절은 문장의 목적어 자리에 올 수 있다.
- 「that+S+V ~」 형태의 명사절 목적어는 '~라고 하는 것을'로 해석하며, that을 생략하기도 한다.
- 「whether[if]+S+V ~」 형태의 명사절 목적어는 '~인지 (아닌지)를'로 해석하며, 주로 동사 ask, doubt, tell, know, wonder 등의 목적어로 쓰인다.

대표 문장
306
고2 11월

Edison은 　알게 되었다 　　　　　　　　　마케팅과 발명이 통합되어야 한다는 것을
Edison / **learned** [**that** marketing and invention must be integrated].
　　　　　　V　　　　　　　　　　　O(명사절: that+S+V)

307
고2 3월
응용

I understand that this would be at my own expense.

308
고2 3월
응용

A world-famous cereal brand's label indicates that the cereal has 11 grams of sugar per serving.

309
고2 9월

Jacob thought it was already looking pretty hopeless.

310
고2 9월

After a few weeks with Kathy, I discovered I was dealing with a very bright, very strong-willed child.

311
고1 11월
응용

나는 　의심했다 　　　내가 그것을 잘 해낼 수 있을지를
I / **doubted** [**whether** I could make it].
　　　　V　　　　　　O(명사절: whether+S+V ~)

312
고2 6월
응용

You will not know whether you encountered his name in the context of movies, sports, or politics.

313
고2 11월

She reached out to friends and family and asked them if they could spare $100.

☆**314**
고2 11월
응용

I wonder if it is possible to film children in classes for a day.

---

integrate 통합하다　　at one's own expense 자비로　　indicate 보여 주다　　serving (음식의) 1인분　　hopeless 절망적인　　doubt 의심하다
encounter 만나다　　context 상황　　reach out 연락하다　　spare (돈을) 내주다

- 관계대명사 what과 의문사가 이끄는 명사절은 문장의 목적어 자리에 올 수 있다.
- 「what+(S+)V ~」 형태의 명사절 목적어는 '~하는 것'으로 해석한다.
- 「의문사+(S+)V ~」 형태의 명사절 목적어는 의문사에 따라 '누가[무엇이/어느 쪽이/언제/어디서/왜/어떻게] ~하는지를'로 해석한다.

315
고2 6월
응용

우리는   완전히 통제할 수 없다   우리가 전달하는 것을
We / cannot completely control [what we communicate].
              V   O(명사절: what+S+V)

316
고1 11월
응용

Most people will do what the salesperson asks.

☆ 317
고1 11월
응용

They taught their own offspring what they'd learned.

318
고2 11월
응용

그는   물었다   왜 그 동물이 탈출하려고 애쓰지 않는지를
He / asked [why the beast didn't try to escape].
      V   O(명사절: why+S+V ~)

☆ 319
고2 9월
응용

"Do you know which way we came?" Lauren asked.

320
고2 9월
응용

Science can only tell us how the world appears to us.

☆ 321
고2 9월

They affect how smoothly or directly information can move from point to point in global cyberspace.

322
고2 11월

It determines the structure of conversations and who has access to what information.

---

completely 완전히   control 통제하다   offspring 자손   beast 동물, 짐승   escape 탈출하다   appear 보이다   affect 영향을 미치다   smoothly 원활하게
directly 곧바로   determine 결정하다   structure 구조   have access to ~에 접근할 수 있다

3 가목적어 it, 재귀목적어

- to부정사구나 that절이 목적어로 쓰이면 그 자리에 가목적어 it을 쓰고, 진목적어인 to부정사구나 that절을 뒤로 보낸다.
- 주로 5형식 문장에서 나타나며, 가목적어 it은 해석하지 않고, 진목적어를 목적어로 해석한다.

대표 문장
323
고2 6월
응용

의사들은 　　　거의 항상 알게 될 것이다　　　×　　　이득이라는 것을　　　다른 누군가를 고용하는 것이
Doctors / will almost always find / it / advantageous / to hire someone else.
　　　　　　　　　　V　　　　　　　　　O(가목적어)　　　　　　　　O′(진목적어: to부정사구)

324
고2 6월

I have always found it hard to be creative in a doorless office.

⭐ **325**
고2 3월
응용

People considered it a bad bet to assume that they would be producing more wealth ten years down the line.

326
고2 11월
응용

Creative companies are making it possible for their clients to share ownership and access to just about everything.
　　　　　　　　　　　　　　　　★ for their clients는 to부정사구의 의미상 주어이다.

327
고2 11월
응용

The disintermediated and transnational nature of blockchains makes it difficult to implement changes to a blockchain's software protocol.

328
고2 6월
응용

나는 생각했다　　×　　놀랍다고　　　　　　　그가 그 질문을 명백히 고려하지 않았다는 것이
I / found / it / remarkable [that he had apparently not considered the question].
　V　　O(가목적어)　　　　　　　　　　　O′(진목적어: that+S+V ~)

329
고1 11월
응용

The predominant legend has it that a goatherd discovered coffee in the Ethiopian highlands.
　　　　　　　　★ 「~ has it+that ...」은 '~에 따르면 ...라고 한다'라는 뜻으로 쓰이는 가목적어 it의 관용적 표현이다.

---

doorless 문이 없는　　bet 선택　　assume 추정하다　　down the line (특정 시점) 이후　　client 고객　　ownership 소유권　　disintermediated 탈중개화된
transnational 초국가적인　　nature 특성　　implement 시행하다　　apparently 명백히　　predominant 유력한　　goatherd 염소지기　　highland 고산지

- 목적어가 주어와 같은 대상일 때, 재귀대명사(-self/-selves)를 쓰고, '자신을/자신에게'로 해석한다.
- 문장의 목적어로 쓰인 재귀대명사는 생략할 수 없다.

330
고2 6월
응용

Masami는 　알게 되었다　자신이　　불운한 상황에 놓여있는 것을
Masami / **found** / **herself** / in a bad situation.
　　S　　　　　V　　　　　O
　　└─────── (=) ───────┘

331
고2 9월
응용

The bear lowered itself and moved slowly to the left.

332
고2 3월

I see myself most clearly in her eyes, the windows to her soul.

333
고2 3월
응용

Most professors see themselves in a position of professional authority over their students.

☆**334**
고1 11월

He taught himself mathematics, natural philosophy and various languages.

---

lower ~을 낮추다　soul 영혼　professor 교수　position 위치　authority 권위　natural philosophy 자연 철학　various 여러, 많은

4 전치사의 목적어

- 「전치사+(대)명사」 형태의 전치사구에서 전치사 뒤에 오는 말을 전치사의 목적어라고 한다.
- 명사와 대명사, 동명사(구) 등이 주로 전치사의 목적어로 쓰이며, to부정사(구)는 전치사의 목적어로 쓰이지 않는다.

335
고2 6월
응용

Maria는　　말했다　　그녀의 동료들에게　　　　그녀의 딸의 최근 프로젝트에 관해
Maria / told / her coworkers / <u>about</u> <u>her daughter's latest project</u>.
　　　　　　　　　　　　　　　　전치사　　　O(명사구)

336
고1 11월

One penguin's destiny alters the fate of all the others.

☆ **337**
고2 3월

Sometimes our judgments of ourselves are unreasonably negative.

338
고2 3월

We would very much appreciate your consideration for us in this difficult time.

대표 문장
339
고2 11월

우리는　　　걱정할 필요가 없다　　굶주리는 것에 대해
We / do not have to worry / <u>about</u> <u>starving</u>.
　　　　　　　　　　　　　　　전치사　　O(동명사)

340
고2 9월

Adjust the volume level by moving the joystick left or right.

341
고2 11월
응용

Let's explore this question by considering the case of Madeleine and Alexandra.

342
고2 9월

A $1 million prize will be awarded for solving each of these seven problems.

343
고2 6월

You should use the process of testing the option on a smaller scale.

---

coworker 동료　destiny 운명　alter 바꾸다　fate 운명　judgment 판단　unreasonably 터무니없이　negative 부정적인　appreciate 감사하다
consideration 배려　starve 굶주리다　explore 탐구하다　million 100만　award 수여하다　process 과정　option 선택　scale 규모

- 접속사 whether, 관계대명사 what, 의문사가 이끄는 명사절은 전치사의 목적어로 쓰인다.
- that과 if가 이끄는 명사절은 전치사의 목적어로 쓰이지 않는다.

344
고2 6월
응용

나는   완전히 확신하지 못했다   그 결과가 어떠할지를
I / was not fully convinced / of [**how** the outcome would be].
                   전치사   O(명사절: how+S+V)

345
고2 11월
응용

A letter inside the envelope lectured me all about how important old friendships are at all ages.

☆**346**
고2 6월
응용

Parents must agree on where a limit will be set and how it will be enforced.

347
고2 6월

My buddy and his wife were in constant conflict over when the housework should get done.

348
고2 3월
응용

We had an instinctive awareness of what foods our body needed.

349
고2 3월
응용

We're missing the mark of what life is all about.

350
고2 3월
응용

Like a child, an artist makes art from what he has around him.

351
고2 11월
응용

Unfortunately, many people tend to focus on what they don't have.

---

fully 완전히   convince 확신시키다   outcome 결과   envelope 봉투   lecture 설교하다   limit 제한   set 두다   enforce 시행하다   constant 지속적인
conflict 갈등   instinctive 본능적인   awareness 인식   miss 빗나가다   focus on ~에 집중하다

5 전치사구를 동반하는 동사구문

- 「동사＋목적어＋전치사구」 형태로 전치사구를 동반하는 동사구문은 특정한 의미로 쓰인다.
  - see[view/think of/regard] A as B: A를 B로 보다/생각하다/간주하다
  - add/apply A to B: A를 B에 더하다/적용하다
  - thank A for B: A에게 B에 대해 감사하다

대표 문장

352
고2 6월

당신은 　　보아야 한다　　삶을　　　　　일련의 모험으로
You / **have to see** / **life** / **as** a series of adventures.
　　　　　　 V 　　　　　 O 　　　　전치사＋O(명사구)

353
고2 3월
응용

Think of it as the robot-assisted human.

354
고2 6월
응용

People commonly think of persuasion as deep processing.

355
고2 3월
응용

You just added more debt to your list.

356
고2 3월

Being imaginative gives us feelings of happiness and adds excitement to our lives.

357
고1 11월

Thank you for your understanding.

☆ **358**
고2 6월

We thank you for agreeing to play the music for my daughter's wedding on September 17.

---

adventure 모험 　 robot-assisted 로봇의 도움을 받는 　 commonly 보통, 대개 　 persuasion 설득 　 debt 빚 　 imaginative 상상력이 풍부한
excitement 흥분

- provide[present]/fill *A* with *B*: A에게 B를 제공하다/A를 B로 채우다
- prevent[keep/stop] *A* from *B*: A가 B하는 것을 막다
- separate *A* from *B*: A를 B와 분리하다
- remind/convince *A* of *B*: A에게 B를 상기시키다/확신시키다

359
고2 6월
응용

우유와 고기는   제공한다   사람들에게   많은 지방과 단백질을
The milk and meat / **provide** / **people** / **with** much fat and protein.
                       V   O   전치사+O(명사구)

360
고2 9월

Some companies provide their employees with cafeteria incentive programs.

361
고1 11월
응용

He had filled the stove with every piece of wood.

362
고2 11월
응용

The game prevented the initial traumatic memories from solidifying.

363
고2 11월
응용

Focusing on numbers separates people from being in tune with their body.

364
고1 11월

On behalf of the Youth Soccer Tournament Series, I would like to remind you of the 2019 Series next week.

---

fat 지방   protein 단백질   employee 직원   incentive 장려금   stove 난로   initial 초기의   traumatic 트라우마를 일으키는   solidify 굳어지다
be in tune with ~와 조화를 이루다   on behalf of ~을 대표하여

구조+해석 V와 O 또는 전치사와 O를 표시한 뒤, 문장을 끊어 읽고 해석하시오.

0
고2 3월

Mary / prefers / to think [that she is always right].
　　　 V　　　 O(to부정사구) think의 목적어(명사절: that+S+V ~)
→ Mary는 자신이 항상 옳다고 생각하기를 더 좋아한다.

1
고1 11월
응용

Sociologists have confirmed that this principle is a strong motivator.

→ _____

2
고2 6월

His response made it very clear that he trusted his gut feeling and was satisfied with himself and with his decision.

→ _____

3
고2 11월
응용

The temple students would measure time by how fast the bucket drained.

→ _____

4
고2 6월

Merely knowing that you're not the only resister makes it substantially easier to reject the crowd.

→ _____

5
고2 3월
응용

I told myself it will remind you of the word *north*.

→ _____

6
고2 9월
응용

About 250 years ago, fossil fuels began to be used on a large scale for powering machines.

→ _____

7
고2 6월

Start by asking yourself how you know whether or not someone is famous.

→ _____

---

sociologist 사회학자　confirm 확인하다　principle 원칙　response 반응　gut feeling 직감　temple 사찰　measure 측정하다
drain 물이 빠지다　resister 저항가　substantially 상당히　reject 반대하다　fossil fuel 화석연료

구조+영작 구조에 맞게 주어진 표현을 활용하여 영작하시오.

교육자들은	말해 왔다	이해가 ~라고	핵심	학습에 있어서
Educators	have said	that understanding is	the key	to learning.
S	V	O(명사절: that+S+V ~)		

0
고2 11월 응용

*educator, say, understanding, key

젊은 나무꾼은		결심했다	더 열심히 일하기로	그 다음날에
S		V	O(to부정사구)	

1
고2 9월 응용

*woodcutter, decide, work, harder

나는	이해한다	지금이 ~라는 것을	바쁜 시기	학기 중에서
S	V	O(명사절: that+S+V ~)		

2
고2 11월 응용

*understand, now, busy time, school year

너는	알게 될 것이다	×	실제로 매우 어렵다는 것을	묘사하는 것이	너의 친구의 '내면'을
S	V	O(가목적어)	C	O'(진목적어: to부정사구)	

3
고2 11월 응용

*find, difficult, indeed, describe, inside

나는	기대했다	수술을 끝마치기를	그리고 열심히 노력하기를	회복에
S	V	O₁(동명사구)	O₂(동명사구)	

4
고2 3월 응용

*look forward to, get ~ over with, surgery, recovery

습관적인 행동들은	도움을 줄 수 있다	우리를 위험으로부터 지켜주는 데	우리의 삶에서
S	V	전치사+O(동명사구)	

5
고2 3월 응용

*habitual act, helpful, keep ~ from ..., danger

참가자들은	질문을 받았다	~인지	더 도덕적인	자율자동차(AV)들이 한 명의 승객을 희생시키는 것이
S	V	O(명사절: whether+S(가주어)+V+의미상 주어+S'(진주어: to부정사구))		

10명의 보행자들을 사망하게 하는 것보다는

6
고2 9월 응용

*participant, moral, AV, sacrifice, passenger, rather than, pedestrian

indeed 실제로　describe 묘사하다　look forward to ~을 기대하다　get ~ over with ~을 끝마치다　surgery 수술　recovery 회복
habitual act 습관적인 행동　moral 도덕적인　AV 자율자동차(= autonomous vehicle)　sacrifice 희생하다　passenger 승객　pedestrian 보행자

UNIT 7 보어

📍 목표 구문 한눈에 보기

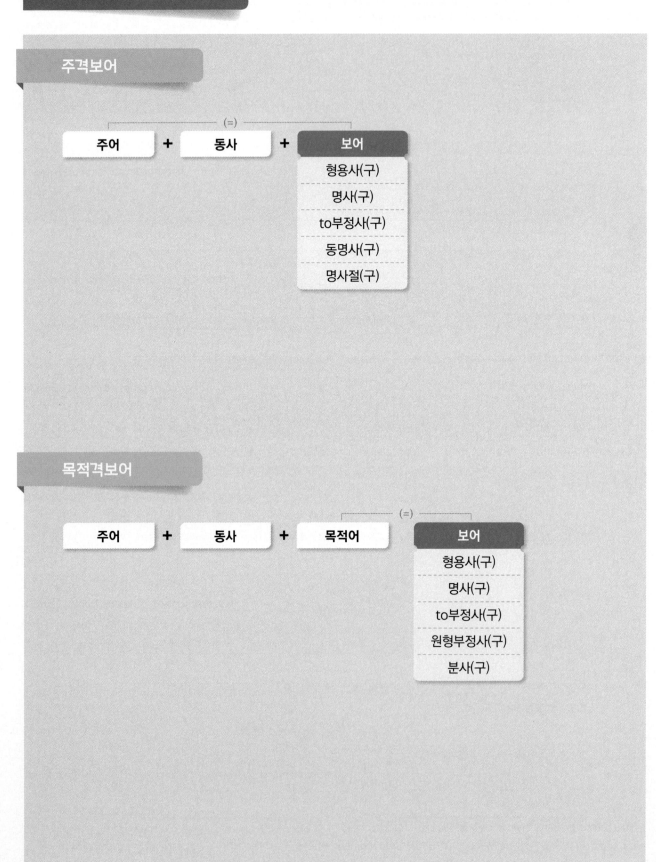

주격보어

주어 + 동사 + (=) 보어
- 형용사(구)
- 명사(구)
- to부정사(구)
- 동명사(구)
- 명사절(구)

목적격보어

주어 + 동사 + 목적어 + (=) 보어
- 형용사(구)
- 명사(구)
- to부정사(구)
- 원형부정사(구)
- 분사(구)

필수 기출 어휘 다지기

아는 단어 ☑
초빈출 어휘 ★

01	hardworking	형	열심히 일하는	26	splendid	형	훌륭한
02	transferable	형	이동 가능한	27	repetition	명	반복
03	enrich	동	질을 높이다	28	forecast	명	예측
04	rely on		~에 의존하다	29	efficient	형	효율적인
05	immediately★	부	곧, 즉시	30	inner	형	내적인
06	life span		수명	31	keep ~ in check		~을 제지하다
07	encouragement	명	격려	32	recess	명	쉬는 시간
08	professional	형	프로의 (↔ amateur)	33	participation	명	참여
09	accessibility	명	접근성	34	individual★	명	개인
10	reverse	동	반대로 바꾸다	35	demonstrate	동	보여 주다
11	temporarily	부	일시적으로	36	attitude★	명	태도
12	permanently	부	영구적으로	37	anticipate	동	기대하다
13	informal	형	비형식적인	38	excuse	동	너그러이 봐주다
14	experiential	형	경험적인	39	naive	형	고지식한
15	admit	동	인정하다	40	prejudice	명	편견
16	underlie	동	~의 기초가 되다	41	desperate	형	절박한
17	primary	형	주된	42	urgent	형	다급한
18	adapt★	동	적응하다	43	instantly	부	즉시
19	concern★	명	관심	44	methodology	명	방법론
20	attractive	형	매력적인	45	lie	동	눕다
21	reliable	형	믿을 만한	46	antibiotic	명	항생제
22	noteworthy	형	주목할 만한	47	commonly	부	주로
23	radically	부	급격하게	48	presence★	명	존재
24	profound	형	깊은 의미가 있는, 심오한	49	complete★	동	완수하다
25	unconscious	형	무의식적인	50	at hand		당면한, 가까운

1 주격보어: 형용사, 명사

대표 문장
고2 11월

블록체인은	~이다	탈중개화되어 있고 초국가적인
Blockchains	**are**	**disintermediated** and **transnational**.
S	V	C(형용사구)

2 주격보어: to부정사, 동명사, 명사절

대표 문장
고2 9월

문제는	~이다	기술과 내용이 서로 연결되어 있다는 것
The problem	**is**	**that** the skills and the content are interconnected.
S	V	C(명사절: that+S+V)

3 목적격보어: 형용사, 명사

대표 문장
고2 6월

Arbore는	알았다	이 교류가	깊은 의미가 있다는 것을
Arbore	**found**	**this exchange**	**profound**.
S	V	O	C(형용사)

4 목적격보어: to부정사, 원형부정사

대표 문장
고2 3월

Mary는	원했다	그 집의 실내가	매력적으로 보이기를
Mary	**wanted**	**the interior of the house**	**to look** attractive.
S	V	O	C(to부정사구)

5 목적격보어: 현재분사, 과거분사

대표 문장
고2 3월

갑자기	나는	알아차렸다	머리가 긴 남자가	몰래 내 뒤에서 자전거를 타고 오는 것을
Suddenly,	**I**	**noticed**	**a man with long hair**	secretly **riding** behind me.
	S	V	O	C(현재분사구)

▶ 형용사와 명사는 문장의 주격보어 자리에 올 수 있다.

형용사 주격보어	• 형용사는 주격보어 자리에 쓰여 주어의 '성질, 상태 = 보어'의 관계를 나타내며, '주어가 ~하다/~해지다'로 해석한다.
명사 주격보어	• 명사는 주격보어 자리에 쓰여 주어의 '지위, 자격 = 보어'의 관계를 나타내며, '주어는 ~이다/~가 되다'로 해석한다.

★ 주로 be동사, 감각동사(look, sound, smell, taste, feel 등), 상태나 변화를 나타내는 동사(become, get, grow, turn 등) 뒤에 쓰인다.

▶ to부정사와 동명사, 명사절은 문장의 주격보어 자리에 올 수 있다.

to부정사 주격보어	• 명사구로서 주격보어 자리에 올 수 있고, '주어는 ~하는 것이다'로 해석한다.
	• 동사 seem, appear 뒤에 형용사구 주격보어로 올 수 있고, '~인 것 같다'로 해석한다.
동명사 주격보어	• 명사구로서 주격보어 자리에 올 수 있고, '주어는 ~하는 것이다'로 해석한다.
명사절 주격보어	• 접속사 that, whether, 관계대명사 what, 의문사가 이끄는 명사절은 주격보어 자리에 올 수 있다.

★ whether, 의문사가 이끄는 명사절은 간접의문문이라고 하며, 「whether/의문사+S+V ~」의 어순에 주의해야 한다.

▶ 형용사와 명사는 문장의 목적격보어 자리에 올 수 있다.

형용사 목적격보어	• 목적어의 '성질, 상태 = 보어'의 관계이고, '목적어가 ~하다고/목적어를 ~하게'로 해석한다.
명사 목적격보어	• 목적어의 '지위, 자격 = 보어'의 관계이고, '목적어를 ~로/~라고'로 해석한다.

★ 주로 호칭(call, name 등), 생각·인식(think, consider, find 등), 상태(make, keep, turn 등)를 나타내는 동사 뒤에 쓰인다.

▶ to부정사와 원형부정사는 문장의 목적격보어 자리에 올 수 있다.

to부정사 목적격보어	• 목적어와 '주어−술어'의 관계이고, '목적어가 ~하기를/~하도록'으로 해석한다.
	• to부정사를 목적격보어로 쓰는 동사: want, force, ask, tell, allow, advise 등
원형부정사 목적격보어	• 원형부정사는 「to+동사원형」 형태의 to부정사에서 to를 생략하고 동사원형 형태로 쓴다.
	• 목적어와 '주어−술어'의 관계이고, 동사에 따라 '목적어가 ~하도록/~하는 것을'로 해석한다.
	• 원형부정사를 목적격보어로 쓰는 동사: 사역동사(make, have, let)와 지각동사(see, hear, feel 등)

★ help는 준사역동사로 to부정사와 원형부정사 둘 다를 목적격보어로 쓸 수 있다.

▶ 현재분사와 과거분사는 문장의 목적격보어 자리에 올 수 있다.

현재분사 목적격보어	• 목적어와 '주어−술어'의 능동 관계이고 동작이나 사건이 진행 중임을 나타낸다.
	• 현재분사 목적격보어는 '목적어가 ~하고 있는 것을'로 해석한다.
과거분사 목적격보어	• 목적어와 '주어−술어'의 수동 관계이고 동작이나 사건이 완료되었음을 나타낸다.
	• 과거분사 목적격보어는 '목적어가 ~된 것을/~되도록'으로 해석한다.

★ get은 준사역동사로, 목적어와의 관계가 능동일 때 to부정사, 수동일 때 과거분사를 목적격보어로 쓸 수 있다.

1 주격보어: 형용사, 명사

- 형용사는 주격보어로 쓰여 주어의 성질, 상태를 나타낼 수 있고, '주어가 ~하다/~해지다'로 해석한다.
- 둘 이상의 형용사가 함께 오거나 형용사 앞뒤에 수식어가 붙기도 한다.

대표 문장

365
고2 11월

블록체인은   ~이다   탈중개화되어 있고 초국가적인
Blockchains / **are** / **disintermediated and transnational**.
    S   V   C(형용사구)

366
고2 9월

The young man was very hardworking.

367
고2 6월
응용

Money is transferable and deferrable.

368
고2 3월
응용

Our jobs become enriched by relying on robots.

369
고2 6월
응용

We become boring, rigid, and hardened.

☆ **370**
고1 11월
응용

Carrying the same product in a black shopping bag feels heavier.

371
고2 3월

She immediately felt important and useful.

372
고2 11월
응용

The brain remains changeable throughout the life span.

373
고1 11월
응용

With her mother's encouragement, she remained positive.

---

disintermediated 탈중개화된   transnational 초국가적인   hardworking 열심히 일하는   transferable 이동 가능한   deferrable 연기할 수 있는
enrich 질을 높이다   rely on ~에 의존하다   rigid 완고한   hardened 경직된   immediately 곧, 즉시   changeable 변화할 수 있는

- 명사는 주격보어로 쓰여 주어의 지위, 자격을 나타낼 수 있고, '주어는 ~이다/~가 되다'로 해석한다.
- 둘 이상의 명사가 함께 오거나 명사 앞뒤에 수식어가 붙기도 한다.

374
고1 11월

음식은 ~이다   원래 마음을 지배하는 약
<u>Food</u> / <u>is</u> / <u>the original mind-controlling drug</u>.
S   V   C(명사구)

375
고2 6월
응용

The winner of the speech contest is Josh Brown!

376 ☆
고2 9월

Shah Rukh Khan is an Indian film actor and producer.

377
고2 9월

His father was a music teacher and his mother was a singer and an amateur painter.

378
고2 6월

Martin Luther King Jr. was a great man.

379
고2 3월
응용

Few of us can become the professional athlete, entertainer, or movie star.

380
고2 3월
응용

You can become your own cheerleader by talking to yourself positively.

381
고2 3월
응용

Accessibility of medical services remains a problem in many parts of the world.

382 ☆
고2 3월
응용

Victor Frankl remained head of the neurology department at the Vienna Policlinic Hospital for twenty-five years.

---

mind-controlling 마음을 지배하는   film actor 영화배우   producer 제작자   accessibility 접근성   medical service 의료 서비스
neurology department 신경학과

2 주격보어: to부정사, 동명사, 명사절

• to부정사(to-v)와 동명사(v-ing)는 명사구로서, 주격보어로 쓰일 수 있고, '주어는 ~하는 것이다'로 해석한다.

383
고2 6월
응용

그들의 과제는   ~이었다   그들의 역할을 반대로 바꾸는 것
Their challenge / **was** / **to reverse** their roles.
     S   V   C(to부정사구)

384
고2 9월
응용

The manager's goal was to meet the quota in the easiest possible way.

385
고2 3월
응용

A better idea is to simply get rid of anything with low nutritional value.

386
고2 6월
응용

The needed marketing task is to reduce demand temporarily or permanently.

☆ **387**
고2 3월

The balloon seemed to have a mind of its own.

★ 동사 seem 뒤의 to부정사구는 형용사 주격보어이다.

388
고2 11월
응용

People seem to consider informal learning experiential and social.

389
고2 6월
응용

까다로운 부분은   ~이다   보여 주는 것   당신이 얼마나 특별한지를   당신 자신에 대한 이야기를 하지 않고
The tricky part / **is** / **showing** [how special you are / without talking about yourself].
     S   V   C(동명사구)

390
고1 11월
응용

Intellectual humility is admitting you are human and there are limits to the knowledge.

---

challenge (해볼 만한) 과제   quota 할당(량)   get rid of ~을 없애다   nutritional value 영양가   task 과업   reduce 줄이다   demand 수요
experiential 경험적인   tricky 까다로운   intellectual humility 지적 겸손   admit 인정하다

• 접속사 that과 whether, 관계대명사 what, 의문사가 이끄는 절은 각각 명사절로서, 주격보어로 쓰일 수 있다.

대표 문장

391
고2 9월

문제는　　　　~이다　　　　　　　　기술과 내용이 서로 연결되어 있다는 것
The problem / **is** [**that** the skills and the content are interconnected].
　　S　　　　　V　　　　　　　　C(명사절: that+S+V)

392
고2 6월
응용

One widely held view is that self-interest underlies all human interactions.

393
고2 9월
응용

The primary advantage is that they can adapt to nearly all earthly environments.

394
고2 3월
응용

For all the home products, her main concern was whether they looked attractive, not whether they were effective or reliable.

☆ **395**
고2 6월

Your story is what makes you special.

396
고2 6월
응용

The first follower is what transforms a lone nut into a leader.

397
고1 11월

What I don't know is where I'm going.

398
고2 9월
응용

What is noteworthy is how quickly and radically people's behavior changes.

---

content 내용　interconnected 서로 연결되어 있는　widely held 널리 받아들여지는　self-interest 자기 이익　underlie ~의 기초가 되다
advantage 이점　earthly 지구의　effective 효과적인　follower 추종자　lone 외로운　nut 괴짜　noteworthy 주목할 만한

3 목적격보어: 형용사, 명사

- 형용사는 목적격보어로 쓰여 목적어의 성질, 상태를 나타낼 수 있고, '목적어가 ~하다고/목적어를 ~하게'로 해석한다.
- 명사는 목적격보어로 쓰여 목적어의 지위, 자격을 나타낼 수 있고, '목적어를 ~로/~라고'로 해석한다.

대표 문장
399
고2 6월

Arbore는	알았다	이 교류가	깊은 의미가 있다는 것을
Arbore /	**found** /	**this exchange** /	**profound**.
S	V	O	C(형용사)

400
고2 11월
응용

We find special effects especially interesting.

401
고2 3월
응용

Our automatic, unconscious habits can keep us safe.

402
고2 6월

It would make the festival more colorful and splendid.

403
고2 11월

Repetition makes us more confident in our forecasts and more efficient in our actions.

404
고2 9월

그 부드러움은	만들었다	청바지를	노동자들이 가장 많이 선택하는 바지로
That softness /	**made** /	**jeans** /	**the trousers** ⟨of choice for laborers⟩.
S	V	O	C(명사구)

405
고1 11월
응용

Today experts have made strength training part of the game.

406
고2 3월
응용

Everyone called him A. Y.

407
고2 6월

Social psychologists call it social exchange theory.

---

automatic 자동적인   unconscious 무의식적인   colorful 다채로운   confident 자신 있는   forecast 예측   efficient 효율적인   trousers 바지
laborer 노동자   expert 전문가   strength training 근력 운동   social psychologist 사회 심리학자

4 목적격보어: to부정사, 원형부정사

- to부정사는 명사구로서, 목적격보어로 쓰일 수 있고, '목적어가 ~하기를/~하도록'으로 해석한다.
- 목적격보어 자리에 to부정사를 쓰는 동사는 want, force, ask, tell, allow 등이 있다.

대표 문장
408
고2 3월

Mary는	원했다	그 집의 실내가	매력적으로 보이기를
Mary /	wanted /	the interior of the house /	to look attractive.
S	V	O	C(to부정사구)

409
고2 9월
응용

I wanted him to keep it for himself.

410
고2 11월

Holmes forced the adults to wait for thirty minutes.

☆ **411**
고2 6월
응용

The habit of asking questions forces you to have a different inner life experience.

412
고1 11월
응용

The farmer asked his neighbor to keep his dogs in check.

413
고2 3월
응용

Miss Taglia asked both of the girls to meet with her during recess.

414
고1 11월
응용

The teacher told the students to be ready for the surprise test now!

415
고1 11월
응용

Participation allows individuals to demonstrate a belonging.

416
고2 11월

Attitude allows you to anticipate, excuse, forgive and forget, without being naive or stupid.

---

keep 간직하다   for oneself 스스로   habit 습관   keep ~ in check ~을 제지하다   recess 쉬는 시간   demonstrate 보여 주다   belonging 소속감
attitude 태도   anticipate 기대하다   excuse 너그러이 봐주다   naive 고지식한

- 원형부정사는 목적격보어로 쓰일 수 있고, '목적어가 ~하도록/~하는 것을'로 해석한다.
- 목적격보어 자리에 원형부정사를 쓰는 동사는 사역동사(make, have, let)와 지각동사(see, hear, feel 등)가 있다.

417
고2 6월
응용

결국   그는 놔두었다 그녀가   스스로 지치도록
Finally, / he / let / her / wear herself out.
       S   V   O   C(원형부정사구)

418
고2 3월

We definitely should not let our prejudice and emotion take the better part of us.

☆ 419
고2 9월

Her desperate and urgent voice made Jacob decide to enter the building instantly.

420
고2 3월

For more than 15 minutes, these paid hand-clappers made the place ring with their enthusiasm.

☆ 421
고2 6월
응용

This helped me understand his methodology, style, and content.

★ help는 목적격보어로 to부정사와 원형부정사를 둘 다 쓸 수 있는 준사역동사이다.

422
고2 3월

I felt my heart jump.

423
고2 11월

Maria saw the cheer disappear from Alice's face at the news.

424
고2 6월
응용

Paul watches engineers use pulleys.

425
고2 3월
응용

From deep in his throat, I heard him say, "Excuse me, you dropped your bag."

---

wear out 지치다   definitely 절대   prejudice 편견   desperate 절박한   urgent 다급한   instantly 즉시   paid 돈을 받은   hand-clappers 박수 부대
ring 울려 퍼지다   enthusiasm 열광, 열정   methodology 방법론   cheer 생기   pulley 도르래   drop 떨어뜨리다

- 현재분사와 과거분사는 형용사(구)로서 목적격보어로 쓰일 수 있다.
- 현재분사는 목적어와 능동 관계를 이루며 동작이 '진행' 중임을 나타낼 때, '목적어가 ~하고 있는 것을'로 해석한다.
- 과거분사는 목적어와 수동 관계를 이루며 동작이 '완료' 되었음을 나타낼 때, '목적어가 ~된 것을/~되도록'으로 해석한다.

대표 문장

426
고2 3월

갑자기 / 나는 / 알아차렸다 / 머리가 긴 남자가 / 몰래 내 뒤에서 자전거를 타고 오는 것을
Suddenly, / I / noticed / a man with long hair / secretly riding behind me.
　　　　　　S　　V　　　　　　O　　　　　　　　　　C(현재분사구)

427
고2 9월
응용

He could see a little boy lying on the floor.

428
고2 9월
응용

Antibiotics and vaccinations keep us living longer.

☆ **429**
고2 11월
응용

Some fad diets might have you running a caloric deficit.

430
고2 3월
응용

포유류와 조류는 / 주로 만든다 / 자신들의 존재가 / 소리로 느껴지도록
Mammals and birds / commonly make / their presence / felt by sound.
　　　S　　　　　　　　V　　　　　　　　O　　　　　　C(과거분사구)

☆ **431**
고2 3월
응용

Your imagination will keep you focused on completing the tasks at hand.

432
고1 11월
응용

Amy heard her name called.

---

antibiotic 항생제　vaccination 예방 접종　fad diet 유행성 다이어트　run 유지하다, 계속되다　caloric deficit 열량 부족　mammal 포유류
commonly 주로　presence 존재　imagination 상상력　focus on ~에 집중하다　complete 완수하다　at hand 당면한, 가까운

구조+해석 S와 C 또는 O와 C를 표시한 뒤, 문장을 끊어 읽고 해석하시오.

0
고2 11월

For Yves Klein, / one colour / was / enough; / Franz Kline's art / was typically / black
               S₁   C₁(형용사)   S₂

on white.
C₂(명사구)

→ Yves Klein에게는 한 가지 색이면 충분했고, Franz Klein의 예술(작품)은 보통 흰색 바탕 위에 검정색이었다.

1
고2 3월
응용

He can no longer see the birds or hear them sing.

→ _____

2
고1 11월
응용

She wrote her second novel, *The Wedding*, in 1950, but left it incomplete.

→ _____

3
고2 9월

The first is an attraction to new foods; the second is a preference for familiar foods.

→ _____

4
고2 3월
응용

He saw his son William lying peacefully before the fireplace.

→ _____

5
고2 3월

One possible logical response to the need for more light would be to increase
illumination levels in general.

→ _____

6
고2 11월

By enduring this training, Conner helped the US team to earn a gymnastics team
gold.

→ _____

7
고2 6월

The developmental challenge of blind spots is that you don't know what you don't
know.

→ _____

---

no longer 더 이상 ~ 아닌　　leave 두다　　incomplete 미완성인　　attraction 끌림　　preference 선호　　fireplace 벽난로　　illumination level 조도
in general 전반적으로　　endure 견디다　　earn 얻다, 따다　　gymnastics 체조　　developmental 발달상의　　challenge 과제　　blind spot 맹점

구조+영작 구조에 맞게 주어진 표현을 활용하여 영작하시오.

0
고2 6월 응용

이러한 구분은	~이다	문화적으로 그리고 역사적으로 상대적인
This division	is	culturally and historically relative.
S	V	C(수식어+형용사)

*division, culturally, historically, relative

1
고2 9월

그들에게 있어서,	고구마 파이는	~이다	흔한 언급 대상
M	S	V	C(명사구)

*sweet potato pie, common, referent

2
고2 9월 응용

그 이유는	~이다	중력의 잡아당기는 힘이	또한 ~에 달려 있다는 것	물체와의 거리
S	V	C(명사절: that+S+V ~)		

*pull, gravity, depend on, distance, object

3
고2 3월 응용

소프트웨어의 발전은	만들었다	온라인 콘텐츠를 만드는 작업을	더 빠르고 더 저렴하게
S	V	O	C(형용사구)

*development, task, online content

4
고2 11월

이 외견상의 제한은	정확히 ~이다	돕는 것	소비자들이	만들도록	그것을	큰 기쁨으로
S	V	C(명사절: what+V+O+C(원형부정사구))				

*apparent, limitation, precisely, consumer, treat

5
고2 9월 응용

연구에 따르면	귀여운 공격성은	만들지도 모른다	우리들이	귀여운 생명체들을 돌보게
M	S	V	O	C(원형부정사구)

*cute aggression, care for, creature

6
고2 3월 응용

그는	보았다	그의 어린 딸이	네 손발로 기어 다니는 것을	좁은 콘크리트 난간을 따라
S	V	O	C(현재분사구)	

*crawl on all fours, narrow, ledge

relative 상대적인   referent 언급 대상   gravity 중력   distance 거리   development 발전   apparent 외견상의   limitation 제한
consumer 소비자   treat 큰 기쁨   cute aggression 귀여운 공격성   care for ~을 돌보다   crawl on all fours 네 손발로 기어 다니다   ledge 난간

ANSWERS p. 180

UNIT 8 수식어 - 형용사

형용사(구)

수식어	+	명사	+	수식어
형용사(구)				형용사(구)
현재분사				「전치사＋명사」
과거분사				to부정사(구)
				현재분사구
				과거분사구

형용사절: 관계사절

명사	+	수식어
		관계대명사절
		관계부사절

콤마＋관계사절

명사(구)	+	콤마(,)	+	관계사절
절				관계대명사절
				관계부사절

복잡한 관계사절

명사	+	수식어	+	수식어
		형용사(구)		관계대명사절
		관계대명사절		관계부사절
		관계부사절		

01	recovery	명	회복	26	illustrate	동	보여 주다
02	commercial	형	상업의; 민간의	27	identity	명	신원
03	radical	형	급진적인	28	pay for		지불하다
04	inspire★	동	영감을 주다	29	personally	부	직접
05	democratization	명	민주화	30	spatial	형	공간적인
06	compound	명	화합물	31	contribute★	동	영향을 끼치다
07	state★	명	상태	32	adaptation	명	적응
08	capable of		~할 수 있는	33	deviant	형	(정상에서) 벗어난
09	collision	명	충돌	34	fundamental	형	근본적인
10	occur★	동	발생하다	35	thrive	동	번창하다
11	dependence	명	의존	36	qualitative	형	질적인
12	superstition	명	미신	37	shift	명	변화
13	feature	동	다루다	38	civilization	명	문명사회
14	perception★	명	인식	39	overflow	동	넘쳐흐르다
15	show off		뽐내다	40	supplement	동	보충하다
16	composer	명	작곡가	41	dominate	동	지배하다
17	contemporary	형	현대의	42	spread	명	확산
18	remarkable	형	주목할 만한	43	relative	명	친척
19	uncover	동	발견하다	44	emerge	동	발생하다
20	measure	동	(길이가) ~이 되다	45	occupy	동	차지하다
21	aesthetic	형	미적인	46	release	동	분비하다
22	taste	명	취향	47	perverse	형	심술궂은
23	manuscript	명	원고	48	honor	동	경의를 표하다
24	stand a chance		(~할) 가능성이 있다	49	proportion	명	비율
25	publication	명	출판	50	resent	동	분개하다

1 형용사(구): 어순

대표 문장
고2 6월

우리는	기대하고 있다	긍정적인 답변을 받을 수 있기를

We look forward to receiving a **positive** reply.

형용사 ↷ 명사

2 형용사(구): 현재분사, 과거분사

대표 문장
고2 9월 응용

그러한 지식은	개선할 것이다	현존하는 기후 모형을

Such knowledge may improve **existing** climate models.

현재분사 ↷ 명사구

3 형용사절: 관계대명사절

대표 문장
고1 11월 응용

행사들은	의존한다	기존의 맥락에	오랜 시간 동안 있어 왔던

Events depend on an existing context **which** has been for a long time.

선행사 ↶ 관계대명사절(which+V ~)

4 형용사절: 관계부사절

대표 문장
고2 9월 응용

목욕은	~이다	시간	그 아이가 상상을 하며 편안해하는

The bath is a time **when** the child is comfortable with her imagination.

선행사 ↶ 관계부사절(when+S+V ~)

5 콤마+관계사절

대표 문장
고2 6월

Harris는	이야기했다	변호사와	그리고 그 변호사는 그가 그 돈을 신탁에 넣도록 도와주었다

Harris talked to a lawyer, **who** helped him put the money in a trust.

선행사 관계대명사절(who+V ~)

6 복잡한 관계사절

대표 문장
고2 11월 응용

어떤 일이	있었다	학기 초에	그녀의 기억 속에 아직도 남아 있는

Something happened early in the semester **that** is still in her memory.

선행사 ↑_____ 관계대명사절(that+V ~)

▶ 형용사(구) 수식어는 명사의 앞/뒤에서 명사를 수식한다.

형용사	• 명사 앞에서 명사의 모양, 색깔, 성질, 상태 등을 자세하게 설명한다.
	• -thing, -body, -one으로 끝나는 대명사를 뒤에서 수식한다.
형용사구	• 두 단어 이상이 모여 형용사 역할을 하는 것이다.
	• 전치사구(「전치사+명사」), to부정사구는 명사를 뒤에서 수식하는 형용사구이다.

▶ 분사(구)는 명사의 앞/뒤에서 명사를 수식하는 형용사(구) 역할을 한다.

분사	• 형용사 역할을 하는 준동사로, 현재분사(v-ing)와 과거분사(p.p.)가 있다.
	• 단독으로 쓰일 때에는 명사 앞에서, 다른 어구(목적어, 보어, 부사 등)를 수반할 때에는 뒤에서 수식한다.

현재분사(v-ing)	(능동 · 진행) ~하는, ~할, ~하고 있는
과거분사(p.p.)	(수동 · 완료) ~해진, ~된, ~한

▶ 관계대명사가 이끄는 절은 명사를 뒤에서 수식하는 형용사절의 역할을 한다.

관계대명사 • 「접속사+대명사」의 역할을 하며, 관계대명사가 이끄는 절은 명사(선행사)를 뒤에서 수식한다.

격＼선행사	사람	사물/동물	둘 다
주격	who	which	that
소유격	whose	whose	–
목적격	who(m)	which	that

관계대명사절의 구조와 해석	
+V ~	V하는 (선행사)
+명사+V ~	(선행사)의 명사가 V하는 ~
+S+V ~	S가 V하는 (선행사)

▶ 관계부사가 이끄는 절은 명사를 뒤에서 수식하는 형용사절의 역할을 한다.

관계부사 • 「접속사+부사」의 역할을 하며, 관계부사가 이끄는 절은 명사(선행사)를 뒤에서 수식한다.

	선행사	관계부사
시간	the time	when
장소	the place	where
이유	the reason	why
방법	(the way)	how

관계부사절의 구조와 해석	
+S+V ~	S가 V하는 (시간/장소/이유/방법)

▶ 콤마(,)와 함께 오는 관계사절은 명사(구), 또는 절을 보충 설명하는 역할을 한다.

콤마(,)+관계사절 • 관계사절은 형용사절 역할 외에, 선행사를 보충 설명하는 역할을 하기도 한다.

• 「콤마(,)+관계사」는 문맥에 따라 여러 접속사(and, but, because 등)의 의미를 나타낸다.

• 관계대명사 who(m), whose와 which, 관계부사 where와 when이 보충 설명하는 관계사절을 이끈다.
★ **which**는 앞에 나온 명사(구)뿐만 아니라 절 전체도 보충 설명한다.

▶ 관계사절은 수식하는 명사와 멀리 떨어지거나, 여러 개가 함께 쓰여 복잡해질 수 있다.

복잡한 관계사절	• 선행사 뒤에 다른 수식어구가 붙어 관계사절과 떨어질 수 있다.
	• 하나의 선행사를 두 개의 관계사절이 수식할 수 있다.
	• 관계사절 내에 또 다른 관계사절이 포함될 수 있다.
	• 관계사절 내에 「S+V」 형태의 삽입절이 포함될 수 있다.

1 형용사(구): 어순

- 형용사(구)는 주로 명사를 앞에서 수식한다.
- 형용사(구)는 -thing, -body, -one으로 끝나는 대명사를 뒤에서 수식한다.

대표 문장
433
고2 6월

우리는 　　기대하고 있다 　　　 긍정적인 답변을 받을 수 있기를
We / look forward to / receiving a positive reply.
　　　　　　　　　　　　　　　　　　　형용사 ⤳ 명사

434
고2 6월
응용

Ultimately not giving attention to recovery and maintenance resulted in long-term negative consequences.

435
고2 9월

The first commercial train service began operating between Liverpool and Manchester in 1830.

☆ **436**
고2 3월
응용

Commercial airplanes generally travel airways similar to roads.

★ 형용사가 「전치사+명사」 등의 수식을 받아 길어질 경우 명사를 뒤에서 수식한다.

437
고2 9월
응용

커다란 무엇인가가 　　　 다가올 수도 있었다 　　　 그에게 그토록 가까이 　　　 그도 모르는 새
Something large / could have come / so close to him / without his knowing.
　대명사 ⤳ 형용사

438
고2 6월
응용

He asked them to do something radical.

439
고2 6월
응용

She hoped she would be able to do something similar for someone else.

---

ultimately 궁극적으로　give attention to ~에 주의를 기울이다　maintenance 유지보수　consequence 결과　commercial 상업의; 민간의
operate 운행하다　airway 항공로　similar 비슷한　radical 급진적인

- 「전치사+명사」 형태의 전치사구는 형용사구 역할을 하며, 명사를 뒤에서 수식한다.
- to부정사(구)는 '~할, ~하는'의 의미로 형용사구 역할을 하며, 명사를 뒤에서 수식한다.

440
고2 3월

욕망은　　　　명성에 대한　두고 있다　그것의 뿌리를　　　　경험에　　　　　무시당한
The desire ⟨**for fame**⟩ has / its roots / in the experience ⟨**of neglect**⟩.
　　명사　　　⤷ 전치사구　　　　　　　　　　　　　　　명사　　⤷ 전치사구

441
고2 3월
응용

My paella in Spain had inspired me to take the credit for atomic theory.

442
고2 11월

Crowdfunding can be viewed as the democratization of business financing.

443
고2 3월
응용

The compounds in eucalyptus leaves kept koalas in a drugged-out state.

444
고2 3월

이 과정은　　　　~이다　　훌륭한 방법　　　　당신 스스로 자신의 자전거를 수리하고 유지하는 방법을 배우기 시작하는
This course / is / a great way ⟨**to begin** learning how to repair and maintain your
　　　　　　　　　　　명사구　　　⤷ to부정사구

bike yourself⟩.
　　　　　　　　　　　　　　　　　　　　★ 「how+to부정사」는 '~하는 방법'으로 해석한다.

☆ **445**
고2 11월

It is a personal decision to stay in control and not to lose your temper.

446
고2 6월
응용

Businesses are always looking for easier and cheaper ways to market their products.

447
고1 11월
응용

Turner was the first person to discover that insects are capable of learning.

☆ **448**
고1 11월
응용

The Youth Soccer Tournament Series can be a great opportunity for young soccer players to demonstrate their capabilities as athletes.

---

fame 명성　paella (음식) 파에야　inspire A to B A에게 B하도록 영감을 주다　credit 공로　atomic 원자　democratization 민주화　financing 자금 조달
compound 화합물　drugged-out 몽롱한　lose one's temper 평정심을 잃다　demonstrate 보여 주다　athlete 운동선수　capable of ~할 수 있는

2 형용사(구): 현재분사, 과거분사

- 현재분사(v-ing)는 형용사 역할을 하며, 단독으로 쓰일 때 명사를 앞에서 수식한다.
- 다른 어구(목적어, 보어, 부사 등)를 동반하는 현재분사구는 명사를 뒤에서 수식한다.
- 현재분사는 능동·진행의 의미를 나타내며, '~하는, ~할, ~하고 있는'으로 해석한다.

대표 문장

449
고2 9월
응용

그러한 지식은　　　　개선할 것이다　　　　현존하는 기후 모형을
Such knowledge / may improve / **existing** climate models.
　　　　　　　　　　　　　　　　　현재분사 ↘ 명사구

450
고2 3월
응용

Collisions between aircraft usually occur in the surrounding area of airports.

451
고2 3월
응용

Some developing countries are trapped in their dependence on their large natural resources.

452
고2 3월
응용

His father thought the growing boy should sleep soundly through the night.

453
고2 9월
응용

우리는　노력한다　　격려하려고　　　사람들을　　우리를 위해 일하는
We / try / to encourage / the people 〈**working** for us〉.
　　　　　　　　　　　　　　　　명사　　↖ 현재분사구

454
고2 3월

There are many superstitions surrounding the world of the theater.

455
고2 11월
응용

She had an only son living far away and missed him a lot.

456
고2 11월
응용

Emily asked a group of adults to watch a video featuring eleven clips.

☆**457**
고2 11월
응용

Psychologist John Bargh did an experiment showing human perception can be influenced by external factors.

---

exist 현존하다　collision 충돌　occur 발생하다　surround 둘러싸다　trap 가두다　dependence 의존　soundly 푹, 깊이　superstition 미신
far away 멀리　feature 다루다　perception 인식　external 외부적인

- 과거분사(p.p.)는 형용사 역할을 하며, 단독으로 쓰일 때 명사를 앞에서 수식한다.
- 다른 어구(목적어, 보어, 부사 등)를 동반하는 과거분사구는 명사를 뒤에서 수식한다.
- 과거분사는 수동 · 완료의 의미를 나타내며, '~해진, ~된, ~한'으로 해석한다.

458
고2 3월
응용

Francis의 디자인은　　　포함했다　　　일련의 구멍을 낸 파이프를
Francis's design / involved / a series of perforated pipes.
　　　　　　　　　　　　　　　　　　　　　　　　과거분사 ↘ 명사

459
고2 11월

Hearing is basically a specialized form of touch.

460
고2 9월
응용

The total amount was on the rise during the given period.

461
고2 3월
응용

Attack becomes the best form of defence, and so the trapped animal will turn and fight.

462
고2 3월

매년　　　　~가 있다　　　주제　　　Safety First Chair에 의해서 선정되는
Each year / there is / a topic ⟨chosen by the Safety First Chair⟩.
　　　　　　　　　　　　　　명사　↖ 과거분사구

463
고2 11월

Show off your pictures taken in this beautiful town.

464
고2 9월

He was a violinist and composer known for his unique performance method.

465
고2 3월
응용

The contemporary Buddhist teacher Dainin Katagiri wrote a remarkable book called *Returning to Silence*.

☆ **466**
고1 11월

One example was uncovered by behavioral ecologists studying the behavior of a small Australian animal called the quoll.

---

perforate 구멍을 내다　　specialize 분화하다　　on the rise 증가하고 있는　　defence 방어 수단　　show off 뽐내다　　composer 작곡가　　unique 독특한
contemporary 현대의　　remarkable 주목할 만한　　uncover 발견하다　　behavioral ecologist 행동 생태학자　　quoll 주머니고양이

- 관계대명사가 이끄는 절은 형용사 역할을 하는 절로, 명사(선행사)를 뒤에서 수식한다.
- 「주격 관계대명사(who/which/that)+V ~」는 'V하는 (선행사)'로 해석한다.
- 「소유격 관계대명사(whose)+명사+V ~」는 '~의 명사가 V하는 (선행사)'로 해석한다.

대표 문장
467
고1 11월
응용

행사들은　　　의존한다　　　기존의 맥락에　　　　　　오랜 시간 동안 있어 왔던
Events / **depend on** / an existing context [**which** has been for a long time].
　　　　　　　　　　　　　선행사　　　　관계대명사절(which+V ~)

468
고2 6월

Male impalas have long and pointed horns which can measure 90 centimeters in length.

469
고2 3월

Only children who choose and evaluate for themselves can truly develop their own aesthetic taste.

470
고2 3월

Any manuscript that contains errors stands little chance at being accepted for publication.

471
고2 3월

대부분의 출판사는　　　원하지 않을 것이다　　시간을 낭비하는 것을　　집필자에게　　　　그의 자료가
Most publishers / **will not want** / **to waste time** / with writers [**whose** material
　　　　　　　　　　　　　　　　　　　　　　　　　　　선행사　　관계대명사절(whose +

너무 많은 오류를 포함하고 있는
contains too many mistakes].
명사 + V ~)

472
고2 3월

The koala is the only known animal whose brain only fills half of its skull.

473
고2 6월
응용

Arbore founded a 24-hour hotline whose volunteers reach out to suicidal seniors.

---

pointed 뾰족한　horn 뿔　length 길이　evaluate 평가하다　taste 취향　manuscript 원고　contain 포함하다　stand a chance (~할) 가능성이 있다
publication 출판　skull 두개골　found 만들다　hotline 긴급 직통 전화　reach out 연락하다　suicidal 자살 가능성이 있는

- 「목적격 관계대명사(who(m)/which/that)+S+V ~」는 'S가 V하는 (선행사)'로 해석하며, 관계대명사가 생략되기도 한다.
- 관계대명사가 절 내에서 전치사의 목적어 역할을 할 때, 「전치사+관계대명사」의 형태로 전치사를 앞에 쓸 수 있다. (that 제외)

474
고2 11월
응용

이 사례는   보여 준다   역할을   개별 소비자의 행동이 행하는
This case / illustrates / the role [**that** an individual consumer's behavior plays].
                       선행사   관계대명사절(that+S+V)

475
고2 11월
응용

Identity thieves can buy goods which you will never see but will pay for.

476
고2 9월

보세요   우리의 청소 장소 목록을   그리고 선택하세요   장소를   당신이 원하는
View / our list of cleanup locations / and choose / the location [you want].
                                         선행사   관계대명사절(which[that] 생략)

477
고2 3월
응용

Frankl continued to respond personally to some of the hundreds of letters he received every week.

478
고2 3월

Many of the leaders I know in the media industry are intelligent, capable, and honest.

479
고2 9월
응용

~가 있다   많은 방식들과 공간적 위계   관광업이 기후 변화에 영향을 끼치는
There are / many ways and spatial scales [**at which** tourism contributes to climate
                        선행사   전치사+관계대명사절

change].

480
고2 9월

In all these situations, we are basically flooded with options from which we can choose.

481
고2 3월
응용

Charles Darwin created a picture of the evolutionary process in which organismic adaptation was caused by competition for survival.

---

goods 재화   cleanup 청소   capable 유능한   scale 위계   flood 넘치게 하다   evolutionary 진화적인   organismic 유기체의   adaptation 적용
competition 경쟁

4 형용사절: 관계부사절

- 관계부사가 이끄는 절은 형용사 역할을 하는 절로, 시간, 장소, 이유를 나타내는 선행사를 뒤에서 수식한다.
- 「관계부사(when/where/why)+S+V ~」는 'S가 V하는 (시간/장소/이유)'로 해석한다.

대표 문장

482
고2 9월
응용

목욕은   ~이다   시간   그 아이가 상상을 하며 편안해하는
The bath / is / a time [**when** the child is comfortable with her imagination].
선행사 ⌐ 관계부사절(when+S+V ~)

483
고2 3월
응용

A milestone had been reached one day when he was playing catch with Mark.

484
고2 9월

This true story is about a government-owned shoe factory in Poland in the days when the country had a much more socialist economy.

485
고2 6월

Maria Sutton was a social worker in a place where the average income was very low.

486
고2 9월

In the late 1990s, a family visited the public elementary school where I taught deaf students.

☆ **487**
고2 6월

Consider a situation where an investigator is studying deviant behavior.

488
고2 11월

Tough researched the reasons why people chose to learn on their own rather than attend a class.

489
고2 11월

The birth of a child in a family is often the reason why people begin to take up or rediscover photography.

490
고1 11월

This cycle is the fundamental reason why life has thrived on our planet for millions of years.

---

milestone 중요한 시점   play catch 캐치볼 하다   socialist 사회주의적인   average 평균   deaf 청각 장애가 있는   investigator 연구자
rather than ~보다   birth 출생   take up 재미로 배우다   rediscover 재발견하다

- 「관계부사(how)+S+V ~」는 선행사(the way) 없이 단독으로 쓰거나 「the way+S+V ~」 형태로 how를 생략한 채 쓰며, 'S가 V하는 방법[방식]'으로 해석한다.
- 관계부사가 일반적인 선행사 the time/the place/the reason을 수식할 때 관계부사 when/where/why는 생략할 수 있다.

491
고2 3월

그것은 가져온다   질적인 변화를   방식에   사람들이 살아가는
It / brings / qualitative changes / in the way [people live].
                                    선행사   └ 관계부사절((how+)S+V)
(= It brings qualitative changes in **how people live**.)

492
고1 11월

The way we communicate influences our ability to build strong and healthy communities.

☆ **493**
고1 11월

Color can impact how you perceive weight.

★ 선행사를 생략한 관계부사절은 명사 역할을 한다.

494
고2 11월
응용

These impressive shifts have determined how civilizations will live and die.

☆ **495**
고2 6월
응용

Recently, some researchers found that how people are praised is very important.

496
고2 9월

그 이유는   이런 일들이 일어나지 않는   ~(때문)이다   중력의 당기는 힘의 강도가 두 가지에 따라
The reason [these things don't happen] is [that the strength of gravity's pull depends
       선행사   └ 관계부사절((why+)S+V)
달라진다는 것
on two things].

497
고2 3월
응용

Doug sat down with his daughter and retold the story of the time the toilet overflowed.

498
고1 11월

That's true of *sheer* information, like your phone number or the place you left your keys.

---

qualitative 질적인   impact 영향을 주다   perceive 인식하다   impressive 인상적인   praise 칭찬하다   gravity 중력   sheer 단순한

5 콤마+관계사절

- 관계대명사 who(m), whose, which가 이끄는 절은 「콤마(,)+관계대명사절」의 형태로 선행사를 보충 설명하며, 접속사 and, but 등의 의미를 포함한다. 특히 관계대명사 which는 명사(구)뿐만 아니라 절 전체를 보충 설명하기도 한다.
- 관계대명사 that과 what은 보충 설명하는 절을 이끌지 않는다.

대표 문장
499
고2 6월

Harris는　이야기했다　　변호사와　　　　　그리고 그 변호사는 그가 그 돈을 신탁에 넣도록 도와주었다
Harris / talked / to a lawyer, [**who** helped him put the money in a trust].
　　　　　　　　　　선행사　　　관계대명사절(who+V ~)

(= Harris talked to a lawyer, **and the lawyer** helped him put the money in a trust.)

500
고2 3월
응용

We create *artifacts*, which form an important aspect of technologies.

501
고2 6월
응용

Tea supplements the basic needs of the nomadic tribes, whose diet lacks vegetables.

☆**502**
고2 9월

People of Northern Burma, who think in the Jinghpaw language, have eighteen basic terms for describing their kin.

503
고2 11월

These cultural spaces, which are dominated by languages like Hindi and Mandarin, ignore and challenge the spread of English.

☆**504**
고2 6월

A priest was sharing a story about newborn twins, one of whom was ill.

505
고2 11월
응용

그녀의 친척 중 한 명은　　운영했다　　　사립 미술학교를　　　　　그리고 이것은 Lotte가 소묘를 배우도록
One of her relatives / ran / a private painting school, [**which allowed Lotte to learn**
　　　　　　　선행사(절)　　　　　　　　　　　　　관계대명사절(which+V ~)
해주었다
drawing].

(= One of her relatives ran a private painting school, **and it** allowed Lotte to learn drawing.)

506
고2 6월
응용

Glucose raises insulin levels, which initially raises levels of leptin.

---

trust 신탁　artifact 가공품　nomadic tribe 유목 민족　diet 식단　term 용어　kin 친족　challenge 저항하다　spread 확산　priest 목사
newborn 갓 태어난　glucose 포도당　initially 처음에　leptin 렙틴(체내 지방 용해 물질)

- 관계부사 where와 when이 이끄는 절은 「콤마(,)+관계부사절」의 형태로 선행사를 보충 설명하며, 접속사 and, but 등의 의미를 포함한다.
- 관계부사 why와 how는 보충 설명하는 절을 이끌지 않는다.

507
고2 6월

　　1862년에　　그는　　들어갔다　　　　Harper's Weekly의 직원으로　　　　　　그리고 그곳에서 그는 정치 만화에 대한
In 1862 / he / joined / the staff of *Harper's Weekly*, [where he focused his efforts
　　　　　　　　　　　　　　　　　　　　　　　선행사　　　　　　　관계부사절(where+S+V ~)

그의 노력을 집중했다
on political cartoons].

(= In 1862 he joined the staff of *Harper's Weekly*, **and there** he focused his efforts on political cartoons.)

508
고2 9월
응용

Khan spent much of his time at Delhi's Theatre Action Group, where he studied acting.

☆ **509**
고2 11월

The liberalization of capital markets, where funds for investment can be borrowed, has been an important contributor to the pace of globalization.

510
고2 9월

　　　　이 능력은　　　　　　처음으로 생겨났을지도 모른다　　　　　　　150만 년 전에서 50만 년 전 사이에
This capacity / may first have emerged / between 1.5 and 0.5 million years ago,
　　　　　　　　　　　　　　　　　　　　　　　　　　　　　　　　　선행사

　　그리고 그때 인간이 불을 통제하기 시작했다
[when humans began to control fire].
관계부사절(when+S+V ~)

(= This capacity may first have emerged between 1.5 and 0.5 million years ago, **and then** humans began to control fire.)

511
고2 11월
응용

A building had occupied this same spot some two-and-a-half thousand years earlier, when it was part of a wooded sanctuary.

512
고2 9월

In 1947, when the Dead Sea Scrolls were discovered, archaeologists set a finder's fee for each new document.

---

liberalization 자유화　capital 자본　contributor 기여 요인　pace 속도　globalization 세계화　capacity 능력　spot 장소　wooded 숲이 우거진
sanctuary 신전　Dead Sea Scrolls 사해문서　archaeologist 고고학자　finder's fee 포상금

6 복잡한 관계사절

- 선행사 뒤에 다른 수식어가 붙어, 선행사와 관계사절이 멀리 떨어지기도 한다.
- 두 개의 관계사절이 하나의 선행사를 수식할 때, 두 관계사절은 접속사나 콤마(,)로 연결되거나 먼저 오는 관계사가 생략된다.

대표 문장
513
고2 11월
응용

어떤 일이　　　　　있었다　　　　　학기 초에　　　　　그녀의 기억 속에 아직도 남아 있는
Something / happened / early in the semester [that is still in her memory].
선행사　　　　　　　　　　　　　　　　　　　　　　관계대명사절(that + V ~)

514
고2 6월
응용

Neurologically, chemicals are released in the brain that give a powerful burst of excitement and energy.

515
고2 3월
응용

Kluckhon은　　말한다　　한 여인에 대해　　Arizona에서 자신이 알았던　　음식에 대한 문화적 반응을 이끌어 내는 것에서
Kluckhohn / tells / of a woman [he knew in Arizona] [who took a perverse pleasure
　　　　　　　　　선행사　　관계대명사절₁(who(m)[that] 생략)　　관계대명사절₂(who+V ~): a woman 수식

심술궂은 기쁨을 얻었던
in causing a cultural response to food].

516
고2 9월
응용

People who are frank and open and who share their knowledge with others can be considered as the self-disclosing type.

---

neurologically 신경학적으로　　burst 분출　　pleasure 기쁨　　frank 솔직한　　self-disclosing 자기 노출

- 관계사절 내에 또 다른 관계사절이 포함되어, 각각 다른 선행사를 수식하기도 한다.
- 관계대명사절 내에 「S+V」로 구성된 다른 절이 삽입되어, 「관계대명사+S+V(+S)+V ~」의 형태가 되기도 한다.

517
고2 9월

우리는 ~이다 학생들 St. Andrew's 대학의 현재 수강하고 있는
We / are / students / from St. Andrew's College [who are currently taking / a Media
선행사₁ 관계대명사절₁(who+V ~)

Media Studies 강좌를 우리에게 단편 영상을 촬영할 것을 요구하는
Studies class ⟨that requires us to film a short video⟩].
선행사₂ 관계대명사절₂(that+V ~)

☆ **518**
고2 6월

That's the kind of question that could win a scientist an Ig Nobel Prize that honors research that "makes people laugh, then think."

☆ **519**
고2 6월

The proportion of females who want hands-free technology the most is 5%, which is more than half the percentage of the females who want water resistance the most.

520
고1 11월
응용

당신은 분개할 것이다 사람에게 당신이 느끼기에 당신이 거절하지 못할 것 같은
You / will resent / the person [who (you feel) you cannot say no to].
선행사 관계대명사절(who+S+V+S+V ~)

---

currently 현재   honor 경의를 표하다   water resistance 방수

구조+해석 형용사 수식어와 수식 대상에 표시한 뒤, 문장을 끊어 읽고 해석하시오.

0
고2 6월
응용

After class, / participants can take home / the meals [they cooked].
　　　　　　　　　　　　　　　　　　선행사　　　관계대명사절(which[that] 생략)

→ 수업이 끝난 후에, 참가자들은 그들이 요리한 음식을 집으로 가져갈 수 있다.

1
고2 6월

The door inched open and Mom's smiling face appeared.

→ _____

2
고2 6월

Thankfully, he soon caught up with Julia who was struggling in the water.

→ _____

3
고2 9월

Much of the spread of fake news occurs through irresponsible sharing.

→ _____

4
고2 3월
응용

Gold and silver enter society at the rate at which they are discovered and mined.

→ _____

5
고2 11월
응용

There is a reason why so many of us are attracted to recorded music these days.

→ _____

6
고2 3월
응용

Often they may be passive spectators of entertainment provided by television.

→ _____

7
고2 3월
응용

Your company took a similar course last year, which included a lecture by an Australian lady whom you all found inspiring.

→ _____

---

inch 조금씩 움직이다　catch up with 따라잡다　struggle 허우적거리다　fake 가짜의　irresponsible 무책임한　rate 속도　discover 발견하다
mine 채굴하다　attract 마음을 끌다　recorded 녹음된　passive 수동적인　spectator 구경꾼　lecture 강연　inspiring 고무적인

구조+영작 · 구조에 맞게 주어진 표현을 활용하여 영작하시오.

0
고2 11월

운동하는 것은	(상태가) 되다	아무런 생각이 없는,	그리고 그것이 ~이다	'목표'	중독의
Exercising	becomes	mindless,	which is	'the goal'	of addiction.
S	V	C	관계대명사절(which+V+C)	↳ 전치사구	

*exercise, mindless, addiction

1
고2 11월

그 나무가	그가 붙잡고 있는	흔들리고 있었다	위험하게
S	↳ 관계대명사절(S+V+전치사)	V	M

*hold onto, sway, dangerously

2
고2 11월

심지어 어떤 사람도	~인	완전히 귀가 먹은	여전히 들을/느낄 수 있다	소리들을
S	↳ 관계대명사절(who+V+C)	V	O	

*someone, totally, deaf, still, sound

3
고2 9월
응용

사람들은	추구할 수 있다	안전을	도움으로	정보의	드론에 의해 수집된
S	V	O	M	↳ 전치사구	↳ 과거분사구

*seek, safety, gather, drone

4
고2 6월

그러나,	~가 있을지도 모른다	대가	치러야 할	행복의 관점에서
	there+조동사+V	S	↳ to부정사구	M

*may, price, pay, in terms of

5
고2 3월
응용

나는	손꼽아 기다렸다	연간 보고서를	보여 주는	통계를	각각의 지도자들에 대한
S	V	O	↳ 현재분사구		↳ 전치사구

*look forward to, annual, statistics, leader

6
고2 3월
응용

그것은	~이었다	전시회	(그 전시회에서) 그들의 그림들이	호되게 비판을 받았던
S	V	C	↳ 관계부사절(where+S+V)	

*show, painting, severely, criticize

---

mindless 아무 생각이 없는   addiction 중독   hold onto 붙잡다   sway 흔들리다   gather 수집하다   price 대가   in terms of ~의 관점에서
look forward to ~을 손꼽아 기다리다   annual 연간의   statistics 통계   severely 호되게   criticize 비판하다

UNIT 9 수식어 - 부사

부사(구): 다양한 수식

수식어
부사
+
동사
수식어
절

부사(구): to부정사(구)

동사 + ~ + 수식어
to부정사(구)

수식어 + 수식어
to부정사(구)

부사(구): 분사구문

수식어
분사구문
+
절

부사절

수식어
시간의 부사절
조건/이유/원인의 부사절
양보/대조의 부사절
목적/결과/양태의 부사절
+
절

01	competently	부	적절하게	26	appeal	동	흥미를 끌다
02	consistency	명	일관성	27	preservation	명	보존
03	occasionally	부	때때로	28	suspend	동	정지하다, 멈추다
04	irrational	형	비합리적인	29	furiously	부	심하게
05	spot★	명 자리 동 발견하다		30	stream	동	(눈물이) 흐르다
06	respondent★	명	응답자	31	embrace	동	감싸다
07	convince	동	확신시키다	32	compromise	동	타협하다
08	principle★	명	원칙	33	heave	동	끌어당기다
09	decrease★	동	줄이다	34	confidence★	명	확신
10	flexible	형	융통성 있는	35	acclaim	동	칭송하다
11	sufficient	형	충분한	36	comparison	명	비교
12	impulsively	부	충동적으로	37	adapt★	동	적응하다
13	disappear	동	사라지다	38	eliminate	동	없애다
14	hostility	명	증오심	39	reputation	명	평판
15	shiver	동	떨다	40	persist	동	계속하다
16	murmur	동	중얼거리다 (= mutter)	41	enhance	동	향상시키다
17	sympathy	명	동정심	42	circumstance	명	상황
18	anticipate	동	예측하다	43	enclose	동	동봉하다
19	treatment	명	치료	44	shallow	형	얕은
20	pursue★	동	추구하다	45	reveal★	동	드러내다
21	weaken	동	약화시키다	46	unconcerned	형	태연한
22	reckless	형	무모한	47	collision	명	충돌
23	relevant	형	관련된	48	no longer★		더 이상 ~ 아닌
24	touched	형	감동받은	49	evenly	부	균등하게
25	raise	동	재배하다	50	interpret	동	해석하다

1 부사(구): 다양한 수식 / to부정사(구)

대표 문장 고2 6월

그녀는	자랑스럽게 보여 준다	당신에게	큰 붉은색 A를	그녀의 시험지 아래에 있는
She	proudly shows	you	a big red A	at the bottom of her test paper.

부사 ↷ V

대표 문장 고2 6월

결정에 이르기 위해서,	당신은	필요하다	일종의 요약 정보가
To land on a choice,	you	need	a summary of some sort.

to부정사구(목적)

대표 문장 고2 3월

이 원칙은	~이다	중요한	기억하기에
This principle	is	important	to remember.

형용사 ↶ to부정사

2 부사구: 분사구문의 다양한 의미 / 다양한 형태 / 관용적 표현

대표 문장 고2 9월

충동적으로,	Jacob은	달려갔다	복도를	그의 동료 없이	(그러고 나서)
Impulsively,	Jacob	ran down	the hall	without his partner,	disappearing

S　　V　　분사구문(연속동작)

화염 속으로 사라졌다
into the flames.

대표 문장 고1 11월

재판관의 해결책을 듣고 나서,	그 농부는	동의했다
Having heard the judge's solution,	the farmer	agreed.

완료 분사구문(시간)　　　S　　V

3 부사절: 시간 / 이유, 조건 / 양보, 대조 / 목적, 결과, 양태

대표 문장 고2 9월

완벽한 보존이 가능할 때,	시간은	멈춰있다
When perfect preservation is possible,	time	has been suspended.

부사절(시간)　　　S　　V

대표 문장 고2 3월 응용

당신은	할 수 있다	무엇이든	만약 당신이 충분히 오랫동안 열심히 계속하기만 한다면
You	can do	anything,	if you just persist long and hard enough.

S　　V　　부사절(조건)

▶ 부사(구)와 to부정사(구)는 동사, 수식어(형용사, 부사), 또는 문장 전체를 수식한다.

부사(구)
- 동사나 보어로 쓰인 형용사, 또는 다른 수식어(형용사, 부사)나 문장 전체를 수식하여, 의미를 풍부하게 해 준다.
- 시간, 장소, 방법 등의 의미를 나타내는 「전치사+명사(구)」 형태의 전치사구는 부사구이다.

to부정사(구)
- 목적, 감정의 원인, 판단의 근거, 결과 등을 나타내거나 형용사, 부사, 문장 전체를 수식할 수 있다.

목적	(in order/so as+)to부정사		~하기 위해서/~하도록
감정의 원인	감정을 나타내는 표현+to부정사		~해서/~하게 되어서
판단의 근거	판단을 나타내는 표현+to부정사		~하다니
결과	grow[wake] up, live+to부정사/only+to부정사		~해서 (결국) …하다/그러나 결국 ~했다
의미 한정	형용사+to부정사		~하기에 …한
정도·결과	too+형용사/부사+to부정사		~하기에는 너무 …한/하게
	형용사/부사+enough+to부정사		~할 정도로 충분히 …한/하게
관용적 표현	to be clear[exact]	정확히 말하자면	to make matters worse	설상가상으로

▶ 분사구문은 문장에 다양한 의미를 더해 주는 부사구 역할을 한다.

분사구문
- 현재분사(v-ing)나 과거분사(p.p.)가 이끄는 구로, 문장의 앞이나 중간, 또는 뒤에서 문장 전체를 수식한다.
- 문맥에 따라 다양한 의미를 나타내고, 시제와 태에 따라 형태가 다르다.

분사구문	V-ing ~, S+V ….	시간(~할 때/~하고 나서), 이유(~하기 때문에/~해서), 조건(~한다면), 양보(비록 ~일지라도), 동시동작(~하면서), 연속동작(~하고 나서 …하다) 등		
완료 분사구문	Having+p.p. ~, S+V ….	주절보다 앞선 시제 표현		
수동 분사구문	(Being/Having been+)P.P. ~, S+V ….	수동의 의미 추가		
독립 분사구문	S´+v-ing/p.p. ~, S+V ….	주절의 주어와 분사구문의 의미상 주어가 다를 때		
관용적 표현	generally speaking	일반적으로 말해서	simply put	간단히 말해서
	judging from[by]	~으로 판단하건대	granting [granted] (that)	~이라 하더라도
	with+목적어(O)+v-ing/p.p.	목적어(O)가 ~하면서/~되면서		

★ 주절과의 의미 관계를 명확하게 하기 위해 접속사를 분사구문 앞에 쓸 수 있다.

▶ 부사절은 문장의 앞이나 뒤에서 문장 전체를 수식한다.

부사절
- 부사절 접속사가 이끄는 완전한 구조의 절로, 문장의 앞 또는 뒤에 쓰여 문장의 의미를 풍부하게 해 준다.
- 접속사의 의미에 따라 시간, 이유, 조건, 양보, 대조, 목적, 결과, 양태 등을 나타낸다.

시간	when(~할 때), while(~하는 동안), since(~이후/~한 이래로), until[till](~할 때까지), as(~할 때/~하면서), before(~하기 전에), after(~하고 나서), once(~하자마자/일단 ~하면), as soon as(~하자마자), every time(~할 때마다), not A until B(B하고 나서야 비로소 A하다), by the time(~할 무렵에(는))
이유	because/since/as(~이기 때문에), that(~이므로/~이기 때문에)
조건	if(만약 ~라면/~한다면), unless(만약 ~이 아니라면/~하지 않는다면), as[so] long as(~하는 한), in case (that)(~인 경우를 대비하여)
양보	although/(even) though/(even) if(비록 ~일지라도/~에도 불구하고), whether A or B(A이든 B이든)
대조	whereas/while(~인 반면에)
목적	so that/in order that(~하기 위해서/~하도록)
결과	so+형용사/부사 ~ (that)/such+(a/an)+(형용사)+명사 ~ that(아주 ~해서 …하다)
양태	as(~처럼/~이듯이/~대로), as if[though](마치 ~인 것처럼)

★ 접속사가 두 가지 이상의 의미를 가질 수 있으므로 문맥을 통해 의미를 파악해야 한다.

1 부사(구): 다양한 수식

- 부사는 동사, 형용사, 부사를 수식하여 의미를 풍부하게 해준다.
- 동사를 수식할 때는 주로 동사 앞에, 형용사/부사를 수식할 때는 수식하는 형용사/부사 가까이에 위치한다.

대표 문장

521
고2 6월

그녀는   자랑스럽게 보여 준다   당신에게   큰 붉은색 A를   그녀의 시험지 아래에 있는
She / **proudly** shows / you / a big red A ⟨at the bottom of her test paper⟩.
       부사 ↰ V

522
고2 11월
응용
Beebe gradually developed an interest in marine biology.

523
고2 6월
응용

오늘날 우리의 삶은   ~이다   전적으로 다른   300년 전 사람들의 삶과
Our lives today / are / **totally** different / from the lives of people ⟨three hundred
          부사 ↰ 형용사

years ago⟩.

524
고2 6월
응용
We are quite proud of our opinions and beliefs.

525
고2 6월
응용
In some cases of truly famous people, you have a mental file with rich information about a person.

526
고2 3월
응용

그 자료는   매우 적절하게 작성되어야 한다
The material / must be **very** competently written.
       부사 ↰ 부사

☆ **527**
고2 6월
응용
My heart started pounding really hard and fast.

528
고2 6월
A computer works quickly and accurately; humans work relatively slowly and make mistakes.

---

gradually 점차   marine biology 해양 생물학   rich 풍부한   accurately 정확하게   pound (심장이) 뛰다   relatively 상대적으로

- 부사는 문장 전체를 수식하여 주어의 태도나 판단, 상황에 대한 정보 등을 나타낸다.
- 「전치사+명사(구)」 형태의 전치사구는 시간, 장소, 방법 등을 나타내며 동사의 의미를 보완하는 부사구 역할을 한다.

529
고2 9월

불행하게도,　　　결과는　　~이었다　훨씬 더 좋지 않은
Unfortunately, [the results / were / even worse].
　부사 ⟶ 문장 전체

530
고2 9월

Generally, people tend to seek consistency.

531
고1 11월

Surely, we understand the importance of a player's education.

532
고2 9월
응용

1921년 1월부터 1931년 4월까지,　　　그는　　가르쳤다　　회화를　　Bauhaus에서
From January 1921 to April 1931, / he / taught / painting / at the Bauhaus].
　　전치사구(시간)　　　　　　　V　　　　　　전치사구(장소)

533
고1 11월

Luckily, I saw this boy in front of the shop.

534
고2 6월
응용

Fleming left some bacterial cultures on his desk.

535
고2 9월
응용

Teenagers occasionally behave in an irrational or dangerous way.

536
고2 6월
응용

Sarah passed Harris at his usual spot and dropped some change into his cup.

---

consistency 일관성　bacterial culture 세균 배양균　change 잔돈

2 부사구: to부정사(구)

- to부정사(구)는 목적(~하기 위해서/~하도록), 감정의 원인(~해서/~하게 되어서), 판단의 근거(~하다니), 결과(~해서 (결국) …하다)
  등의 의미를 더해 주는 부사 역할을 한다.

대표 문장
537
고2 6월

결정에 이르기 위해서,　　　당신은　필요하다　　　일종의 요약 정보가
To land on a choice, / you / need / a summary of some sort.
　to부정사구(목적)

⭐ **538**
고1 11월
응용

68% of respondents decided to make their way to the store in order to save $5.

★ 목적의 의미를 강조할 때 to부정사 앞에 in order/so as가 오기도 한다.

⭐ **539**
고2 6월
응용

For your children to succeed and be happy, you need to convince them that success comes from effort.

★ 목적을 나타내는 to부정사구 앞에도 의미상 주어가 올 수 있다.

540
고2 11월
응용

She was surprised to find her son standing in the doorway.

541
고2 3월

The next morning, Miss Taglia was pleased to see two smiling faces at her door.

⭐ **542**
고2 11월
응용

You rush out of your house only to realize you forgot your phone on the kitchen table.

★ 결과를 나타내는 「only+to부정사」는 '그러나 결국 ~했다'로 해석할 수 있다.

---

land 이르다　summary 요약　sort 종류　make one's way 가다　doorway 문간　pleased 기쁜　rush out 급히 나오다

- to부정사(구)는 형용사, 부사를 뒤에서 수식하여 의미를 한정하거나, 정도·결과를 나타내는 부사 역할을 한다.
  - 형용사+to부정사: ~하기에 …한
  - too+형용사/부사+to부정사: ~하기에는 너무 …한/하게   - 형용사/부사+enough+to부정사: ~할 정도로 충분히 …한/하게
- 관용적 표현으로 쓰이는 to부정사구는 문장 전체의 의미를 더해 주는 부사구 역할을 한다.
  - to be clear[exact]: 정확히 말하자면   - to make matters worse: 설상가상으로

대표 문장
543
고2 3월

이 원칙은　　　~이다　중요한　　　기억하기에
This principle / **is** / **important** ⟨**to remember**⟩.
　　　　　　　　　형용사　　to부정사

544
고2 9월
응용

Four-leaf clovers are rare and hard to find.

☆ **545**
고2 6월
응용

Just having one friend is enough to decrease loneliness.

546
고2 3월
응용

The little particles are too small to see.

547
고2 3월
응용

The dog might be too big to keep around a small child.

☆ **548**
고2 9월
응용

Humans must be flexible enough to eat a variety of items sufficient for physical growth.

549
고2 11월

정확히 말하자면,　우리는　가지고 있다　석기 시대의 뇌를　　　　　현대 세계에 사는
⟨**To be clear**⟩, **we** / **have** / **a Stone Age brain** [**that lives in a modern world**].
to부정사구(관용 표현)

550
고2 6월

To make matters worse, because of a recent tropical storm, all telephone and Internet services were down.

---

decrease 줄이다　particle 입자　flexible 융통성 있는　tropical storm 열대 폭풍

3 부사구: 분사구문의 다양한 의미

- 분사구문은 「V-ing ~, S+V .....」 형태로 문장에 다양한 의미를 더해 주는 부사구 역할을 한다.
- 분사구문 앞이나 뒤에 있는 주절(S+V ~.)과의 관계에 따라 해석이 달라진다.
  - 시간: ~할 때/~하고 나서
  - 이유: ~하기 때문에/~해서
  - 조건: ~한다면
  - 양보: 비록 ~일지라도
  - 동시동작: ~하면서
  - 연속동작: ~하고 나서 …하다

대표 문장

551
고2 9월

충동적으로, / Jacob은 / 달려갔다 / 복도를 / 그의 동료 없이 / (그러고 나서)
Impulsively, / Jacob / ran down / the hall / without his partner, 〈disappearing
　　　　　　　　　　S　　　　V　　　　　　　　　　　　　　　　　　　　　분사구문(연속동작)

화염 속으로 사라졌다
into the flames〉.

552
고2 3월
응용

The dog leapt into the room, proudly wagging his tail.

553
고2 9월

For twenty years the hostility grew, spreading to their families and the community.

554
고2 11월
응용

Shivering with fear, I murmured a prayer.

555
고2 9월

A cat in a small box will behave like a fluid, filling up all the space.

556
고2 11월

The poor old woman took away the loaf as usual, muttering the same words.

557
고2 11월

Crying and hugging her son, she gave him clothes to change into and some food.

☆ **558**
고2 3월
응용

Yolanda nodded her head, realizing that her wise grandmother was right.

559
고1 11월

Feeling sympathy for him, Rangan fixed the bicycle.

---

flame 화염　leap (높이 길게) 뛰다　wag (꼬리를) 흔들다　hug 껴안다　fluid 액체　loaf 빵 덩어리　nod 끄덕이다

4 부사구: 분사구문의 다양한 형태

- 「Having+p.p. ~, S+V ....」 형태의 분사구문은 주절보다 앞선 시제를 나타내는 완료 분사구문이다.
- 「(Being/Having been+)P.P. ~, S+V ....」 형태의 분사구문은 '수동'의 의미를 지닌 수동 분사구문이다.

대표 문장

560
고1 11월

재판관의 해결책을 듣고 나서,　　　　　　그 농부는　　동의했다
〈**Having heard** the judge's solution〉, **the farmer** / **agreed**.
완료 분사구문(시간)　　　　　　　　　　　　　　 S　　　　　V

☆ **561**
고2 6월
응용

Having never done anything like this before, Cheryl hadn't anticipated the reaction.

562
고2 9월
응용

점차 고조되는 노르웨이의 낭만적 민족주의 경향에 사로잡혀서,　　　　　Bull은　　공동 설립했다
〈**Caught up** in a rising tide of Norwegian romantic nationalism〉, **Bull** / **cofounded** /
　　　　　수동 분사구문(이유)　　　　　　　　　　　　　　　　　　　　　　 S　　　　　V

최초의 극장을　　　　　　　　배우들이 노르웨이어로 공연하는
the first theater [in which actors performed in Norwegian].

563
고2 3월

Tired, I lay down on the floor and fell asleep.

564
고1 11월
응용

Terrified by the poor medical treatment for female patients, she founded a hospital for women in Edinburgh.

☆ **565**
고2 6월
응용

Developed over so much time, nonverbal cue is how the human face became so expressive.

566
고2 6월
응용

Backed by social norms that pursue intergroup equality, intergroup contact tends to weaken bias more.

---

tide 경향　terrify 놀라게 하다　cue 신호　expressive 표현적인　back 지지하다　norm 규범　equality 평등　bias 편견

- 「S′+v-ing/p.p. ~, S+V ....」 형태의 분사구문은 의미상 주어가 주절의 주어와 달라 분사 앞에 표시한 것이다.
- 「접속사+v-ing/p.p. ~, S+V ....」 형태의 분사구문은 의미를 분명히 하기 위해, 분사 앞에 접속사를 표시한 것이다.

567
고2 9월

"너는 알고 있니   우리가 어떤 길로 왔는지?"   Lauren은   물었다   그녀의 시선을 여기저기 던지며
"Do you know [which way we came]?" / Lauren / asked, ⟨her eyes darting around⟩.
                                          S   V   의미상 주어+분사구문

☆568
고2 9월
응용

Students can be reckless, some even having two people on one scooter at a time.

569
고2 3월
응용

문제에 직면할 때,   우리는   고려해야 한다   관련된 모든 정보를
⟨When facing a problem⟩, we / should consider / all relevant information.
접속사+분사구문   S   V

570
고1 11월
응용

After reading Anna's answer, she was touched.

571
고2 6월

While backpacking through Costa Rica, Masami found herself in a bad situation.

☆572
고2 11월
응용

When asked about the price of their *own* home, 62% believed it had increased.

☆573
고2 11월

One of his first inventions was, although much needed, a failure.

★ 분사구문은 문장 중간에 오기도 한다.

---

dart 던지다   reckless 무모한   face 직면하다   increase (가치 등이) 인상되다   backpack 배낭여행 하다

5 부사구: 분사구문의 관용적 표현

- 주절의 주어와 상관없이 분사구문의 의미상 주어 we, you, they 등을 생략한 관용적 표현도 있다.
  - generally speaking: 일반적으로 말해서
  - judging from[by]: ~으로 판단하건대
  - simply put: 간단히 말해서
  - granting[granted] (that): ~이라 하더라도
- 「with+목적어(O)+v-ing/p.p.」 형태의 분사구문은 부대상황을 나타내는 관용적 표현이다.
  - with+O+v-ing: (능동) 목적어가 ~하면서/~한 채
  - with+O+p.p.: (수동) 목적어가 ~되면서/~된 채

574
고2 9월

일반적으로 말해서,　　　　　사람들은　　　가지고 있지 않다　　　　이러한 곡물을 재배하는 전통을
〈**Generally speaking**〉, **the people** / **do not have** / a tradition of raising these crops.
분사구문(관용 표현)　　　　　S　　　　　　V

☆ **575**
고2 6월
응용

Simply put, imagine that you feel like you're good at math.

576
고1 11월
응용

인상주의는　　~(것)이다　　　보기에 '편한'　　　　　　　　　밝은 색깔이 눈길을 끌며
Impressionism / is / 'comfortable' to look at, 〈**with bright colours appealing** to the
　　　S　　　　V　　　　　　　　　　　　　　　　　　　　with+O+v-ing
eye〉.

577
고2 6월

With these counterforces battling inside us, we cannot completely control what we communicate.

578
고2 6월
응용

With my suitcase packed, I started for the front door of our bungalow.

---

raise 재배하다　　counterforce 상충하는 힘　　battle 싸우다　　pack (짐을) 싸다　　start for ~을 향해 출발하다　　bungalow 방갈로(목조 단층집)

6 부사절: 시간

- 접속사 when, while 등이 이끄는 절은 시간의 부사절로, 문장 앞이나 뒤에서 시간적 정보를 나타내는 수식어 역할을 한다.
  - when: ~할 때
  - while: ~하는 동안
  - since: ~이후/~한 이래로
  - until[till]: ~할 때까지
  - as: ~할 때/~하면서
  - before: ~하기 전에
  - after: ~하고 나서

대표 문장

579
고2 9월

완벽한 보존이 가능할 때,　　　시간은　　　멈춰있다
[**When** perfect preservation is possible], **time** / **has been suspended**.
　　　부사절(시간)　　　　　　　　　　　S　　　V

580
고2 6월
응용

While he was gone, the arsonists entered the area and started the fire.

581
고2 3월

Alice looked up from her speech for the first time since she began talking.

582
고2 3월
응용

I decided to walk only at night until I was far from the town.

583
고2 6월
응용

Paul was still furiously snoring as John got up to find his water bottle in the dark.

584
고2 3월
응용

She turned to the nurse as tears streamed down her cheeks.

585
고2 3월
응용

Before my name was called, in the midst of the chaos, an unbelievable peace embraced me.

☆**586**
고2 6월
응용

After he appeared on TV, his family members who had been searching for him for 16 years were able to find him.

---

preservation 보존　　arsonist 방화범　　speech 연설문　　snore 코 골다　　stream (눈물이) 흐르다　　in the midst of ~의 속에서　　chaos 혼돈

- once: ~하자마자/일단 ~하면
- not A until B: B하고 나서야 비로소 A하다
- as soon as: ~하자마자
- by the time: ~할 무렵에(는)
- every time: ~할 때마다

587
고2 6월

일단 그들이 이것을 깨닫게 되자, 그들은 되었다 타협할 수 있는 집안일에 관하여
[**Once** they realized this], **they** / **were** / able to compromise / regarding the housework.
부사절(시간) S V

588
고2 11월
응용

As soon as the farmer said, "Pull Warrick!" the donkey heaved the car out of the ditch.

☆**589**
고2 6월

Every time he got close enough to help, she pulled him under.

☆**590**
고2 3월
응용

One student was not satisfied until I included a sketch of the chair labelled with my name.

591
고2 3월

Mark could not stand to lose at games by the time he was eight years old.

---

regarding ~에 관하여   heave 끌어당기다   ditch 도랑   label (필요한 정보를) 적다   stand 참다

7 부사절: 이유, 조건

592
고2 9월
응용

토론은 많은 준비를 하도록 하기 때문에,   개인들은   가지게 된다   확신을
[**Because** debate allows for a lot of preparation], **individuals** / **develop** / **confidence** /
　　　　　　　　　부사절(이유)　　　　　　　　　　　　　　S　　　　　　V

그들의 자료에 대한
in their materials.

593
고2 3월

Sometimes a person is acclaimed as "the greatest" because there is little basis for comparison.

594
고2 6월

Consequently, he failed to adapt to the environment of the grasslands because he lacked survival skills.

595
고2 3월

Since so much material is being written, publishers can be very selective.

☆**596**
고2 6월
응용

Since we know we can't eliminate our biases, we need to try to limit the harmful impacts.

☆**597**
고2 6월
응용

The habit of asking questions forces you to have a different inner life experience, since you will be listening more effectively.

598
고1 11월
응용

Yesterday he could not attend to business as he was laid up with high fever.

599
고2 11월
응용

I'm afraid that one small mistake could damage your company's reputation.

---

debate 토론　　preparation 준비　　basis 근거　　grassland 목초지　　publisher 출판사　　selective 선택적인　　bias 편견　　business 가게
be laid up 몸져눕다

• 접속사 if, unless 등이 이끄는 절은 조건의 부사절로, 문장 앞이나 뒤에서 조건의 의미를 나타내는 수식어 역할을 한다.
 – if: 만약 ~라면/~한다면　　　　　　　　　 – unless: 만약 ~이 아니라면/~하지 않는다면
 – as[so] long as: ~하는 한　　　　　　　　 – in case (that): ~인 경우를 대비하여

대표 문장
600
고2 3월
응용

당신은　할 수 있다　무엇이든　　만약 당신이 충분히 오랫동안 열심히 계속하기만 한다면
You / **can do** / **anything**, [**if you just persist long and hard enough**].
　S　　　　V　　　　　　　　　　　　　　　　부사절(조건)

☆**601**
고2 6월

If you're an expert, having a high follower count on your social media accounts enhances all the work you are doing in real life.

602
고2 3월

It cannot be moved out of forests by floating down rivers unless the wood has been dried first.

☆**603**
고2 3월
응용

Unless the circumstances are unique, baring of your soul would be likely to scare potential partners.

604
고2 11월
응용

As long as he believes he is a part of a team, he can do great things.

605
고2 9월

In case you didn't see it, I'm enclosing a copy of our class calendar as a helpful reference.

---

count 수　account 계정　float (물 위에) 띄우다　bare (마음을) 드러내다　likely ~할 것 같은　potential (~이 될) 가능성이 있는　reference 참고 자료

8 부사절: 양보, 대조

- 접속사 although 등이 이끄는 절은 양보의 부사절로, 문장 앞이나 뒤에서 양보의 의미를 나타내는 수식어 역할을 한다.
  - although/(even) though/(even) if: 비록 ~일지라도/~에도 불구하고
  - whether A or B: A이든 B이든

606
고2 6월
응용

비록 그것이 증명되지 못했더라도   진화론은   ~이다   최선의 이론   우리가 가지고 있는
[**Though** it hasn't been proved], **evolution** / **is** / the best theory [that we have].
부사절(양보)   S   V

607
고2 11월
응용

Even if lying doesn't have any harmful effects, it is still morally wrong.

☆**608**
고2 6월
응용

Even though you can ignore the ads, by simply being in front of your eyes, they're doing their work.

609
고2 6월
응용

Although people think of persuasion as deep processing, it is actually shallow processing.

☆**610**
고2 6월

Whether you're neat or messy, your workspace may reveal a lot about your personality.

---

evolution 진화론   think of A as B A를 B로 생각하다   persuasion 설득   neat 깔끔한   messy 지저분한

- 접속사 whereas, while(~인 반면에) 등이 이끄는 절은 대조의 의미를 나타내는 수식어 역할을 한다.

☆ **611**
고1 11월
응용

숫자 799는
The number 799 / feels / significantly less than 800, [whereas 798 feels pretty
　　　　　　　　S　　　　　V
느껴진다
800보다 현저히 작게
반면에 798은 799와 거의
부사절(대조)

비슷하게 느껴진다
much like 799].

☆ **612**
고2 3월
응용

Sometimes animals seem unconcerned when approached closely, whereas other times they disappear in a flash when you come in sight.

613
고2 11월
응용

Half the participants played a block-matching game for ten minutes, while the other half sat quietly.

614
고2 3월
응용

Collisions between aircraft usually occur in the surrounding area of airports, while crashes due to aircraft malfunction tend to occur during long-haul flight.

---

significantly 현저히　　in a flash 순식간에　　collision 충돌　　aircraft 항공기　　crash 추락　　malfunction 오작동　　long-haul 장거리의

UNIT 9

9 부사절: 목적, 결과, 양태

615
고2 11월
응용

운동은   ~이다   훌륭한 방법   당신이   당신의 부정적인 감정들을 해체하기 시작하는
Exercise / **is** / **a great way** / **for you** / **to begin to deconstruct your negative emotions**
S   V
그것들이 더 이상 당신의 삶에 영향을 미치지 않도록
[**so that** they no longer affect your life].
부사절(목적)

616
고2 11월
응용

They would light a rope from the bottom so that it burnt evenly.

617
고2 9월
응용

The technique of selective note-taking involves writing down the key answers so that they can be transcribed easily afterwards.

618
고2 6월

면역 체계는   ~이다   너무 복잡한   (그래서) 그것을 설명하려면 책 한 권이 있어야 할 것이다
The immune system / **is** / **so complicated** [**that** it would take a whole book to
S   V   so+형용사   부사절(결과)
explain it].

619
고2 9월

Human reactions are so complex that they can be difficult to interpret objectively.

☆**620**
고2 6월

I was so angry I slammed the door and stepped out on the front porch.

☆**621**
고1 11월

Verbal deceitfulness gave early humans such a survival advantage that some evolutionary biologists believe the capacity to speak and the ability to lie developed hand in hand.

---

deconstruct 해체하다   light 불을 붙이다   transcribe 기록하다   immune system 면역 체계   slam 쾅 닫다   porch 현관   deceitfulness 속임수
evolutionary biologist 진화 생물학자   hand in hand 함께

- 접속사 as와 as if[though]가 이끄는 절은 양태의 부사절로, 문장 앞이나 뒤에서 양태의 의미를 나타내는 수식어 역할을 한다.
  - as: ~처럼/~이듯이/~대로
  - as if[though]: 마치 ~인 것처럼

622
고2 9월

당신도 알다시피,　　　Springfield 공립학교는　　　위치해 있다　　　First Street와 Pine Street의 교차로에
[As you know], **Springfield Public School** / **is located** / at the intersection of First Street
　부사절(양태)　　　　　　　　　　S　　　　　　　　V
and Pine Street.

623
고1 11월
응용

Children are expected to do as their parents say.

☆**624**
고2 3월
응용

When koalas move, they often look as though they're in slow motion.

intersection 교차로

구조+해석 부사(구) 또는 부사절에 표시한 뒤, 문장을 끊어 읽고 해석하시오.

0
고2 11월

Madeleine / uses / her tablet / to take notes in class.
to부정사구(목적)
→ Madeleine은 수업 중에 필기하기 위해 자신의 태블릿을 사용한다.

1
고2 3월
응용

We are doing what we intend to do, even though it's happening automatically.

→ _____

2
고2 6월
응용

Looking for a place to hide, I spotted the big spruce tree that took up half our yard.

→ _____

3
고2 6월
응용

They had to keep accurate time so that monastery bells could be rung at regular intervals.

→ _____

4
고2 6월

When deliberating about innovation opportunities, the leaders weren't inclined to take risks.

→ _____

5
고2 9월
응용

If differences in well-being are determined by circumstances lying outside of an individual's control, they are unjust.

→ _____

6
고2 6월
응용

Since your products had never let me down before, I bought your brand-new coffee machine, on May 18th from your online store.

→ _____

7
고2 3월
응용

When a child experiences scary moments, it can be overwhelming, with intense emotions flooding the right brain.

→ _____

intend 의도하다   spot 발견하다   spruce 전나무   accurate 정확한   monastery 수도원   interval 간격   deliberate 심사숙고하다
inclined 경향이 있는   circumstance 환경   unjust 불공평한   overwhelming 감당하기 힘든   intense 격렬한

구조+영작 구조에 맞게 주어진 표현을 활용하여 영작하시오.

0
고2 3월

그 여행 이후,	그의 스타일은	바뀌었다	그래서 반영했다	그 화가들의 사실주의를
After that trip,	his style	changed	to reflect	the realism of those painters.
M(전치사구)	S	V	M(to부정사구: 결과)	

*trip, style, change, reflect, realism

1
고2 11월

불행히도,	이러한 운동의 부족은	실제로 악화시킬 수 있다	많은 부정적인 감정들을
M(부사: 문장 전체 수식)	S	V	O

*unfortunately, lack, compound, negative, emotion

2
고2 3월
응용

인쇄소에서 일하면서,		그는	~하게 되었다	관심을 가진	미술에
M(분사구문: 동시동작)		S	V	C	

*print shop, become, interested, art

3
고2 6월

참가자들은	받을 수 없다	환불을	일단 (~하면)	그들의 수업이	시작되면
S	V	O	M(부사절: 시간)		

*participant, get, refund, class

4
고2 11월
응용

듣고 난 후,	무슨 일이 있었는지를	그는	고개를 끄덕였다.
M(접속사+분사구문)		S	V

*happen, nod

5
고1 11월
응용

그 역사적 경향은	~이다	충분히 강력한	만들기에	사람들이	현재 상태를 고수하도록
S	V	C	M(to부정사구)		

*historical tendency, strong, cling to, status quo

6
고1 11월

~일지라도	우리가	~이다	모두 경험이 많은 소비자들	우리는	여전히 속임수에 넘어간다
M(부사절: 양보)				S	V

*experienced, shopper, be fooled

---

reflect 반영하다　compound 악화시키다　print shop 인쇄소　refund 환불　nod 끄덕이다　tendency 경향　cling to ~을 고수하다
status quo 현재 상태　experienced 경험이 많은　be fooled 속임수에 넘어가다

UNIT 10 스페셜 구문

접속사

A	+	접속사	+	B

and
or
but

A,	+	B,	+	접속사	+	C

and
or
but

비교구문

A	+	as+원급+as	+	B

(=)

A	+	비교급+than	+	B

(>)

A	+	the+최상급	+	in/of+명사(구)

~에서 최고

가정법

If	+	주어	+	동사(과거) / 동사(과거완료)	+	~,	+	주어	+	조동사(과거)+동사(원형) / 조동사(과거)+have p.p.	+	~.

기타 구문

부정어	+	A

B	+	A

★ A	+	B

A	+	B

(=)

A	+	C	+	B

A	+	C

01	invisible	형	보이지 않는	26	contain★	동	포함하다
02	predict★	동	예측하다	27	prevalent	형	널리 퍼져 있는
03	debate	명	토론	28	consumption	명	소비
04	agriculture	명	농업	29	unstable	형	불안정한
05	sustain	동	지탱하다	30	settle	동	해결하다
06	hypothesis	명	가설	31	disaster	명	큰 재앙
07	circumstance	명	환경	32	disposable	형	일회용의
08	pioneer	동	개척하다	33	opposite	명	반대
09	relevant	형	관련이 있는	34	worship	동	우러러보다
10	measurement	명	측정	35	exceptional	형	뛰어난
11	accountability	명	책무성	36	possess	동	소유하다
12	attribute	명	특성	37	maintenance	명	유지
13	inclusion	명	통합	38	cope with		~에 대처하다
14	passive	형	수동적인	39	adapt to★		~에 적응하다
15	appreciate★	동	고마워하다	40	environment★	명	환경
16	implementation	명	이행	41	operate★	동	작동하다
17	appealing	형	매력적인	42	disadvantage	명	단점
18	correct	동	바로잡다	43	precious	형	소중한
19	perceive★	동	인식하다	44	compose	동	작곡하다
20	profound	형	심오한	45	accompany	동	동반하다
21	impressive	형	인상 깊은	46	address	동	다루다
22	paralyzed	형	마비된	47	acceptable	형	받아들여지는
23	household	명	가정	48	habitat	명	서식지
24	completion	명	완공	49	conclusion	명	결론
25	depiction	명	묘사	50	flexible	형	융통성 있는

스페셜 구문

1 접속사: 등위접속사 / 상관접속사 / 병렬구조

대표 문장
고2 3월 응용

레크리에이션은　　충족시킨다　광범위한 개인의 욕구와 관심사를

Recreation ▸ **meets** ▸ **a wide range of individual needs and interests.**

단어₁+등위접속사+단어₂

2 비교구문: 원급 / 비교급 / 최상급

대표 문장
고2 11월

이야기는　　오직 ~하다　~만큼 믿을 만한　　　이야기하는 사람(만큼)

A story ▸ **is only** ▸ **as believable as** ▸ **the storyteller.**

A　　　　　as+원급+as　　　　B

3 가정법: 과거, 과거완료 / as if 가정법 / 다양한 가정법 표현

대표 문장
고2 6월 응용

만약 당신이 ~라면　　로봇　　　당신은 갇혀 있을 텐데　온종일 여기에

If you were ▸ **a robot,** ▸ **you'd be stuck** ▸ **here all day.**

If+S+V(과거)　　　　　S+조동사의 과거형+V(원형)

4 기타 구문: 부정, 도치, 강조 / 삽입, 동격, 생략

대표 문장
고2 3월

바로 ~이다 삶의 취약함　　　그것을 소중하게 만드는 것은　그의 글은 채워져 있다

It is ▸ **the weakness of life** ▸ **that makes it precious;** ▸ **his words are filled with**

└─── It is ~ that 강조 구문(주어 강조) ───┘

바로 그 사실로　　자신의 삶이 끝나가고 있다는

the very fact ▸ **of his own life passing away.**

명사 강조 ↵　└(=)┘ 동격의 of

▶ 등위접속사와 상관접속사는 단어, 구, 절을 대등한 관계로 연결할 수 있다.

등위접속사
- 문법상 동일한 역할을 하는 단어와 단어, 구와 구, 절과 절을 대등하게 이어주는 말이다.
- 등위접속사로 연결된 단어, 구, 절은 문법적으로 같은 형태이다.

and	그리고	or	또는	but	그러나	so	그래서	for	왜냐하면

상관접속사
- 떨어져 있는 두 개의 어구가 짝을 이루어 하나의 접속사 역할을 하는 것을 말한다.

both A and B	A와 B 둘 다	not A but B	A가 아니라 B
either A or B	A와 B 둘 중 하나	not only A but (also) B	A뿐만 아니라 B도
neither A nor B	A와 B 둘 다 아닌	(= B as well as A)	

병렬구조
- 둘 이상의 단어, 구, 절이 접속사로 연결된 구조로, 연결된 대상을 파악하는 것이 중요하다.

▶ 비교구문을 이용하여 두 대상을 비교하거나 특정 범위에서 정도의 차이가 가장 큰 하나를 나타낼 수 있다.

비교구문
- 형용사/부사의 원급, 비교급, 최상급을 활용하여 둘, 또는 셋 이상의 성질이나 상태를 비교하는 것이다.

원급 구문	as+원급+as	~만큼 …한/…하게	as+원급+as possible	가능한 한 ~한/~하게
	not+so[as]+원급+as	~만큼 …하지 않은/…하지 않게	배수 표현+as+원급+as	~보다 배 …한/…하게
비교급 구문	비교급+than	~보다 더 …한/…하게	the+비교급 ~, the+비교급 …	~하면 할수록 더 …하다
	배수 표현+비교급+than	~보다 배 …한/…하게	비교급+and+비교급	점점 더 …한/…하게

최상급 구문	최상급 이용	the+최상급(+명사)+in/of+명사(구)	…에서 가장 ~한 (명사)
		one of the+최상급+복수명사	가장 ~한 … 중 하나
	비교급 이용	비교급+than any other+단수명사	다른 어떤 …보다도 더 ~한/~하게
		No (other) A ~+비교급+than B	(다른) 어떤 A도 B보다 ~하지 않다
	원급 이용	No (other) A ~+as+원급+as B	(다른) 어떤 A도 B만큼 ~하지 않다

▶ 가정법을 이용하여 현재, 또는 과거의 사실이나 상황과 반대되는 일을 가정할 수 있다.

가정법
- 현재 또는 과거의 상황·사실과 반대되는 것을 가정 또는 상상하여 이야기하는 방식이다.

if 가정법	과거	If+S+V(과거) ~, S+조동사의 과거형+V(원형) ….	만약 ~라면, …할 텐데.
	과거완료	If+S+V(과거완료) ~, S+조동사의 과거형+have p.p. ….	만약 ~했다면, …했을 텐데.
as if 가정법	과거	S+V+as if+S+V(과거) ~.	마치 ~인 것처럼 …한다/…했다.
	과거완료	S+V+as if+S+V(과거완료) ~.	마치 ~였던 것처럼 …한다/…했다.

if 없는 가정법	Without[But for]+명사 ~	~이 없다면 (= If it were not for ~, Were it not for ~)
		~이 없었다면 (= If it had not been for ~, Had it not been for ~)
	otherwise	그렇지 않으면 (= if ~ not)

▶ 문장 형태를 변형하여 내용을 더 효과적으로 전달할 수 있다.

기타 구문

부정	부정어를 이용하여 전체 부정 또는 부분 부정을 나타내는 것	• no, none: 모두 ~ 아니다 〈전체 부정〉 • not all: 모두 ~한 것은 아니다 〈부분 부정〉
도치	특정 어구가 문장 앞으로 나가며 주어와 (조)동사의 순서가 바뀌는 것	• 부정어+V+S　• so[neither, nor]+V+S • There+V+S
강조	문장 내 특정 어구를 강조하는 것	• It is ~ that ….　• do[does, did]+V(원형) • the very+명사　• not ~ at all
삽입	보충 설명을 위해 문장 내에 어구 또는 절이 추가되는 것	• 삽입어구 앞뒤 콤마(,)/대시(―)
동격	자세한 설명을 위해 (대)명사에 명사구[절]가 덧붙는 것	• (대)명사+콤마(,)/of/that ~
생략	문장을 간결하게 하기 위해 반복 어구 등이 삭제되는 것	• 반복 어구 생략　• 부사절의 「S+be동사」 생략 • 대부정사(to-v구의 v 이하 생략)

- 등위접속사 and(그리고), but(그러나), or(또는)는 단어와 단어, 구와 구를 대등한 관계로 연결해 준다.

대표 문장

625
고2 3월
응용

레크리에이션은　충족시킨다　　광범위한 개인의 욕구와 관심사를
Recreation / meets / a wide range of individual needs **and** interests.
단어₁　등위접속사　　단어₂

626
고2 3월

There, the two of them chose and purchased two small trees.

627
고2 6월

Anything silent or invisible we downgrade in our minds.

628
고2 9월

In case of nearing tornados or hurricanes, people can seek safety with the help of the data gathered by drones.

☆**629**
고1 11월
응용

Small but expensive products like neckties and accessories are often sold in dark-colored shopping bags or cases.

630
고2 6월

개인의 맹점은　　～이다　부분들　　보이는　　다른 사람들에게　하지만 당신에게는 아닌
Personal blind spots / are / areas [that are visible / to others / **but** not to you].
구₁　등위접속사　구₂

631
고1 11월

Einstein reached into his vest pocket for the ticket, but did not find it.

632
고2 3월

Think of a buffet table at a party, or perhaps at a hotel you've visited.

633
고2 3월

We couldn't predict what was going to happen in front of us and around us.

---

individual 개인의　need 욕구　interest 관심사　purchase 구매하다　invisible 보이지 않는(↔ visible)　downgrade 평가절하하다　in case of ~의 경우에
seek 추구하다　gather 모으다　expensive 비싼　blind spot 맹점　vest 조끼　predict 예측하다

- 등위접속사 and, but, or와 so(그래서)와 for(때문에)는 절과 절을 대등한 관계로 연결해 준다.
- 명령문 뒤에 「S+V ~」 형태의 완전한 절이 등위접속사 and/or로 연결되면 조건 또는 가정의 의미를 나타내며, '~하라, 그러면/ 그렇지 않으면 …'으로 해석한다.

634
고2 9월

토론은 표현 방식보다는 내용에 초점을 둔다   그래서 관심은 논거에 맞추어진다
Debate provides a focus on the content over style, / so the attention is on the
절₁(원인)   등위접속사   절₂(결과)
사람이 아니라
arguments, / not on the person.   ★ so 뒤에는 앞 절 내용의 결과 또는 시간상 나중에 벌어진 일이 이어진다.

635
고2 6월
응용

She feared to open the bill, for she was sure it would take the rest of her life to pay for it all.

636
고2 3월

You could cut the pie in many different ways, but it never got any bigger.

637
고2 11월
응용

These buildings may be old and genuine, or they may be recent reproductions.

638
고2 3월

In mid-life, one twin develops cancer, and the other lives a long healthy life without cancer.

639
고2 3월
응용

할머니는   미소를 지으며 말했다   이것을 기억해라   그러면 너는 성공할 것이다
The grandmother / smiled and said, / "Remember this, / and you will be
명령문   and+절(S+V ~)
무엇이든 네가 하는 일에
successful / in [whatever you do]."

640
고2 6월

The idea comes from a Mark Twain quote: "Eat a live frog first thing in the morning, and nothing worse will happen to you the rest of the day."

641
고2 3월
응용

Mr. Stessin jokingly warned him, "Don't play this too well, Frank, or I'll have nothing to say!"

---

debate 토론   focus 초점   content 내용   attention 관심   argument 논거   fear 두려워하다   bill 청구서   the rest of ~의 나머지   geniune 진짜의
reproduction 복제품   cancer 암   successful 성공한   whatever 무엇이든   first thing 맨 먼저   jokingly 농담조로   warn 경고하다   play 연주하다

- 상관접속사는 두 개 이상의 단어나 구가 짝을 이루어 하나의 접속사 역할을 하는 것이다.
  - both *A* and *B*: A와 B 둘 다
  - either *A* or *B*: A와 B 둘 중 하나
  - neither *A* nor *B*: A와 B 둘 다 아닌

642
고2 9월

당신은 　제출할 수 있다 　　포스터와 표어 둘 다를
You / can submit / **both** a poster **and** a slogan.
both *A* and *B*: A와 B 둘 다

643
고2 3월

Agriculture both supports and requires more people to grow the crops that sustain them.

644
고2 6월

Both male and female impalas are similar in color, with white bellies and black-tipped ears.
★ both *A* and *B*는 복수 취급하고, 나머지는 항상 B에 수를 일치시킨다.

645
고2 6월

To test this hypothesis, she collects data on cheating in both large classes and small ones and then analyzes the data.

646
고2 9월

Cats can be either liquid or solid, depending on the circumstances.

647
고2 6월

Xia was probably the official court painter to either the emperor Ningzong or the emperor Lizong.

648
고2 3월

Educators often physically rearrange their learning spaces to support either group work or independent study.

649
고2 6월
응용

Neither an umbrella nor a raincoat was available in the house.

☆650
고2 9월
응용

You know that neither apples nor anything else on Earth cause the Sun to crash down on us.

---

agriculture 농업　sustain 지탱하다　belly 배　hypothesis 가설　collect 모으다　cheating 부정행위　analyze 분석하다　liquid 액체　solid 고체　depending on ~에 따라　circumstance 환경　official 공식적인　court painter 궁정 화가　emperor 황제　educator 교육자　physically 신체적으로　rearrange 재배치하다　independent 독립적인　available 이용할 수 있는　crash 추락하다

- not *A* but *B*: A가 아니라 B
- not only[just] *A* but (also) *B*: A뿐만 아니라 B도 (= *B* as well as *A*)

651
고2 11월

귀사의 상품인 'Indian Green' 수프에 부착된 이미지는　　　　　~이다　　　인도의 춤이 아니라 한국의 것
The image on your product "Indian Green" soup / is / **not** of an Indian dance **but**
　　　　　　　　　　　　　　　　　　　　　　　　　　　　　not *A* but *B*: A가 아니라 B

a Korean one.
(of)

652
고1 11월
응용

Non-verbal communication does not substitute verbal communication but rather complements it.

653
고2 6월

The development of writing was pioneered not by gossips, storytellers, or poets, but by accountants.

654
고2 9월
응용

The original idea of a patent was not to reward inventors with monopoly profits, but to encourage them to share their inventions.

655
고2 9월

Verbal and nonverbal signs are not only relevant but also significant to intercultural communication.

☆**656**
고1 11월
응용

They forget that the solution to a social problem requires not only knowledge but also the ability to influence people.

657
고2 3월
응용

The material they choose to publish must not only have commercial value, but be very competently written.

658
고2 6월

The self is formed by social forces, by looking outwards as well as inwards.

659
고2 9월

Sound waves are capable of traveling through many solid materials as well as through air.

---

product 제품　non-verbal 비언어적인　substitute 대체하다　verbal 언어적인　complement 보완하다　pioneer 개척하다　accountant 회계사
patent 특허권　reward 보상하다　monopoly profit 독점 이익　encourage 장려하다　share 공유하다　relevant 관련이 있는　significant 중요한
material 자료　commercial 상업적인　value 가치　competently (수준이) 만족할 만하게　sound wave 음파

- 등위접속사 또는 상관접속사로 둘 이상의 단어, 구, 절이 연결된 것을 병렬구조라고 한다.
- 접속사를 중심으로 연결된 대상은 문법적 구조나 성격이 일치한다.

660
고2 6월

임팔라들은　　먹고 산다　　　　　　풀, 과일, 그리고 나뭇잎들을
Impalas / feed upon / grass, fruits, and leaves from trees.
　　　　　　　　　　　　　명사₁　　명사₂　　　　명사(구)₃

661
고1 11월

If you hang the Eco-card at the door, we will not change your sheets, pillow cases, and pajamas.

662
고2 9월

What we need in education is not measurement, accountability, or standards.

663
고2 3월
응용

Consider taking small bags of nuts, fruits, or vegetables with you when you are away from home.

664
고2 6월

사람들은　　　　적극적으로 특정한 사람들을 찾는다　　　　　그리고 특정한 기술들 또는 특성들을 선택한다
Humans / actively seek out particular people / and select particular skills or
　　　　　　　　　　　　　　　동사구₁　　　　　　　　　　　　　동사구₂　　　　명사₁
　　　　　　비교를 위해
attributes / for comparison.
명사₂

665
고1 11월

He pulled Jason out of his bed, opened the front door and threw him out into the snow.

666
고1 11월

In 1849, he was appointed the first professor of mathematics at Queen's College in Cork, Ireland and taught there until his death in 1864.

☆667
고1 11월
응용

I will offer you a solution that keeps your lambs safe and will also turn your neighbor into a good friend.

---

feed upon ~을 먹고 살다　　hang 걸어두다　　pillow case 베갯잇　　measurement 측정　　accountability 책무성　　standard 표준　　actively 적극적으로
seek out ~을 찾다　　particular 특정한　　skill 기술　　attribute 특성　　comparison 비교　　appoint 임명하다　　professor 교수　　mathematics 수학
offer 제공하다　　solution 해결책　　lamb 어린 양

668
고2 11월

그 프로젝트는　　목표로 한다　　　　　장애에 관한 대화를 이어 나가는 것을　　　그리고 더 나은 접근성과
The project / aims / to build conversation around disability and to push for
　　　　　　　　　　　　　　to부정사구₁　　　　　　　　　　　　　　　　to부정사구₂

통합을 요청하는 것을
greater accessibility and inclusion.
　　　　명사₁　　　　　　명사₂

☆**669**
고2 9월

For healthy development, the child needs to deal with some failure, struggle through some difficult periods, and experience some painful emotions.

670
고1 11월

Each day, as school closes, dozens of students come to the library to do homework, use the library's computers, or socialize in a safe place.

671
고1 11월

Upon seeing Anna's simple clothing and knowing she was from a small village, some students in the classroom started making fun of her.

672
고2 9월
응용

Reading an e-book, video-conferencing with grandma, or showing your child a picture you just took of them is not the same as the passive, television-watching screen time.

673
고2 3월
응용

나는　　이해한다　　　　　　이 작업이 자비 부담이라는 것을　　　그리고　　내가 임대차 계약에 따라
I / understand [that this would be at my own expense], and [that I must get
　　　　　　　　　　　　that절₁　　　　　　　　　　　　　　　　　that절₂

허락을 받아야만 한다는 것을
permission as per the lease agreement].

674
고2 9월

I told Michael that I greatly appreciated his gesture, that I would enjoy holding his clover for the rest of my visit there, and that I would certainly take the memory of it with me.

---

disability 장애　　push for ~을 요청하다　　accessibility 접근성　　inclusion 통합　　deal with ~을 다루다　　failure 실패　　struggle through 헤치고 나아가다
period 시기　　painful 고통스러운　　socialize 교제하다, 사귀다　　make fun of ~를 놀리다　　the same as ~와 같은　　passive 수동적인　　expense 비용
get permission 허락을 받다　　lease agreement 임대차 계약　　appreciate 고마워하다

- 형용사/부사의 원급을 이용한 표현으로 두 대상의 정도가 대등한지 아닌지를 나타낼 수 있다.
  - as+형용사/부사의 원급+as: ~만큼 …한/…하게
  - not+so[as]+형용사/부사의 원급+as: ~만큼 …하지 않은/…하지 않게

대표 문장

675
고2 11월

이야기는	오직 ~하다	~만큼 믿을 만한	이야기하는 사람(만큼)
A story /	**is only** /	**as believable as** /	**the storyteller.**
A		as+원급+as	B

676
고2 6월
응용

The second shot was as perfect as the first.

677
고2 6월
응용

Driving slowly on the highway is as dangerous as racing in the cities.

☆**678**
고2 11월

There stood his donkey, which looked as old and weathered as the farmer.

679
고1 11월
응용

The implementation of the plan is not as appealing as the plan.

680
고2 3월
응용

My lifestyle is not as colorful or exciting as other people's.

☆**681**
고2 6월
응용

The conclusion was that, in general, females are not as motivated by competition as males.

---

believable 믿을 만한   highway 고속도로   weathered 노쇠한   implementation 이행   appealing 매력적인   lifestyle 생활 방식   colorful 화려한
conclusion 결론   motivated 동기를 부여받는   competiton 경쟁

- as+원급+as possible(as+원급+as+주어+can[could]): 가능한 한 ~한/~하게
- as many[much] as: 무려 ~나 되는 수[양]의
- 배수 표현(twice, three times, ...)+as+원급+as: ~보다 배 ···한/···하게

682
고2 3월
응용

코알라들은　움직이는 경향이 있다　　가능한 한 적게
Koalas / tend to move / as little as possible.
　　　　　　　　　　　　　as+원급+as possible

(= Koalas tend to move **as little as they can**.)

683
고2 11월

I sincerely hope that you correct this as soon as possible.

684
고2 3월
응용

Night after night he read as long as he could.

685
고1 11월

In the driveway, she jumped on her bike and started to pedal as fast as she could.

686
고2 11월
응용

The movies are subtitled in as many as 17 languages.

687
고2 3월
응용

In more remote parts of the park, elk take flight when skiers are as much as a quarter mile away.

688
고1 11월

사실　　검은색은　　인식된다　　　~보다 두 배 무겁다고　　흰색(보다)
In fact, / black / is perceived ⟨to be twice as heavy as / white⟩.
　　　　　A　　　　　　　　　　배수 표현+as+원급+as　　　B

689
고2 3월
응용

In 1999, the market share of imported fresh fruit was three times as much as that of imported dried fruit.

sincerely 진심으로　correct 바로잡다　subtitle 자막 처리를 하다　remote 외진　elk 엘크(큰 사슴)　take flight 달아나다　a quarter 4분의 1
perceive 인식하다　market share 시장 점유율　imported 수입된　fresh fruit 생과일

5 비교구문: 비교급

- 형용사/부사의 비교급 형태를 이용한 표현으로 두 대상의 정도 차이를 나타낼 수 있다.
  - 형용사/부사의 비교급+than: ~보다 더 …한/…하게
  - much[still, (by) far, even, a lot, a great deal]+비교급+than: ~보다 훨씬 더 …한/…하게

690
고2 3월

　　　　　'공격' 거리는　　　　　항상 ~이다　　　　~보다 더 짧은　　　　도주 거리
The 'fight' distance / is always / smaller than / the flight distance.
　　　　　　　A　　　　　　　　　　　　　　　　　비교급+than　　　　　　B

691
고1 11월
응용

Their similarities are greater and more profound than their dissimilarities.

692
고2 6월

Our brains imagine impressive outcomes more readily than ordinary ones.

693
고2 6월

The proportion of the population under 15 years old in North America was smaller than that in Asia.

694
고2 11월
응용

The girls were just a few years older than I.

695
고2 9월
응용

　　　　기차들은　　　　~이었다　　　~보다 훨씬 더 빠른　　　　낡은 마차들
The trains / were / much faster than / the old carriages.
　　　　　A　　　　　　비교급 강조 ↘ 비교급+than　　　　　B

696
고2 3월
응용

We forget that we love the real flower so much more than the plastic one.

☆697
고2 6월
응용

Computers can process data accurately at far greater speeds than people can.

---

distance 거리　similarity 공통점(↔ dissimilarity)　profound 심오한　impressive 인상 깊은　readily 즉시　ordinary 평범한　proportion 비율
carriage 마차　process 처리하다　accurately 정확하게

- the+비교급 ~, the+비교급 …: ~하면 할수록 더 …하다
- 비교급+and+비교급: 점점 더 …한/…하게
- 배수 표현(three times, four times, ...)+비교급+than ~: ~보다 배 …한/…하게

698
고2 6월
응용

그들이 더 많은 선택 항목을 가질수록   그들은 더 마비된다
The more options they have,/ **the more paralyzed** they become.
　　The+비교급　　　　　　　　　　　the+비교급

699
고2 9월

The older the age group was, the lower the percentage of those who listened to both was.

☆**700**
고2 6월
응용

He quickly noticed that the hotter she was, the faster she counted.

701
고2 9월

More and more institutions followed the lead of the train companies.

702
고2 3월

The bombs would hit farther and farther from their targets every time they fell.

703
고1 11월

2017년에　　　　　　　라틴 아메리카-카리브해로의 여행 수는　　　　　　　~이었다　　~보다 5배
In 2017, / the number of trips to Latin America-The Caribbean / was / more than
　　　　　　　　　　　　　　　　　　A

이상 더 높은　　　　　　　　　　중동-북아프리카로의 그것
five times higher than / that to The Middle East-North Africa.
　배수 표현+비교급+than　　　　　　　　　　B

☆**704**
고2 9월
응용

The percentage of "share equally" households is over two times higher than that of "mother does more" households in two categories.　　★ twice, half 뒤에는 비교급을 사용하지 않는다.

---

paralyzed 마비된　age group 연령대　notice 알아채다　count (수를) 세다　institution 협회　lead 선례　bomb 폭탄　target 목표
household 가정

6 비교구문: 최상급

- 형용사/부사의 최상급 형태를 이용하여 특정 범위에서 가장 정도 차이가 있는 하나를 나타낼 수 있다.
  - the+최상급(+명사)+in+단수명사[of+복수명사]/(that)+S+have ever p.p.: …에서/이제껏 가장 ~한 (명사)
  - much[by far]+최상급, 최상급+ever: 월등히[현저히, 압도적으로] 가장 …한/…하게
  - one of the+최상급+복수명사: 가장 ~한 … 중 하나

705
고2 11월
응용

완공 당시에   Gunnison 터널은   ~이었다   가장 긴 관개 터널
At the time of its completion, / **the Gunnison Tunnel** / was / **the longest** irrigation
                               A   the+최상급+명사

세계에서
tunnel / **in the world**.
in+단수명사

706
고1 11월

Established in 1993, the Dinosaur Museum has developed into the largest display of dinosaur and prehistoric life in Canada.

707
고1 11월

In both years, the percentage of people selecting comedy as their favorite was the highest of all the genres.

708
고2 11월
응용

Cyber-related fraud is by far the most common form of crime that hits individuals.

☆**709**
고2 9월
응용

He became the youngest editor ever hired by *The Saturday Evening Post*.

★ ever hired = that had ever been hired

710
고2 6월

임팔라는   ~이다   가장 우아한 네발 동물들 중 하나
The impala / is / **one of the most graceful four-legged animals**.
                             one of the+최상급+복수명사

☆**711**
고2 9월

One of the most curious paintings of the Renaissance is a careful depiction of a weedy patch of ground by Albrecht Düer.

★ 「one of the+최상급+복수명사」가 주어로 쓰이면, 단수 취급하여 단수 동사가 온다.

712
고2 9월

Nervousness about public speaking is one of the most common fears among people.

---

completion 완공   irrigation tunnel 관개 터널   establish 설립하다   prehistoric 선사시대의   fraud 사기   common 흔한   form 형태   crime 범죄
hire 고용하다   graceful 우아한   depiction 묘사   weedy 잡초가 무성한   patch 작은 땅, 지역   nervousness 불안감

- 형용사/부사의 원급과 비교급을 이용하여 최상급의 의미를 나타낼 수 있다.
  - 비교급+than any other+단수명사: 다른 어떤 …보다도 더 ~한/~하게
  - No (other) A ~ 비교급+than B/Nothing ~ 비교급+than: (다른) 어떤 A도 B보다 ~하지 않다/아무것도 …보다 ~하지 않다
  - No (other) A ~ as+원급+as B/Nothing ~ as[so]+원급+as: (다른) 어떤 A도 B만큼 ~하지 않다/아무것도 …만큼 ~하지 않다

713
고2 3월

한 식품이 포함하고 있다면 　　　다른 어떤 성분보다 더 많은 설탕을 　　　정부 규정은
[If a food contains / more sugar **than any other** ingredient], government regulations /
　　　　　　　　　　　　　　비교급+than any other+단수명사
요구한다 　　설탕이 기재될 것을 　　라벨에 첫 번째로
require [that sugar be listed / first on the label].
(= If a food contains **the most sugar**, government regulations require that sugar be listed first on the label.)

714
고2 11월
응용

In 2002, Internet advertising revenue was smaller than any other media.

715
고2 11월

When it comes to video clips, respondents in their 60s favor them more than any other age group.

716
고2 11월

Nothing is more important than luck when people are trying to get good seats.

717
고2 3월
응용

The attitude that nothing is easier than to love has continued to be the prevalent idea about love.

---

contain 포함하다, ~이 함유되어 있다　ingredient 성분　government regulation 정부 규정　require 요구하다　revenue 수입
when it comes to ~에 관해서라면　respondent 응답자　favor 선호하다　attitude 태도　prevalent 널리 퍼져 있는

7 가정법: 과거, 과거완료

- 가정법 과거는 현재와 반대되는 사실이나 상황을 가정할 때 사용하는 표현이다.
  - 「If+S+V(과거) ~, S+조동사의 과거형+V(원형) ….」: 만약 ~라면, …할 텐데/…할 것이다.

대표 문장

718
고2 6월
응용

만약 당신이 로봇이라면   당신은 온종일 여기에 갇혀 있을 텐데
If you were a robot, / **you'd be stuck** here all day.
If+S+V(과거)   S+조동사의 과거형+V(원형)

당신이 로봇이 아니기 때문에, 당신은 온종일 여기에 갇혀 있지 않을 것이다.
(= **As** you **are not** a robot, you **will not be stuck** here all day.)

719
고1 11월
응용

If we mixed the paints together, we would fail in getting the intended result.

720
고2 6월

If they doubled the number of their franchises from thirteen to twenty-six, they could each make one hundred and twenty-eight dollars in one day!

721
고2 6월

If we increased insect consumption and decreased meat consumption worldwide, the global warming potential of the food system would be significantly reduced.

☆**722**
고2 11월

If I could bowl a strike in this frame, I would win the game.

★ 가정법 과거 if절의 동사 자리에 조동사가 올 때도 과거형을 쓴다.

723
고2 11월

If your brain could completely change overnight, you would be unstable.

☆**724**
고2 6월

It would be great if Congress settled their disagreements the same way.

★ if절과 주절의 위치는 서로 바뀔 수 있다.

725
고2 9월

Many students could probably benefit if they spent less time on rote repetition and more on actually paying attention to and analyzing the meaning of their reading assignments.

---

intended 의도하는   double 두 배로 늘리다   franchise 가맹점   insect 곤충   consumption 소비   potential 가능성   significantly 현저히
reduce 줄이다   completely 완전히   overnight 하룻밤 동안   unstable 불안정한   settle 해결하다   disagreement 의견 불일치
rote repetition 기계적인 암기   pay attention to ~에 집중하다   assignment 과제

- 가정법 과거완료는 과거와 반대되는 사실이나 상황을 가정할 때 사용하는 표현이다.
  - 「If+S+V(과거완료) ~, S+조동사의 과거형+have p.p. …」: 만약 ~했다면, …했을 텐데/…했을 것이다.

726
고1 11월
응용

> 만약 Wills가 스스로를 내버려 두었다면   아웃된 것에 의해서 자신이 좌절하도록   그는 결코 어떠한
> **If** Wills **had allowed** himself / **to become** frustrated by his outs, / he **would have**
>   If+S+had p.p.   S+조동사의 과거형+have p.p.
> 기록도 세우지 못했을 것이다
> **never set** any records.
>
> Wills가 아웃된 것에 의해서 자신이 좌절하도록 스스로를 내버려 두지 않았기 때문에, 그는 몇몇 기록을 세웠다.
> (= **As** Wills **didn't allow** himself to become frustrated by his outs, he **set** some records.)

727
고2 11월
응용

If the truck had been any closer, it would have been a disaster.

728
고2 9월

If I had used disposable diapers all of that time, I would have spent between $4,000 and $4,500 on them.

---

frustrated 좌절한   set a record 기록을 세우다   disaster 큰 재앙   disposable 일회용의   diaper 기저귀   spend 소비하다

- as if[though] 가정법 과거/과거완료는 현재 또는 과거와 반대되는 사실이나 상황을 가정한다.
  - 「S+V(현재/과거)+as if[though]+S+V(과거) ~.」: 마치 ~인 것처럼 …한다/…했다. (주절과 같은 시제)
  - 「S+V(현재/과거)+as if[though]+S+V(과거완료) ~.」: 마치 ~였던 것처럼 …한다/…했다. (주절보다 앞선 시제)

729
고2 11월

　　　우리 중 다수는　　　살아간다　　하루하루를　　　　　마치 그 반대가 진실인 것처럼
Many of us / live / day to day [as if the opposite were true].
　　　　　S　　　　　V(현재)　　　　　　　　　　　as if+S+V(과거)

　사실, 그 반대는 진실이 아니다.
(→ In fact, the opposite is not true.)

cf. • Many of us live day to day as if the opposite had been true.
　　　(우리 중 다수는 마치 그 반대가 진실이었던 것처럼 하루하루를 살아간다.)
　• Many of us lived day to day as if the opposite were true.
　　　(우리 중 다수는 마치 그 반대가 진실인 것처럼 하루하루를 살아갔다.)
　• Many of us lived day to day as if the opposite had been true.
　　　(우리 중 다수는 마치 그 반대가 진실이었던 것처럼 하루하루를 살아갔다.)

730
고2 3월

When I was young, my parents worshipped medical doctors as if they were exceptional beings possessing godlike qualities.

731
고2 6월
응용

I decided to write a letter to my grandmother in New York, as if the marathon had already come and gone and I had happily completed it.

732
고2 3월

Act as though you were trying out for the role of a positive, cheerful, happy, and likable person.

733
고2 9월

It appeared as though the entire sky had turned dark.

---

opposite 반대　worship 우러러보다　exceptional 예외적인, 뛰어난　possess 지니다, 소유하다　godlike 신과 같은　quality 재능　role 역할
positive 긍정적인　cheerful 쾌활한　entire 전체의

- if 없이 가정법을 나타내는 표현들도 있는데, 일부는 if 가정법으로 바꿔 쓸 수 있다.
  - without, but for: ~이 없다면 (= if it were not for, were it not for)
                     ~이 없었다면 (= if it had not been for, had it not been for)
  - otherwise: 그렇지 않으면/않았다면 (= if ~ not)

734
고2 6월

돈이 없다면　　　　　　　사람들은 물물 교환만 할 수 있을 것이다
Without money, / people **could** only **barter**.
Without+명사　　　　S+조동사의 과거형+V(원형)

(= **But for** money, people **could** only **barter**.)
(= **If it were not for** money, people **could** only **barter**.)
(= **Were it not for** money, people **could** only **barter**.)

735
고1 3월

Without eustress, you would never get this head start.

736
고1 3월

Without such passion, they would have achieved nothing.

737
고1 6월

Without the formation and maintenance of social bonds, early human beings probably would not have been able to cope with or adapt to their physical environments.

738
고2 9월

현명하게도　　　Voltaire는 속표지에서 자신의 이름을 지웠다　　　만약 그렇지 않았다면　　　　그 책의 출판은
Wisely,/ Voltaire left his name off the title page, / **otherwise** / its publication **would**
　　　　　　　　　　　　　　　　　　　　　　　otherwise　　　　　　S+조동사의 과거형+have p.p.

다시 그를 감옥에 갇히게 했을지도 모른다　　　　　종교적 신념을 조롱한 이유로
have landed him in prison again / for making fun of religious beliefs.

★ otherwise = if Voltaire had not left his name off the title page

739
고2 11월

Memory means storing what you have learned; otherwise, why would we bother learning in the first place?

---

barter 물물교환을 하다　　eustress 유스트레스(긍정적 스트레스)　　get a head start 남보다 유리한 출발을 하다　　passion 열정　　achieve 이루다
formation 형성　　maintenance 유지　　social bond 사회적 유대　　early 초기의　　probably 아마도　　cope with ~에 대처하다　　adapt to ~에 적응하다
environment 환경　　leave ~ off ~을 빼다　　publication 출판　　religious 종교적인　　store 저장하다　　bother 애쓰다

10 기타 구문: 부정, 도치, 강조

- 부정어를 이용하여 전체 부정, 부분 부정(부분 긍정), 이중 부정(강한 긍정)을 나타낼 수 있다.
  - no, not ~ any, nobody, none, neither: (전체 부정) 모두 ~ 아니다
  - not all[always, necessarily]: (부분 부정) 모두[항상, 반드시] ~한 것은 아니다
- 주어 아닌 다른 어구가 문장 앞에 올 때 주어와 (조)동사의 순서가 바뀌는 도치가 일어날 수 있다.
  - 「부정어(not, never, rarely, only 등)+V+S」   - 「so[neither, nor]+V+S」   - 「There+V+S」

740
고2 3월
응용

그 거짓말 중 어느 것도 확신을 주지 못했다   그 왕에게   그가 최고의 거짓말을 들었다고
None of those lies convinced / the king [that he had listened to the best one].
전체 부정

741
고2 6월

The truth is that in the real world, nobody operates alone.

742
고2 9월
응용

Not all music uses this scale.

743
고2 9월
응용

Using a recorder has some disadvantages and is not always the best solution.

744
고2 6월
응용

Planting a seed does not necessarily require overwhelming intelligence.

745
고1 11월

그제야   그녀는 뒤돌아서 온 길을 되돌아갔다   해변으로
Only then / **did she turn** and **retrace** her steps / to the shore.
부정어   조동사+S+V: 도치

746
고2 9월

Life is a balancing act, and so is our sense of morality.

747
고1 11월
응용

There are too many forces working against each other.

---

convince 확신을 주다   operate 작동하다   scale 음계   reorder 녹음기   disadvantage 단점   plant 심다   seed 씨앗   overwhelming 엄청난
intelligence 지능   retrace one's steps 온 길을 되돌아가다   balancing act 균형 잡기   sense of morality 도덕심

- 문장 내 특정 어구를 강조하는 다양한 방법이 있다.
  - It is ~ that 강조 구문: …한 것은 바로 ~이다 〈주어, 보어, 목적어, 부사 강조〉
  - 「do[does]/did+V(원형)」: 정말 ~하다/~했다 〈동사 강조〉   - 「the very+명사」: 바로 그 ~ 〈명사 강조〉
  - not ~ at all: 절대[결코] ~ 아니다 〈부정어 강조〉

대표 문장

748
고2 3월

바로 ~이다   삶의 취약함   그것을 소중하게 만드는 것은   그의 글은 채워져 있다
It is / **the weakness of life** [**that** makes it precious]; / **his words are filled with** /
└─── It is ~ that 강조 구문(주어 강조) ───┘

바로 그 사실로   자신의 삶이 끝나가고 있다는
the very fact / **of** his own life passing away.
명사 강조 ↘└ (=) ┘ 동격의 of **LINK** UNIT 10-11

749
고1 11월

It's what's *under the ground* that creates what's above the ground.

750
고1 11월

It is the uncertainty of the result and the quality of the contest that consumers find attractive.

751
고2 3월

Unlike coins and dice, humans have memories and do care about wins and losses.

752
고2 6월

The dances composed by famous composers from Bach to Chopin originally did indeed accompany dancing.

753
고2 3월

I rode my bicycle alone from work on the very quiet road of my hometown.

754
고2 3월
응용

When a product or service is truly marketed, the needs of the consumer are considered from the very beginning of the new product development process.

755
고2 11월

Your voice is not blending in with the other girls at all.

756
고2 9월
응용

Even though it sounds cruel, it's not about causing harm at all.

---

weakness 취약함   precious 소중한   uncertainty 불확실성   attractive 매력적인   dice 주사위   care about ~에 관심을 갖다   dance 춤곡
compose 작곡하다   indeed 사실상   accompany 동반하다   process 과정   blend in with ~와 조화를 이루다   cruel 잔인한   cause harm 해가 되다

- 보충 설명을 위해 문장 내에 어구 또는 절을 삽입할 수 있다. 삽입어구 앞뒤에 주로 콤마(,)나 대시(─)가 쓰인다.
- 자세한 설명을 위해 명사 또는 대명사에 「(대)명사+콤마(,)/of/that ~」의 형태로 동격의 명사구 또는 명사절을 덧붙일 수 있다.

757
고2 3월

결국   여러분은 얻게 된다   두통, 피로, 또는 우울증을   (또는 심지어 질병까지도)
In the end, / you / get / a headache, fatigue or depression(─ or even disease).
                                                                 삽입구

758
고2 3월

When you try to treat the last domino — treat just the end-result symptom — the cause of the problem isn't addressed.

759
고2 3월
응용

When a product costs more, but is worth it, its value becomes acceptable to the consumer.

760
고1 11월

그 사실이   모든 것을 떠나야 한다는   그녀가 알고 있었던   아프게 했다   그녀의 마음을
The fact [**that** she had to leave everything ⟨she knew⟩] broke / her heart.
   └──── (=) ────┘

761
고2 3월

The notion that food has a specific influence on gene expression is relatively new.

762
고2 11월
응용

Beebe began to consider the possibility of diving with a deep-sea vessel to study marine creatures in their natural habitat.

763
고2 11월

The image shows Buchaechum, a traditional Korean fan dance.

764
고2 3월

In a few years, Yolanda, now a teenager, came to visit her grandmother again.

---

fatigue 피로   depression 우울증   disease 질병   treat 치료하다   end-result 최종 결과   symptom 증상   address 다루다   acceptable 받아들여지는
notion 생각   specific 특정한   influence 영향   gene 유전자   relatively 비교적   deep-sea vessel 심해용 선박   marine creature 해양 생물
habitat 서식지   traditional 전통적인   fan 부채

- 문장을 간결하게 하기 위해 의미 전달에 무리가 없는 어구를 생략할 수 있다.
  - 앞에 나왔던 반복된 어구 생략
  - 부사절의 「주어+be동사」의 생략: 주절의 주어와 같을 때
  - 대부정사(to): 앞에 나온 동사의 반복을 피하려고 to부정사구(to+동사원형 ~)에서 동사원형 이하를 생략

765
고2 11월

내 가족은   말했다   내가 노래할 수 있다고   그러나 그 선생님은   말했다   내가 (노래)할 수 없다고
My family / said [I could <u>sing</u>], but the teacher / said [I **couldn't**].
　　　　　　　　　　　　　　　　　　　　　　　　　　　　　　= couldn't sing

766
고2 11월
응용

Identical twins almost always have the same eye color, but fraternal twins often do not.

767
고2 11월

Why does garbage exist in the human system but not more broadly in nature?

768
고2 3월
응용

He has to see and hear birds the way the father wants him to.

769
고2 11월

When the Nile rose, it was because the river wanted to, not because it had rained.

☆**770**
고2 3월

While there, he saw German and Flemish artworks that influenced him greatly, especially the work of Jan van Eyck.

771
고2 6월

Wiseman's conclusion was that, when faced with a challenge, 'unlucky' people were less flexible.

772
고2 6월
응용

A computer cannot make independent decisions, or formulate steps for solving problems, unless programmed to do so by humans.

---

identical twins 일란성 쌍둥이　　fraternal twins 이란성 쌍둥이　　garbage 쓰레기　　broadly 널리　　rise 차오르다(-rose-risen)　　Flemish 플랑드르 지방의
artwork 예술작품　　influence 영향을 주다　　greatly 크게　　especially 특히　　conclusion 결론　　challenge 도전 과제　　flexible 융통성 있는
independent 독립적인　　formulate 만들어내다

구조+해석 문장을 끊어 읽고 해석하시오.

0
고2 3월
응용

He starts again, / but the going is slow, / so he rests again.
절₁   절₂   절₃
→ 그는 다시 시작하지만, 진행이 더디므로, 그는 다시 휴식을 취한다.

1
고2 3월
응용

Not only is he tired, but he becomes more and more discouraged until he gives up completely.

→ _____

2
고2 9월
응용

The highest consumption of calories from sugar drinks is more than four times as much as the lowest consumption in females.

→ _____

3
고2 6월
응용

Keith Chen, a professor at Yale, had a question about what would happen if he could teach a group of monkeys to use money.

→ _____

4
고2 6월

Marie Curie is treated as if she worked alone to discover radioactivity and Newton as if he discovered the laws of motion by himself.

→ _____

5
고2 3월

Less well known at the time was the fact that Freud had found out, almost by accident, how helpful his pet dog Jofi was to his patients.

→ _____

6
고2 11월

It will take some time to warm them up, but it's only through practice and action that you will achieve your desired goal.

→ _____

---

discouraged 좌절한   completely 완전히   consumption 소비   discover 발견하다   radioactivity 방사능   the laws of motion 운동의 법칙
by accident 우연히   achieve 성취하다   desired 원하는

구조+영작 구조에 맞게 주어진 표현을 활용하여 영작하시오.

0
고2 11월

Alexandra는	사용한다	그녀의 전화기와 태블릿을 둘 다	인터넷을 검색하고, 이메일을 쓰고, 소셜 미디어를 확인하기 위해
Alexandra	uses	both her phone and tablet	to surf the Internet, write emails, and check social media.
S	V	O(both A and B)	M(to부정사구₁, (to)부정사구₂, and (to)부정사구₃)

*tablet, surf the Internet, social media

1
고2 9월

영어 사용자들은	가진다	가장 단순한 체계들 중 하나를	가족 관계를 묘사하기 위한
S	V	O(one of the+최상급+복수명사)	M(for+O(동명사구))

*speaker, have, simple, system, describe, familial relationships

2
고1 11월

그녀는	약속했다	그녀가 회의를 빠지겠다고	그리고 뮤지컬에 참석하겠다고	만약 Victoria가 주연을 차지한다면
S	V	O((that+)S+조동사의 과거형+동사원형₁ ~)	(등위접속사+동사원형₂ ~)	if+S+V(과거) ~

*promise, skip, attend, land a leading role

3
고1 6월

그들 중 어느 쪽도 ~ 아닌	~이었다	틀린;	그들은	단지 가지고 있었다	다른 선호들을
S₁(부정 주어)	V₁	C	S₂	V₂	O

*neither of, wrong, have, preference

4
고2 3월
응용

라벨 어디에서도 알려주지 않는다	소비자들에게	상자의 3분의 1 이상 첨가당이 함유되어 있다는 것을
도치: 부정어+조동사+S+V	IO	DO(that절: that+S+V+O)

*nowhere, tell, consumer, contain, added sugar

5
고1 11월

바로 ~이다	이 사실	식물들의 부동성(不動性)이라는	그것들이 화학 물질들을 만들도록 하는 것은
It is	강조 어구(S)└(=)┘ 동격의 of ~		that+나머지 어구(V+O+C)

*immobility, cause, make, chemical

6
고1 11월

그 사실이	그가 그 노인을 의심했었다는	아프게 했다	그의 마음을
S └─(=)─┘ 동격의 that절(that+S+V ~)		V	O

*suspect, old man, pain

---

system 체계   describe 묘사하다   familial relationship 가족 관계   skip 빠지다   land a leading role 주연을 차지하다   preference 선호
nowhere 어디에도   added sugar 첨가당   immobility 부동성(不動性)   chemical 화학 물질   suspect 의심하다

니가
최고

ANSWERS

구조+해석

1 Workers' unhappiness / makes / the customer's
　　 S 　　　　　　　　V 　　　　　 O
experience / worse.
　　　　　　　 C
직원들의 불행은 고객들의 경험을 악화시킨다.

2 This / rarely works.
　　 S 　　　 V
이것은 거의 효과가 없다.

3 More cheating per student / occurs / in the
　　 S 　　　　　　　　　　　　 V
larger classes.
더 큰 수업에서 학생당 더 많은 부정행위가 발생한다.

4 The parking lot / is / open / from 1:00 pm to 6:00
　　 S 　　　　　　 V 　 C
pm.
주차장은 오후 1시부터 6시까지 개방한다.

5 He / attended / night classes / at the Art Institute
　 S 　　 V 　　　　 O
of Chicago.
그는 시카고 미술 학교에서 야간 수업에 다녔다.

6 We / received / conflicting messages / from our
　 S 　　 V 　　　　 O
parents, / from our peers, / and from scientific
research.
우리는 부모, 동료, 그리고 과학적 연구 결과로부터 상충하는 메시지를 받았다.

7 In 2007, / the French government / awarded /
　　　　　　　　　 S 　　　　　　　　 V
Khan / the Order of Arts and Letters / for his
　 IO 　　　　　 DO
contribution to cinema.
2007년에, 프랑스 정부는 영화에 대한 그의 공로로 Khan에게 the Order
of Arts and Letters를 수여하였다.

구조+영작

0 | He | lived | on a street corner in Kansas City. |
그는 Kansas City의 길모퉁이에서 살았다.

1 | The body | works | the same way. |
신체는 같은 방식으로 작용한다.

2 | Consistency | always brings | better results. |
일관성은 항상 더 나은 결과들을 가져온다.

3 | Curiosity | is | the essence of life. |
호기심은 생명체의 본질이다.

4 | I | saw | an old woman | with a loaf of bread. |
나는 빵 한 덩어리를 가진 한 노파를 보았다.

5 | The boundaries of logic | make | cultural
relativism | impossible. |
논리의 영역들은 문화 상대주의를 불가능하게 만든다.

6 | The grandmother | showed | Yolanda | the
indoor tree. |
할머니는 Yolanda에게 실내의 나무를 보여 주었다.

구조+해석

1 A pile of dried-up brown needles / had accumulated /
     <u>V(과거완료)</u>
beneath the tree.

한 무더기의 바싹 마른 갈색 솔잎이 나무 아래 쌓여 있었다.

2 Thomas Edison / was / indeed a creative genius.
              <u>V(과거)</u>
Thomas Edison은 정말 창의적인 천재였다.

3 Since that time, / I / have never touched / the
                        <u>V(현재완료)</u>
walls or the ceiling.
그때 이후로, 나는 결코 벽이나 천장에 손을 대지 않았다.

4 We / will never see / the same event and stimuli /
      <u>V(미래)</u>
in exactly the same way / at different times.
우리는 똑같은 사건과 자극을 다른 시간에 정확히 똑같은 방식으로는 절대 볼
수 없을 것이다.

5 The roaring fire / was spreading / through the
                 <u>V(과거진행)</u>
whole building.
맹렬히 타오르는 불은 건물 전체로 퍼지고 있었다.

6 She / is / a young woman / now / and has become /
      <u>V₁(현재)</u>   <u>V₂(현재완료)</u>
an excellent writer, public speaker, and student

leader.
그녀는 지금 젊은 여성이고, 뛰어난 작가, 연설가, 그리고 학생 리더가 되었다.

7 The life of the china bowl / is always existing /
                          <u>V(현재진행)</u>
in a dangerous situation.
자기 그릇의 생명은 항상 위험한 상황에 놓여 있다.

구조+영작

0 | Advance tickets | are | $36 | and available online. |

사전 구매 티켓들은 36달러이고 온라인으로 구매할 수 있다.

1 | The sun | caught | the ends of the hairs | along | the bear's back. |

태양이 곰의 등을 따라 나 있는 털들의 끝부분을 비추었다.

2 | Lisa | had had | a very hard time | on the first days of school. |

Lisa는 학교생활의 처음 며칠에 매우 어려운 시기를 겪었었다.

3 | Dr. Wilkinson | was pinning | a gold medal | on each of the top five medical graduates. |

Dr. Wilkinson은 다섯 명의 최우수 의대 졸업생 각자에게 금메달을 달아 주고
있었다.

4 | The body | has | an effective system | of natural defence | against parasites. |

신체는 병균들에 대항하는 자연적 방어의 효율적인 체계를 갖고 있다.

5 | Behavioral ecologists | have observed | clever copying behavior | among many of our close animal relatives. |

행동 생태학자들은 우리의 가까운 동물 친척들 중 다수에게서 영리한 모방 행
동을 관찰해 왔다.

6 | We | are looking for | dancers | for the musical *A Midsummer Night's Dream*. |

우리는 뮤지컬 'A Midsummer Night's Dream'을 위한 무용수들을 찾고
있다.

구조+해석

1 The balloon / was filled with / helium, / four times
   S   V(수동태+전치사)   O(전치사의 목적어)
lighter than air.
그 풍선은 공기보다 네 배 더 가벼운 헬륨으로 채워져 있었다.

2 In fact, / much research / has been done / on
              S   V(현재완료 수동태)
the developmental stages of childhood.
사실, 유년기의 발달 단계에 관한 많은 연구가 이루어져 왔다.

3 The solution to Fermat's Last Theorem / was
                    S
not established / until the late 1990s / by
V(수동태)
Andrew Wiles.
by+목적어
Fermat의 Last Theorem에 대한 해답은 1990년대 후반까지 Andrew
Wiles에 의해 밝혀지지 않았다.

4 Food and drink / will be provided / before
      S   V(수동태)
the start of the fireworks display / for your
enjoyment / throughout the event.
음식과 음료는 행사 내내 당신이 즐길 수 있도록 불꽃놀이 시작 전에 제공될
것이다.

5 The indoor life / is made / light and delightful /
      S   V(수동태)   C
by glass.
by+목적어
실내의 삶은 유리에 의해서 밝고 유쾌해진다.

6 Such tricks / are called / "placebo buttons" /
      S₁   V₁(수동태)   C
and they / are being pushed / in all sorts of
S₂   V₂(현재진행 수동태)
contexts.
그러한 속임수들은 'placebo buttons'라고 불리며 모든 종류의 상황에서 사용
되고 있다.

7 All shoes / will be repaired / and given / to
      S   V₁(수동태)   V₂(수동태: (will be+)p.p.)
children.
전치사+O
모든 신발들은 수선되어 아이들에게 전해질 것이다.

구조+영작

0 She | was touched | and all her students | were
also deeply moved.
그녀는 감동받았고, 그녀의 모든 학생들 또한 깊이 감동받았다.

1 Discounts | will be offered | by the bookstores
to participants | for any book.
어떤 책에 대해서든 참가자들에게 서점에서 할인이 제공될 것이다.

2 Flight safety instructions | are being given.
비행 안전 교육이 진행되고 있다.

3 We | are often faced with | high-level decisions.
우리는 종종 높은 수준의 결정들에 직면한다.

4 For many centuries | European science | was
recorded | in Latin.
수 세기 동안 유럽의 과학은 라틴어로 기록되었다.

5 Two students | are given | the title of "official
questioners."
두 명의 학생이 '공식 질문자'의 칭호를 부여받는다.

6 Attitude | has been conceptualized | into four
main components: | affective, cognitive,
behavioral intention, and behavior.
태도는 네 가지 주요한 요소로 개념화되어 왔다. 즉, 감정적 요소, 인지적 요
소, 행동적 의도 요소, 그리고 행동 요소.

구조+해석

1 I / would like to update / the apartment / with a
V(바람·소망: would like to+동사원형)
new coat of paint.
나는 아파트를 새 페인트칠로 새롭게 하고 싶다.

2 He / is able to convey / his artistry / in a pure form.
V(능력: be able to+동사원형)
그는 자신의 예술적 재능을 순수한 형태로 전달할 수 있다.

3 I'd look for / my standing / and compare / my
V(과거의 습관: would+동사원형.)   (동사원형.)
progress / with the progress of all the other
leaders.
나는 내 순위를 찾아 다른 모든 지도자들의 발전과 나의 발전을 비교하곤 했다.

4 In his lifetime, / he / must have painted /
V(과거의 추측: must+have p.p.)
hundreds of houses, / inside and out.
평생 동안, 그는 수백 채의 집의 안과 밖을 칠했음에 틀림없다.

5 On a date with a wonderful somebody, / subtle
things like bad breath or wrinkled clothes /
may spoil / your noble efforts.
V(가능성·추측: may+동사원형)
멋진 누군가와의 데이트에서, 입 냄새 또는 구겨진 옷과 같은 미묘한 것들이
당신의 숭고한 노력을 망칠지도 모른다.

6 A lone genius / might create / a classic work of
V₁(가능성·추측: might+동사원형)
art or literature, / but he / could never create /
V₂(능력: could+동사원형)
an entire industry.
혼자인 천재는 최고 수준의 예술이나 문학 작품을 만들어 낼지는 모르지만, 그는
절대 전체 산업을 창출해 낼 수 없다.

구조+영작

0 They │ were able to compromise │ regarding
the housework.
그들은 집안일에 관하여 타협할 수 있었다.

1 His wife │ must have │ some kind of 'internal
clock' │ inside her brain.
그의 아내는 일종의 '생체 시계'를 그녀의 머릿속에 가지고 있음에 틀림없다.

2 You │ can do │ several things │ at once.
당신은 한 번에 몇 가지 일들을 할 수 있다.

3 Too many limits │ may spoil │ the normal
development of autonomy.
너무 많은 제한들은 정상적인 자율성의 발달을 저해할지도 모른다.

4 We │ would like to request │ permission.
우리는 허가를 요청하고 싶다.

5 Video games │ can have │ a negative impact │ on
spending habits.
비디오 게임들은 소비 습관들에 부정적인 영향을 미칠 수 있다.

6 This capacity │ may first have emerged │ between
1.5 and 0.5 million years ago.
이러한 능력은 150만 년 전에서 50만 년 전 사이에 처음으로 생겨났을지도
모른다.

구조+해석

1 The problem 〈of amino acid deficiency〉 is not /
　　　　　　 S(명사구)　　　　　　　　　 V
unique / to the modern world / by any means.
아미노산 결핍의 문제가 결코 현대 세계에 유일한 것은 아니다.

2 It / was / the first day of her school / and she /
S₁(비인칭 주어)/V₁　　　　　　　　　　　 S₂(대명사)
went / to her new school / by bus.
V₂
그녀의 학교에서의 첫날이었고, 그녀는 버스로 그녀의 새로운 학교로 갔다.

3 Is / it / possible [that two words / can change /
　　 S(가주어)　　　　 S′(진주어: 명사절(that+S+V ~))
someone's day, / someone's life]?
두 단어가 누군가의 하루, 누군가의 삶을 바꿀 수 있을까?

4 Studying relatively simple systems / avoids /
　　　　 S(동명사구)　　　　　　　　　　 V
unnecessary complications.
비교적 단순한 체계를 연구하는 것은 불필요한 문제들을 피한다.

5 It's [what goes on inside your head] [that makes
It's　　 강조 어구(S: 명사절(what+V ~))　　 that+나머지 어구
the difference].
(V+O)
차이를 만들어내는 것은 바로 당신의 머릿속에서 일어나는 것이다.

6 It / is / hard 〈to develop new things in big
S₁(가주어)　　　　　 S′₁(진주어: to부정사구)
organizations〉, and it / is / even harder 〈to do
　　　　　　　　　　　 S₂(가주어)
it by yourself〉.
S′₂(진주어: to부정사구)
큰 규모의 조직에서 새로운 것들을 개발하는 것은 어렵고, 혼자 힘으로 그것을
해내는 것은 훨씬 더 어렵다.

7 It / has been determined [that it / takes only a
S(가주어)　　　　　　　　　　 S′(진주어: that절) S(가주어)
few seconds / for anyone 〈to assess another
　　　　　　 의미상 주어　　　 S′(진주어: to부정사구)
individual〉].
누구나 다른 개인을 평가하는 데는 몇 초밖에 걸리지 않는다는 판단이 났다.

구조+영작

0 Continuing to repeat ｜ the name ｜ throughout ｜ conversation ｜ will further cement ｜ it ｜ in your ｜ memory.
대화 내내 이름을 계속해서 반복하는 것은 당신의 기억 속에서 그것을 더 굳
건히 할 것이다.

1 They ｜ fall ｜ to the floor ｜ with a clatter.
그것들은 땡그랑 소리와 함께 바닥에 떨어진다.

2 It ｜ is often ｜ more efficient ｜ to develop the ｜ technique of selective note-taking.
선별적 필기 기술을 발달시키는 것이 흔히 더 효율적이다.

3 It ｜ is ｜ clear ｜ that in the image ｜ the dancers ｜ are wearing ｜ traditional Korean dress.
그 이미지에서 무용수들은 전통적인 한국 의상을 입고 있는 것이 분명하다.

4 On the surface ｜ it may seem ｜ the child is ｜ resistant and difficult.
표면적으로는 그 아이가 반항적이고 까다로운 것처럼 보일 수도 있다.

5 There ｜ is ｜ no admission fee ｜ and booking ｜ is ｜ not needed.
입장료가 없고 예약은 필요하지 않다.

6 In this world, ｜ being smart or competent ｜ isn't ｜ enough.
이 세상에서, 똑똑하거나 능력이 있는 것은 충분하지 않다.

REVIEW TEST

구조+해석

1 Sociologists / have confirmed [that this principle
is a strong motivator].
V   O(명사절: that+S+V ~)

사회학자들은 이 원칙이 강력한 동기부여가 된다는 것을 확인했다.

2 His response / made / it / very clear [that he
V   O(가목적어)
trusted his gut feeling / and was satisfied with
O'(진목적어: that+S+V ~)   전치사+
himself / and with his decision].
O(재귀대명사)   전치사+O(명사구)

그의 반응은 그가 자신의 직감을 믿으며, 자기 자신과 자신의 결정에 만족한다는 것을 매우 분명히 했다.

3 The temple students / would measure / time /
V   O
by [how fast the bucket drained].
전치사   O(명사절: how+부사+S+V)

사찰 학생들은 얼마나 빨리 양동이에서 물이 빠졌는지 시간을 재곤 했다.

4 Merely knowing [that you're not the only
knowing의 목적어(명사절: that+S+V ~)
resister] makes / it / substantially easier / to
V   O(가목적어)
reject the crowd.
O'(진목적어: to부정사구)

단순히 당신이 유일한 저항가가 아니라는 것을 아는 것은 군중에게 반대하는 것을 상당히 더 쉽게 만든다.

5 I / told / myself [it will remind you of the word
V   IO(재귀대명사) DO(명사절: (that+)S+V ~)   V'+O+전치사+
north].
O(명사구)

나는 그것이 당신에게 'north(북쪽)'라는 어휘를 떠올리게 할 것이라고 중얼거렸다.

6 About 250 years ago, / fossil fuels / began / to be
V
used on a large scale / for powering machines.
O(to부정사구)   전치사+O(동명사구)

약 250년 전, 화석연료는 많은 다양한 종류의 기계들에 동력을 공급하기 위해 대규모로 사용되기 시작했다.

7 Start / by asking yourself [how you know
V   전치사 O(동명사구) asking의 IO DO(명사절: how+S+V ~)
⟨whether or not someone is famous⟩].
know의 목적어(명사절: whether+or not+S+V ~)

당신이 누군가가 유명한지 아닌지를 어떻게 아는지를 자문함으로써 시작하라.

구조+영작

0 Educators | have said | that understanding is
the key | to learning.

교육자들은 이해가 학습에 있어서 핵심이라고 말해 왔다.

1 The young woodcutter | decided | to work
harder | the next day.

젊은 나무꾼은 그 다음날에 더 열심히 일하기로 결심했다.

2 I | understand | that now is | a busy time | in
the school year.

나는 지금이 학기 중에서 바쁜 시기라는 것을 이해한다.

3 You | would find | it | very difficult indeed
to describe | the *inside* of your friend.

너는 너의 친구의 '내면'을 묘사하는 것이 실제로 매우 어렵다는 것을 알게 될 것이다.

4 I | looked forward to | getting the surgery over
with | and working hard | at recovery.

나는 수술을 끝마치고 회복에 열심히 노력하기를 기대했다.

5 The habitual acts | can be helpful | in keeping
us from danger | in our lives.

습관인 행동들은 우리의 삶에서 우리를 위험으로부터 지켜주는 데 도움을 줄 수 있다.

6 Participants | were asked | whether it would be
more moral | for AVs to sacrifice one passenger
rather than kill 10 pedestrians.

참가자들은 자율자동차(AV)들이 10명의 보행자들을 사망하게 하는 것보다는 한 명의 승객을 희생시키는 것이 더 도덕적인지에 대한 질문을 받았다.

구조+해석

1 He / can no longer see / the birds / or hear / them / sing.
                                        O / C(원형부정사)
그는 더 이상 새들을 보거나 새들이 노래하는 것을 들을 수 없다.

2 She / wrote / her second novel, *The Wedding*, / in 1950, / but left / it / incomplete.
                         O / C(형용사)
그녀는 1950년에 두 번째 소설 'The Wedding'을 썼지만, 그것을 미완성인 상태로 두었다.

3 The first / is / an attraction ⟨to new foods⟩; the
   S₁   C(명사구)
second / is / a preference ⟨for familiar foods⟩.
 S₂   C(명사구)
첫 번째는 새로운 음식에 대한 끌림이고, 두 번째는 익숙한 음식에 대한 선호이다.

4 He / saw / his son William / lying peacefully
           O   C(현재분사구)
before the fireplace.
그는 자기 아들 William이 벽난로 앞에 태평하게 누워 있는 모습을 보았다.

5 One possible logical response ⟨to the need for
                S
more light⟩ would be / to increase illumination
                       C(to부정사구)
levels in general.
더 많은 빛의 필요성에 대한 한 가지 가능한 논리적 대응은 전반적으로 조도를 늘리는 것일 것이다.

6 By enduring this training, / Conner / helped / the US team / to earn a gymnastics team gold.
                        O   C(to부정사구)
이 훈련을 견뎌냄으로써, Conner는 미국 팀이 체조 단체전 금메달을 따는 데 도움을 줄 것이다.

7 The developmental challenge ⟨of blind spots⟩ is
                    S
[that you don't know ⟨what you don't know⟩].
                C(명사절: that+S+V ~)
맹점이 지닌 발달상의 과제는 당신이 무엇을 모르는지 모른다는 것이다.

구조+영작

0 | This division | is | culturally and historically relative. |
이러한 구분은 문화적으로 그리고 역사적으로 상대적이다.

1 | For them, | sweet potato pie | is | the common referent. |
그들에게 있어서, 고구마 파이는 흔한 언급 대상이다.

2 | The reason | is | that the pull of gravity | also depends on | the distance to the object. |
그 이유는 중력의 잡아당기는 힘이 또한 물체와의 거리에 달려 있다는 것이다.

3 | Software developments | made | the task of creating online content | quicker and cheaper. |
소프트웨어의 발전은 온라인 콘텐츠를 만드는 작업을 더 빠르고 더 저렴하게 만들었다.

4 | This apparent limitation | is precisely | what helps | consumers | make | it | a treat. |
이 외견상의 제한은 정확히 소비자들이 그것을 큰 기쁨으로 만들도록 돕는 것이다.

5 | According to research, | cute aggression | may make | us | care for cute creatures. |
연구에 따르면, 귀여운 공격성은 우리들이 귀여운 생명체들을 돌보게 만들지도 모른다.

6 | He | saw | his little daughter | crawling on all fours | along a narrow concrete ledge. |
그는 그의 어린 딸이 좁은 콘크리트 난간을 따라 네 손발로 기어다니는 것을 보았다.

구조+해석

1 The door / inched / open / and Mom's smiling
현재분사
face / appeared.
명사
문이 조금씩 열렸고 엄마의 미소 짓는 얼굴이 나타났다.

2 Thankfully, / he / soon caught up with / Julia
선행사
[who was struggling in the water].
관계대명사절(who+V ~)
감사하게도, 그는 물속에서 허우적거리는 Julia를 곧 따라잡았다.

3 Much ⟨of the spread of fake news⟩ occurs /
대명사   전치사구
through irresponsible sharing.
형용사   명사
가짜 뉴스 확산의 많은 부분은 무책임한 공유를 통해 일어난다.

4 Gold and silver / enter / society / at the rate [at
선행사
which they are discovered and mined].
전치사+관계대명사절
금과 은은 그것들이 발견되고 채굴되는 속도로 사회에 유입된다.

5 There is / a reason [why so many of us are
선행사   관계부사절(why+S+V ~)
attracted to recorded music these days].
요즘 우리 중 그렇게나 많은 사람이 녹음된 음악에 끌리는 이유가 있다.

6 Often / they / may be / passive spectators ⟨of
형용사   명사
entertainment provided by television⟩.
전치사구   과거분사구
흔히 그들은 텔레비전에 의해 제공되는 오락의 수동적인 구경꾼일 수 있다.

7 Your company / took / a similar course / last
선행사₁
year, [which included a lecture by an Australian
관계대명사절₁(which+V ~)   선행사₂
lady ⟨whom you all found inspiring⟩].
관계대명사절₂(whom+S+V ~)
귀사는 작년에 비슷한 연수를 받으셨고, 거기에는 여러분 모두가 고무적이라고
생각한 호주 출신 여성분의 강연이 포함되어 있었습니다.

구조+영작

0 Exercising | becomes | mindless, | which is | 'the
goal' | of addiction.
운동하는 것은 아무런 생각이 없게 되고, 그것이 중독의 '목표'이다

1 The tree | he was holding onto | was swaying
dangerously.
그가 붙잡고 있는 나무가 위험하게 흔들리고 있었다.

2 Even someone | who is | totally deaf | can still
hear/feel | sounds.
심지어 완전히 귀가 먹은 어떤 사람도 여전히 소리를 들을/느낄 수 있다.

3 People | can seek | safety | with the help | of the
data | gathered by drones.
사람들은 드론에 의해 수집된 정보의 도움으로 안전을 추구할 수 있다.

4 However, | there may be | a price | to pay | in
terms of happiness.
그러나, 행복의 관점에서 치러야 할 대가가 있을지도 모른다.

5 I | looked forward to | the annual report
showing | statistics | for each of the leaders.
나는 각각의 지도자들에 대한 통계를 보여 주는 연간 보고서를 손꼽아 기다렸다.

6 That | was | the show | where their paintings
were severely criticized.
그것은 그들의 그림들이 호되게 비판을 받았던 전시회였다.

구조+해석

1 We / are doing [what we intend to do], [even though it's happening automatically].
부사절(양보)

비록 자동적으로 일어나기는 하지만, 우리는 우리가 하고자 의도하는 것을 하고 있다.

2 〈Looking for a place to hide〉, I / spotted / the
분사구문(동시동작)
big spruce tree [that took up half our yard].

숨을 곳을 찾으면서, 나는 우리 마당의 반을 차지하고 있는 큰 전나무를 발견했다.

3 They / had to keep / accurate time [so that monastery bells could be rung at regular
부사절(목적)
intervals].

그들은 수도원의 종이 규칙적인 간격으로 울릴 수 있도록 정확한 시간을 지켜야 했다.

4 〈When deliberating about innovation
접속사+분사구문
opportunities〉, the leaders / weren't / inclined /
to부정사구(형용사 수식)
to take risks.

혁신 기회에 대해 심사숙고할 때, 리더들은 위험을 무릅쓰지 않는 경향이 있었다.

5 [If differences in well-being are determined by
부사절(조건)
circumstances 〈lying outside of an individual's control〉], they / are / unjust.

행복에 있어서의 차이가 개인의 통제 밖에 있는 환경에 의해 결정된다면, 그 차이는 불공평하다.

6 [Since your products had never let me down
부사절(이유)
before], I / bought / your brand-new coffee machine, / on May 18th / from your online store.
전치사구(시간)   전치사구(장소)

귀사의 제품은 여태껏 저를 실망시킨 적이 없었기 때문에, 저는 5월 18일에 귀사의 온라인 상점으로부터 귀사의 신제품인 커피머신을 구매했습니다.

7 [When a child experiences scary moments], it /
부사절(시간)
can be / overwhelming, 〈with intense emotions flooding the right brain〉.
with+O+v-ing

아이가 무서운 순간을 경험할 때, 격렬한 감정이 우뇌에 들이닥쳐, 그것은 감당하기 힘들 수 있다.

구조+영작

0 After that trip, │ his style │ changed │ to reflect │ the realism of those painters.

그 여행 이후, 그의 스타일은 바뀌어서 그 화가들의 사실주의를 반영했다.

1 Unfortunately, │ this lack of exercise │ can actually compound │ many negative emotions.

불행히도, 이러한 운동의 부족은 많은 부정적인 감정들을 실제로 악화시킬 수 있다.

2 Working in a print shop, │ he │ became │ interested in art.

인쇄소에서 일하면서, 그는 미술에 관심을 가지게 되었다.

3 Participants │ can't get │ a refund │ once │ their class │ starts.

참가자들은 일단 그들의 수업이 시작되면 환불을 받을 수 없다.

4 After listening to │ what had happened, │ he nodded.

무슨 일이 있었는지를 듣고 난 후, 그는 고개를 끄덕였다.

5 The historical tendency │ is │ strong enough │ to make │ people │ cling to the status quo.

그 역사적 경향은 사람들이 현재 상태를 고수하도록 만들기에 충분히 강력하다.

6 Though │ we │ are │ all experienced shoppers, │ we │ are still fooled.

우리가 모두 경험이 많은 소비자일지라도, 우리는 여전히 속임수에 넘어간다.

구조+해석

1 Not only is he tired, / but he becomes more
not only A(도치: 부정어+V+S) but also B
and more discouraged [until he gives up
비교급+and+비교급: 점점 더 ~한
completely].

그는 지쳤을 뿐만 아니라, 완전히 포기할 때까지 점점 더 좌절한다.

2 The highest consumption of calories / from
A(최상급+명사 ~)
sugar drinks / is / more than four times as much
배수 표현+as+원급+as
as / the lowest consumption / in females.
B(최상급+명사)   (of calories from sugar drinks)

여성의 설탕 음료를 통한 가장 높은 칼로리 섭취량은 가장 낮은 섭취량의 4배
이상이다.

3 Keith Chen, (a professor at Yale), / had a
(=)
question / about [what would happen / if
S(의문사)+조동사의 과거형+V(원형)
he could teach a group of monkeys / to use
if+S+조동사의 과거형+V(원형)
money].

Yale 대학의 교수인 Keith Chen은 만약 그가 한 무리의 원숭이들에게 돈을 사용
하도록 가르칠 수 있다면 어떤 일이 생길지에 대해 의문을 품었다.

4 Marie Curie / is treated [as if she worked alone /
S₁   V₁(현재)   as if+S+V(과거)
to discover radioactivity] and Newton [as if he
S₂   V₂(is treated)
discovered the laws of motion by himself]. 생략
as if+S+V(과거)

Marie Curie는 그녀가 방사능을 발견하기 위해 홀로 연구한 것처럼 여겨지고
Newton은 그가 운동의 법칙을 홀로 발견한 것으로 여겨진다.

5 Less well known at the time was the fact [that
도치: 부정어+V+S   (=)
Freud had found out, (almost by accident), [how
삽입구
helpful / his pet dog Jofi / was / to his patients].

Freud가 자신의 애완견 Jofi가 그의 환자들에게 매우 도움이 되었다는 것을 거의
우연히 발견했다는 그 사실은 당시에 덜 알려졌다.

6 It will take some time to warm them up, / but
절₁
it's / only through practice and action [that you
절₂(It's ~ that 강조 구문(부사구 강조))
will achieve your desired goal].

그것들을 준비시키는 것은 시간이 조금 걸리겠지만, 원하는 목표를 성취하게
되는 것은 오직 연습과 행동을 통해서이다.

구조+영작

0 Alexandra uses both her phone and tablet
to surf the Internet, write emails, and check
social media.

Alexandra는 인터넷을 검색하고, 이메일을 쓰고, 소셜 미디어를 확인하기
위해 자신의 전화기와 태블릿을 둘 다 사용한다.

1 English speakers have one of the simplest
systems for describing familial relationships.

영어 사용자들은 가족 관계를 묘사하기 위한 가장 단순한 체계들 중 하나를
가진다.

2 She promised she would skip the meeting
and attend the musical if Victoria landed a
leading role.

그녀는 만약 Victoria가 주연을 차지한다면 그녀가 회의를 빠지고 뮤지컬에
참석하겠다고 약속했다.

3 Neither of them were wrong; they just had
different preferences.

그들 중 어느 쪽도 틀린 것은 아니었고, 그들은 단지 선호가 달랐을 뿐이다.

4 Nowhere does the label tell consumers that
more than one-third of the box contains added
sugar.

라벨 어디에서도 상자의 3분의 1 이상 첨가당이 함유되어 있다는 것을 소비
자들에게 알려주지 않는다.

5 It is this fact of plants' immobility that causes
them to make chemicals.

그것들이 화학 물질들을 만들도록 하는 것은 바로 식물들의 부동성(不動性)
이라는 이 사실이다.

6 The fact that he had suspected the old man
pained his heart.

그가 그 노인을 의심했었다는 그 사실이 그의 마음을 아프게 했다.

#차원이_다른_클라쓰
#강의전문교재
#고등교재

수학 교재

● **쉬운 개념서**
짤강수학   예비고~고3
수학(상), 수학(하), 수학Ⅰ, 수학Ⅱ, 확률과통계, 미적분

● **쉬운 입문서**
수학입문   예비고~고3
수학(상), 수학(하), 수학Ⅰ, 수학Ⅱ

● **수학 기본서**
수학의 힘 알파   고1~고3
수학(상), 수학(하), 수학Ⅰ, 수학Ⅱ, 확률과통계, 미적분

● **문제 유형서**
수학의 힘 베타   고1~고3
수학(상), 수학(하), 수학Ⅰ, 수학Ⅱ, 확률과통계, 미적분

● **4주 집중학습 기출문제집**
내신 꼭   고1~고3
고등수학, 수학Ⅰ, 수학Ⅱ

영어 교재

● **종합 기본서**
체크체크 고등영어   예비고~고1

● **고등 영어의 시작**
처음 만나는 수능 구문   예비고~고2
Starter, Basic

● **고등 영어의 시작**
처음 만나는 수능 어법   예비고~고2
Starter, Basic

● **필수 어휘 총 정리서**
바로 VOCA   예비고~고1
고교기본, 수능필수

기출문장으로 공략하는

처음 만나는
수능 구문

Basic

구문분석노트

기본

CHUNJAE
EDUCATION, INC.

구문분석노트
포인트 ③가지

▶ 핵심 개념과 기출문장을 모두 수록

▶ 혼자서도 이해할 수 있는 친절한 기출문장 분석

▶ 빠른 해석을 위한 직독직해 수록

Contents

1 1형식: 주어+동사

- 1형식 문장은 문장의 최소 단위인 주어(S)와 동사(V)로 구성된다.
- 장소, 시간, 방법 등을 나타내는 수식어구(M)가 덧붙기도 하지만, 형식에는 영향을 주지 않는다.
- 주어 자리에는 명사와 대명사가 올 수 있고, 둘 이상의 명사 또는 명사 앞/뒤에 수식어가 붙은 긴 어구(명사구)가 오기도 한다.

구문 노트

대표 문장 Steve는 / 달렸다

001 **Steve** / **ran.**
고2 9월 　S(명사)　　V

→ 주어와 동사로 구성된 1형식 문장이다.

당신은 / 중요하다

002 **You** / **matter.**
고2 6월 　S(대명사)　　V

→ 대명사가 주어로 쓰였다.

나의 모든 두려움이 / 사라졌다

003 **All my fear** / **disappeared!**
고2 3월 　　S(명사구)　　　　　V

→ 명사가 주어로 쓰였다.

엄마의 미소 짓는 얼굴이 / 나타났다

004 **Mom's smiling face** / **appeared.**
고2 6월
응용 　　S(명사구)　　　　　　V

Bella의 두려움은 / 줄어들었다 / 그리고 결국 사라졌다

☆**005** **Bella's fears** / **lessened** / and eventually **went away.**
고2 3월
응용 　S(명사구)　　　V₁　　　　　　　V₂

→ 동사 두 개가 and로 연결되어 있다.
→ eventually는 동사 went away를 수식하는 부사이다.

37개 국가 출신의 볼 수 있는 선수들과 시각 장애가 있는 선수들이 / 시합을 치렀다

☆**006** **Sighted and blind athletes from 37 nations** / **competed.**
고2 3월 　　　　　　　S(명사구)　　　　　　　　　　V

→ 명사 athletes 앞뒤에 수식어가 붙었다.

대표 문장 당신은 / 있다 / 기차 안에

007 **You** / **are** / in a train.
고2 6월
응용 S(대명사) V　　M(장소)

→ 장소를 나타내는 수식어가 함께 쓰였다.

그 쌍둥이는 / 있었다 / 분리된 인큐베이터에

008 **The twins** / **were** / in separate incubators.
고2 6월
응용 　S(명사)　　V　　　　M(장소)

Sadie와 Lauren은 / 있었다 / 밖에 / 우비도 없이

☆**009** **Sadie and Lauren** / **were** / out there / with no rain gear.
고2 9월 　　S(명사구)　　　V　　M₁(장소)　　M₂(방법)

→ 장소, 방법을 나타내는 수식어가 함께 쓰였다.

Bahati는 / 살았다 / 작은 마을에

010 **Bahati** / **lived** / in a small village.

고2 11월
응용   S(명사)   V   M(장소)

구문 노트 ✎

→ 장소를 나타내는 수식어가 함께
쓰였다.

투어는 / 지속된다 / 약 1시간 정도

011 **The tour** / **lasts** / approximately 1 hour.

고2 6월   S(명사)   V   M(시간)

→ 시간을 나타내는 수식어가 함께
쓰였다.

주차장은 / 연다 / 오전 9시에

012 **The parking lot** / **opens** / at 9 a.m.

고2 3월   S(명사구)   V   M(시간)

상대적인 움직임에 대한 착각은 / 작동한다 / 다른 방식으로도

013 **The illusion of relative movement** / **works** / the other way.

고2 6월
응용   S(명사구)   V   M(방법)

→ 방법을 나타내는 수식어 (in) the
other way가 함께 쓰였다.

나이와 관련된 주요한 두 종류의 구조적 변화가 / 일어난다 / 눈에서

014 **Two major kinds of age-related structural changes** / **occur** / in the eye.

고2 3월   S(명사구)   V   M(장소)

→ 장소를 나타내는 수식어가 함께
쓰였다.

어느 날 / Kathy는 / 서 있었다 / 학교 앞에

015 One day, / **Kathy** / **stood** / in front of the school.

고2 9월
응용   M₁(시간)   S(명사)   V   M₂(장소)

→ 시간, 장소를 나타내는 수식어가
함께 쓰였다.

현재 / Amory의 석조 기념비가 / 세워져 있다 / Black Beauty Ranch에

016 Today, / **a stone monument to Amory** / **stands** / at Black Beauty Ranch.

고2 9월   M₁(시간)   S(명사구)   V   M₂(장소)

다음 두 시간 동안 / 회사 간부들은 / 일했다 / 그룹으로

017 For the next two hours, / **the executives** / **worked** / in groups.

고2 6월
응용   M₁(시간)   S(명사)   V   M₂(방법)

→ 시간, 방법을 나타내는 수식어가
함께 쓰였다.

12월 6일 / 나는 / 도착했다 / Cleveland에 있는 University 병원에 / 오전 10시에

☆ **018** On December 6th, / **I** / **arrived** / at University Hospital in Cleveland / at 10:00 a.m.

고2 3월   M₁(시간)   S(대명사) V   M₂(장소)   M₃(시간)

→ 시간, 장소를 나타내는 수식어가
함께 쓰였다.

2 2형식: 주어 + 동사 + 보어

- 2형식 문장은 주어(S)와 동사(V)에 보어(C)가 덧붙는다.
- 보어 자리에는 명사, 대명사와 형용사가 올 수 있고, 주어의 성질이나 상태를 보충 설명한다.

| | 구문 노트 🖊 |

대표 문장   Mary는 / ~이다 / 인테리어 디자이너

019   Mary / is / **an interior designer**.
고2 3월   S   V   C(명사구)

→ 주어의 상태를 나타내는 be동사가 쓰였다.

크라우드 펀딩은 / ~이다 / 새롭고 더 협력적인 방법

020   Crowdfunding / is / **a new and more collaborative way**.
고2 11월   S   V   C(명사구)
응용

→ 명사 앞에 수식어가 붙어서 보어가 길어졌다.

지원 마감일은 / ~이다 / 11월 23일

021   The application deadline / is / **November 23rd**.
고1 11월   S   V   C(명사구)

실수는 / ~이다 / 최고의 선생님

022   Mistakes / are / **the best teachers**.
고2 6월   S   V   C(명사구)
응용

우리는 / ~이다 / 우리 삶의 CEO들

023   We / are / **the CEOs of our own lives**.
고2 9월   S   V   C(명사구)

→ 명사 앞에 수식어가 붙어서 보어가 길어졌다.

오늘날 우리의 위험은 / ~이다 / 고혈압이나 당뇨병

024   Our dangers today / are / **high blood pressure or diabetes**.
고2 11월   S   V   C(명사구)
응용

→ 두 개의 명사가 or로 연결되어 있다.

그들은 / 주로 된다 / 리더가

☆ **025**   They / often become / **leaders**.
고2 6월   S   V   C(명사)
응용

→ 주어의 상태 변화를 나타내는 동사 become이 쓰였다.

그 책은 / 되었다 / 즉시 베스트셀러가

026   The book / became / **an instant bestseller**.
고2 9월   S   V   C(명사구)
응용

결국 / 공격은 / 된다 / 가장 좋은 형태의 방어 수단이

027   Eventually, / attack / becomes / **the best form of defence**.
고2 3월   M   S   V   C(명사구)
응용

- 상태, 인식, 변화, 감각 등을 나타내는 동사들이 2형식 문장에 주로 쓰인다.
- 특히 감각동사의 주격보어로는 항상 형용사가 오며, 주로 '~하게'라는 의미로 부사처럼 해석된다.

		구문 노트 ✏
	경쟁이 / ~하다 / 치열한	→ 주어의 상태를 나타내는 be동사가
028	The competition / is / **fierce**.	쓰였다.
고2 3월 응용	S　　　　　V　　C(형용사)	
	다른 것들은 / 남아 있다 / 풀리지 않은 채로 / 오늘날까지	→ 주어의 상태를 나타내는 동사
029	Others / remain / **unsolved** / to this day.	remain이 쓰였다.
고2 9월 응용	S　　V　　　C(형용사)　　　　M	
	가끔 / 동물들은 / ~한 것처럼 보인다 / 태연한	→ 인식을 나타내는 동사 seem이 쓰였다.
030	Sometimes / animals / seem / **unconcerned**.	
고2 3월 응용	M　　　　S　　　V　　　C(형용사)	
	아마 / 그 선생님은 / ~해 보일지도 모른다 / 완고한	→ 인식을 나타내는 동사 appear가 쓰
031	Perhaps / the teacher / appears / **stubborn**.	였다.
고2 6월 응용	M　　　S　　　　V　　　C(형용사)	
	나는 / 점점 ~해졌다 / 불안한	→ 상태 변화를 나타내는 동사 grew가
032	I / grew / **anxious**.	쓰였다.
고2 3월 응용	S　V　　C(형용사)	
	그녀는 / 되었다 / 자신감을 가지게 / 자신의 노래에	→ 상태 변화를 나타내는 동사 became
033	She / became / **confident** / in her singing.	이 쓰였다.
고2 11월	S　　V　　　C(형용사)　　　　M	
	이러한 말들은 / 들린다 / 훌륭하게	→ 감각을 나타내는 동사 sound가 쓰였다.
☆**034**	Words like these / sound / **good**.	
고2 3월 응용	S　　　　　V　　C(형용사)	
	당신은 / 느낀다 / 졸린다고 / 짧은 시간 뒤에	→ 감각을 나타내는 동사 feel이 쓰였다.
035	You / feel / **sleepy** / after a short time.	
고2 6월 응용	S　V　　C(형용사)　　　　M	
	그것들은 ~하다 / 너무 작은 / 또는 그것들은 / 맛이 ~하지 않다 / 좋은	→ 주어의 상태를 나타내는 be동사와
☆**036**	They're / too **small**, / or they / don't taste / **good**.	감각을 나타내는 동사 taste가 쓰였다.
고1 11월 응용	S₁+V₁　C₁(형용사구)　　S₂　　　V₂　　C₂(형용사)	→ too는 small을 수식하는 부사이다.

3 3형식: 주어 + 동사 + 목적어

- 3형식 문장은 주어(S)와 동사(V)에 목적어(O)가 덧붙는다.
- 목적어 자리에는 명사, 대명사가 올 수 있고, 주로 '~을/를'로 해석되며 목적어는 주어와 무관(S≠O)하다.

대표 문장		구문 노트 ✏

대표 문장 의심이 / 가득 채웠다 / 그를

037 Doubts / filled / **him.**
고1 11월 　　S　　　V　　O(대명사)

→ 대명사가 목적어로 쓰였다.

우리 선생님들, 코치들, 부모님들이 / 가르쳤다 / 우리를

038 Our teachers, coaches, and parents / taught / **us.**
고2 9월　　　　　　　S　　　　　　　　　V　　O(대명사)

우리는 / 바꾼다 / 그것들을 / 다양한 방식으로

039 We / alter / **them** / in various ways.
고2 3월　　S　　V　　O(대명사)　　　　M
응용

어느 날, / 그 노인은 / 초대했다 / 그를 / 음료를 마시자고 / 쉬는 시간 동안

☆ **040** One day, / the old man / invited / **him** / for a drink / during the break time.
고2 9월　　M₁　　　　S　　　　V　　O(대명사)　　M₂　　　　　　M₃

사람들은 / 사랑한다 / 영웅들을

041 People / love / **heroes.**
고2 6월　　S　　V　　O(명사)

→ 명사가 목적어로 쓰였다.

일반적인 데이트 규칙은 / 가지고 있다 / 과학적 가치를

042 The common dating rule / has / **scientific merit.**
고1 11월　　　　　　S　　　　　　　V　　　O(명사구)

당신은 / 본다 / 다양한 음식이 담긴 여러 접시들을

043 You / see / **platter after platter of different foods.**
고2 3월　　S　　V　　　　　　O(명사구)

농부는 / 금세 키웠다 / 진한 우정을 / 그와

☆ **044** The farmer / quickly developed / **a strong friendship** / with him.
고1 11월　　S　　　　　V　　　　　　　O(명사구)　　　　M

→ 전치사 with 뒤에 대명사가 전치사의 목적어로 쓰였다.

그날 / 젊은 나무꾼은 / 가져갔다 / 15개의 나무를 / 그들의 사장에게

045 That day, / the young woodcutter / brought / **15 trees** / to their boss.
고2 9월　　M₁　　　　S　　　　　　V　　　O(명사구)　　M₂

→ 전치사 to 뒤에 명사가 전치사의 목적어로 쓰였다.

• 목적어가 '~에, ~에게, ~와' 등으로 해석되는 동사들도 있는데, 전치사가 필요 없이 바로 목적어가 온다는 점에 유의해야 한다.

		구문 노트 ✏
	갑자기 / 그녀는 / 멈추었다 / 노래를 / 그리고 말을 걸었다 / 그녀에게 / 곧바로	
046 고2 11월	Suddenly / she / stopped / **the song** / and addressed / **her** / directly. M₁　　　 S₁　　 V₁　　 O₁(명사)　　　 V₂　　 O₂(대명사)　 M₂	→ 동사 address는 목적어가 '~에게' 로 해석된다.
	그녀는 / 다가갔다 / 그 여인에게	
047 고2 6월 응용	She / approached / **the woman**. S　　 V　　　　 O(명사)	→ 동사 approach는 목적어가 '~에게' 로 해석된다.
☆ 048 고2 11월 응용	그들은 / 영향을 미친다 / 사람들의 기분에 They / affect / **people's mood**. S　　 V　　　 O(명사구)	→ 동사 affect는 목적어가 '~에(게)' 로 해석된다.
	그는 / 다녔다 / University College London에	
049 고2 11월 응용	He / attended / **University College London**. S　 V　　　　 O(명사구)	→ 동사 attend는 목적어가 '~에'로 해 석된다.
	나는 / 최근에 참석했다 / 사업의 새로운 논쟁점에 대한 당신의 강연에	
050 고2 11월 응용	I / recently attended / **your lecture about recent issues in business**. S　　 V　　　　　　　 O(명사구)	
	그것은 / 달했다 / 두 자리 숫자에 / 2014년에	
051 고2 11월 응용	It / reached / **the double digits** / in 2014. S　 V　　　 O(명사구)　　　 M	→ 동사 reach는 목적어가 '~에'로 해석 된다.
	Philip은 / 들어갔다 / 막사에 / 약을 가지고	
052 고2 9월 응용	Philip / entered / **the tent** / with the medicine. S　　 V　　　 O(명사)　　 M	→ 동사 enter는 목적어가 '~에'로 해석 된다.
	철도 회사들은 / 직면했다 / 기간 시설 관련 문제에	
053 고2 9월 응용	Railways / faced / **infrastructure-related challenges**. S　　　 V　　　 O(명사구)	→ 동사 face는 목적어가 '~에'로 해석 된다.
054 고2 6월	사건의 최신성은 / 크게 영향을 미친다 / 관리자의 의견에 / 직무 수행 평가 기간 동안 The recency of events / highly influences / **a supervisor's opinion** / during 　　　 S　　　　　　　 V　　　　　 O(명사구)　　　　 M	→ 동사 influence는 목적어가 '~에(게)' 로 해석된다.
	performance appraisals.	

4 4형식: 주어 + 동사 + 간접목적어 + 직접목적어

- 4형식 문장은 목적어가 2개인 문장으로, 동사 뒤에 간접목적어(IO)와 직접목적어(DO)가 덧붙는다.
- 간접목적어, 직접목적어 자리에는 명사, 대명사가 오며, 각각 '~에게'와 '~을/를'로 해석한다.
- 간접목적어 앞에 전치사(to/for/of)를 붙여 문장 뒤로 보내면 3형식 문장으로 바뀐다.
  - '전달'의 의미를 나타내는 give 등은 to, '노력, 정성'이 들어가는 make 등은 for, ask는 of를 쓴다.

		구문 노트 🖋
대표 문장 주인은 / 주었다 / 그녀에게 / 약간의 음식을		→ 대명사가 간접목적어로, 명사구가
055 　The owner / gave / **her** / **some food**.		직접목적어로 쓰였다.
고2 6월 응용　　S　　　 V　　 IO(대명사)　DO(명사구)		→ 동사 give는 3형식 전환 시 전치사
		to를 쓴다.
당신은 / 빚졌다 / 나에게 / 황금 한 항아리를		→ 동사 owe는 3형식 전환 시 전치사
056 　You / owe / **me** / **a pot of gold**.		to를 쓴다.
고2 3월 응용　　S　　 V　 IO(대명사)　 DO(명사구)		
농부는 / 제공했다 / 그에게 / 양고기와 치즈를		→ 동사 offer는 3형식 전환 시 전치사
057 　The farmer / offered / **him** / **lamb meat** and **cheese**.		to를 쓴다.
고1 11월 응용　　S　　　　 V　　 IO(대명사)　　　 DO(명사구)		
그녀는 / 건넸다 / 계산원에게 / 구호 대상자용 식량 카드 몇 개를		→ 두 개의 명사(구)가 각각 간접목적어와
058 　She / gave / **the cashier** / **some food stamps**.		직접목적어로 쓰였다.
고2 6월 응용　　S　 V　　　 IO(명사)　　　　 DO(명사구)		
간호사는 / 보여 주었다 / Lina에게 / 인큐베이터 측면에 있는 창을		→ 동사 show는 3형식 전환 시 전치사
059 　The nurse / showed / **Lina** / **an opening** 〈**in the side of the incubator**〉.		to를 쓴다.
고2 3월　　　　 S　　　 V　　　 IO(명사)　　　　　　 DO(명사구)		
그녀의 업적은 / 얻어주었다 / 그녀에게 / Prince Claus 상을		→ 동사 win은 3형식 전환 시 전치사
☆060 　Her work / won / **her** / **a Prince Claus Award**.		for를 쓴다.
고2 6월 응용　　S　　　 V　 IO(대명사)　　　 DO(명사구)		
한 동료가 / 묻는다 / 당신에게 / 똑같은 질문을		→ 동사 ask는 3형식 전환 시 전치사 of
☆061 　A co-worker / asks / **you** / **the same question**.		를 쓴다.
고2 11월 응용　　 S　　　 V　 IO(대명사)　　 DO(명사구)		

5 5형식: 주어+동사+목적어+보어

- 5형식 문장은 주어(S)와 동사(V)에 목적어(O)와 보어(C)가 덧붙는다.
- 보어 자리에는 명사, 대명사와 형용사가 올 수 있고, 목적어의 성질이나 상태를 보충 설명한다.

		구문 노트 ✏
대표 문장 철학자들은 / 부른다 / 그것을 / '공리주의'라고		→ 명사가 목적격보어로 쓰였다.
062 Philosophers / call / **it** / *utilitarianism*.		
고2 6월 S V O C(명사)		

철학자들은 / 부른다 / 그것을 / '공리주의'라고

062 Philosophers / call / **it** / *utilitarianism*.

고2 6월   S   V   O   C(명사)

→ 명사가 목적격보어로 쓰였다.

Churchill은 / 불렀다 / 이것을 / '식사 외교'라고

063 Churchill / called / **this** / "dining diplomacy."

고1 11월 응용   S   V   O   C(명사구)

우리의 뇌는 / 간주한다 / 이것을 / 위험으로

064 Our brain / considers / **this** / **a danger**.

고2 11월 응용   S   V   O   C(명사)

그들은 / 임명했다 / 그를 / G.E.의 고문 엔지니어로

065 They / made / **him** / **Consulting Engineer of G.E.**

고2 6월 응용   S   V   O   C(명사구)

이것은 / 만든다 / 우리가 / 더 확신하게 / (말로) 서술된 믿음에

066 This / makes / **us** / **more confident** / in said beliefs.

고2 9월 응용   S   V   O   C(형용사)   M

→ 형용사가 목적격보어로 쓰이면 목적어는 주어처럼, 형용사 보어는 부사처럼 해석된다.

이것은/ 만들었다 / 그 고객이 / 할 말을 잃게

067 This / made / **the customer** / **speechless**.

고2 3월   S   V   O   C(형용사)

그들은 / 알게 된다 / 당신이 / 호감이 가는 (사람이라는) 것을

068 They / find / **you** / likeable.

고2 11월 응용   S   V   O   C(형용사)

1 단순시제: 현재, 과거, 미래

- 현재 시제는 현재의 동작이나 상태, 반복적 습관, 속담, 불변의 진리 등을 나타낸다.
- 주어에 따라 be동사는 am/are/is로, 일반동사는 동사원형/「동사원형+(e)s」로 나타내며, '~이다, ~하다'로 해석한다.

	구문 노트 ✏
대표 문장 나는 / ~이다 / Springfield 공립학교 교장	→ 주어가 I이므로 동사 am이 쓰였다.
069 I / **am** / the principal of Springfield Public School. 고2 9월 V(현재)	
어떤 사람들은 / ~이다 / 매우 자기 주도적인	→ 주어가 복수이므로 동사 are가 쓰였다.
070 Some people / **are** / very self-driven. 고1 11월 V(현재)	
윤리적 그리고 도덕적 체계는 / ~이다 / 다른 / 모든 문화마다	
071 Ethical and moral systems / **are** / different / for every culture. 고1 11월 V(현재)	
오늘날 우리의 세계는 / ~하다 / 비교적 무해한	→ 주어가 3인칭 단수이므로 동사 is가
072 Our world today / **is** / comparatively harmless. 고2 11월 V(현재)	쓰였다.
비언어적 의사소통은 / 아니다 / 언어적 의사소통의 대체물이	→ be동사의 부정형은 「be동사+not」
073 Non-verbal communication / **is not** / a substitute for verbal communication. 고1 11월 V(현재)	으로 나타낸다.
나는 / 보낸다 / 더 많은 시간을 / 내 가족 및 친구들과	
074 I / **spend** / more time / with my family and friends. 고2 3월 응용 V(현재)	
코알라들은 / 휴식을 취한다 / 하루에 16시간에서 18시간	
075 Koalas / **rest** / sixteen to eighteen hours a day. 고2 3월 응용 V(현재)	
습관은 / 만든다 / 숙달의 토대를	
076 Habits / **create** / the foundation for mastery. 고2 3월 V(현재)	
태도는 / 제공한다 / 안전 통행권을 / 온갖 폭풍우를 헤쳐 나갈	→ 주어가 3인칭 단수이므로 「동사원형
☆ **077** Attitude / **provides** / safe conduct / through all kinds of storms. 고2 11월 V(현재)	+(e)s」가 쓰였다.

- 과거 시제는 과거의 동작이나 상태, 역사적 사실 등을 나타내고, be동사는 주어에 따라 was/were로, 일반동사는 「동사원형+(e)d」/ 불규칙으로 나타내며, '~이었다, ~했다'로 해석한다.
- 미래 시제는 미래에 일어날 일에 대한 계획이나 예측을 나타내며, 주어에 상관없이 be동사는 will be로, 일반동사는 「will+동사원형」으로 나타내며, '~일 것이다, ~할 것이다'로 해석한다.

구문 노트 🖊

078
고1 11월
응용

어제 / 그들은 / ~이었다 / 여러분의 생각에 완전히 빠져 있는
Yesterday / they / **were** / in love with your idea.
　　　　　　　　V(과거)

→ 주어가 복수이므로 were가 쓰였다.

079
고2 3월

Theseus는 / ~이었다 / 위대한 영웅 / 아테네 사람들에게
Theseus / **was** / a great hero / to the people of Athens.
　　　　　V(과거)

→ 주어가 단수이므로 was가 쓰였다.

080
고2 6월

6개월 전에 / 55세의 Billy Ray Harris는 / ~이었다 / 노숙자인
Six months ago, / 55-year-old Billy Ray Harris / **was** / homeless.
　　　　　　　　　　　　　　　　　　V(과거)

081
고2 3월
응용

혼돈 속에서 / 믿을 수 없는 평화가 / 감쌌다 / 나를
In the midst of the chaos, / an unbelievable peace / **embraced** / me.
　　　　　　　　　　　　　　　　　　V(과거)

082
고2 9월
응용

제1차 세계 대전 이전에는 / 항공기 제조사들이 / 늦추었다 / 혁신을
In the years before World War I, / aircraft makers / **slowed down** / innovation.
　　　　　　　　　　　　　　　　　　V(과거)

083
고2 3월
응용

꽃꽂이 작품들은 / 전시될 것이다 / 2020년 5월 9일까지
Flower arrangements / **will be** on display / until May 9, 2020.
　　　　　　　　　V(미래)

→ be동사의 미래 시제 will be가 쓰였다.

084
고2 3월

각각의 1등 수상자는 / 받을 것이다 / 50달러의 상품권을
Each first place winner / **will receive** / a $50 gift certificate.
　　　　　　　　　V(미래)

→ 일반동사의 미래 시제 「will+동사원형」이 쓰였다.

085
고2 9월

우리 팀은 / 일으키지 않을 것이다 / 어떠한 문제도 / 공공 시설물이나 다른 공원 방문객들에게
Our team / **will not cause** / any issues / to public services or other park visitors.
　　　　V(미래)

→ 미래 시제의 부정형은 「will not+동사원형」으로 나타낸다.

2 완료형: 현재/과거/미래 완료

- 현재완료는 「have[has]+p.p.」로 나타내며, '과거~현재'를 연결하여 문맥에 따라 완료(이미[막] ~했다), 경험(~한 적이 있다), 계속(~해 왔다), 결과(~해 버렸다)의 의미를 나타낸다.
- 현재완료는 명백한 과거를 나타내는 표현(yesterday, last week, in+특정 연도 등)과 함께 쓸 수 없다.

대표 문장	귀금속은 / ~해 왔다 / 돈으로서 바람직한 / 수천 년에 걸쳐	구문 노트 ✏️

086
고2 3월 응용

Precious metals / **have been** / desirable as money / across the millennia.
　　　　　　　　V(현재완료)

→ 「have+p.p.」의 현재완료가 쓰였다.

나는 / 계획했다 / 그들을 대상으로 한 추가적인 고객 서비스 훈련을

087
고2 6월 응용

I / **have scheduled** / additional customer service training for them.
　　V(현재완료)

학부모들은 / 표현해 왔다 / 우려를 / 자녀들의 안전에 대한

088
고2 9월 응용

Parents / **have expressed** / concern / for the safety of their children.
　　　　　　V(현재완료)

여러분 모두는 / 발전하고 성장해 왔다 / 예술성, 기법, 그리고 / 무엇보다 / 지식과 감식력에서

089
고2 3월

All of you / **have developed** and **grown** / in artistry, technique, and, (above all),
　　　　　　　V(현재완료)

in knowledge and appreciation.

→ have 뒤에 과거분사 두 개가 and로 연결되어 있다.

내 아내와 나는 / 살고 있다 / Spruce Apartments에서 / 지난 12년 동안

090
고2 3월

My wife and I / **have lived** / at the Spruce Apartments / for the past twelve years.
　　　　　　　V(현재완료)

→ 뒤에 기간을 나타내는 전치사 for가 쓰였다.

요즘 / 전동 스쿠터가 / 빠르게 되고 있다 / 캠퍼스의 주요한 것이

091
고2 9월

These days, / electric scooters / **have** quickly **become** / a campus staple.
　　　　　　　　　　V(현재완료)

1992년 이래로 / 배드민턴은 / 되었다 / 올림픽 스포츠가

☆ **092**
고2 3월 응용

Since 1992 / badminton / **has been** / an Olympic sport!
　　　　　　V(현재완료)

→ 주어가 3인칭 단수이므로 「has+p.p.」가 쓰였다.

Schreiber는 / 고통받아 왔다 / 중독적인 운동 성향으로

093
고2 11월 응용

Schreiber / **has suffered** / from addictive exercise tendencies.
　　　　　V(현재완료)

전통적인 Hadza 사냥꾼은 / 학습하지 않았다 / 대수학을

☆ **094**
고2 6월 응용

The traditional Hadza hunter / **has not learned** / algebra.
　　　　　　　　　V(현재완료)

→ 현재완료의 부정형은 「have[has] not+p.p.」로 나타낸다.

- 과거완료는 「had+p.p.」로 나타내며, '과거 이전(대과거) ~ 과거'를 연결하여 완료, 경험, 계속, 결과의 의미와 과거의 시간적 순서를 강조하는 대과거로 사용한다.
- 미래완료는 「will have+p.p.」로 나타내며, '현재~미래'를 연결하여 완료, 경험, 계속, 결과의 의미를 나타낸다.

		구문 노트 ✏️

1940년에 사망에 이르기까지 / 그는 / 만들어냈다 / 인상적인 양의 작품을

095
고2 9월
응용

By his death in 1940, / he / **had created** / an impressive amount of work.
　　　　　　　　　　　　　 V(과거완료)

→ 기간을 나타내는 전치사 by가 「had +p.p.」의 과거완료와 함께 쓰였다.

몇 년 동안 / 그녀는 / 듣지 못했다 / 아들의 소식을

096
고2 11월

For years, / she / **had got** / no news of her son.
　　　　　　　　 V(과거완료)

→ 기간을 나타내는 전치사 for가 쓰였다.

온순한 봄 소나기가 / 바뀌었다 / 맹렬한 뇌우로

097
고2 9월
응용

The innocent spring shower / **had turned** / into a raging thunderstorm.
　　　　　　　　　　　　　　 V(과거완료)

그녀는 / 잃어버렸다 / 자신의 모든 소지품들을 / 그리고 / 갖고 있었다 / 단지 현금으로 5달러만을

098
고2 6월

She / **had lost** / all of her belongings, / and **had** / only $5 in cash.
　　 V₁(과거완료)　　　　　　　　　　　　　 V₂(과거)

→ 소지품을 잃어버린 것이 먼저 일어난 일이다.

그의 삼촌은 / 사 주었다 / 그에게 / 빨간 파티 풍선을 / 자선 가판대에서 / 그리고 묶었다 / 그것을 / Jake의

☆**099**
고2 3월
응용

His uncle / **had bought** / him / a red party balloon / from a charity stall, / and
　　　　　 V₁(과거완료)

→ 풍선을 산 것이 먼저 일어난 일이다.

셔츠 맨 위 단추에

tied / it / to the top button of Jake's shirt.
V₂(과거)

William Miller는 / 깨어 있었다 / 가족이 ~한 후에 / 잠자리에 든

☆**100**
고2 3월
응용

William Miller / **stayed up** [after the family / **had gone** to bed].
　　　　　　　 V(과거)　　　　　　　　　　 V'(과거완료)

→ 가족들이 잠자리에 든 것이 먼저 일어난 일이다.

당신은 / 알아차리게 될 것이다 / 동물들 사이의 협동이 / 되어 왔다는 것을 / 관심이 많은 주제가 / 대중 매체에서

101
고1 11월
응용

You / **will have noticed** [that cooperation among animals / **has become** /
　　 V(미래완료)　　　　　　　　　　　　　　　　　　　　　　 V'(현재완료)

→ 「will have+p.p.」의 미래완료가 쓰였고, 목적어 that절에는 「have[has]+p.p.」의 현재완료가 쓰였다.

a hot topic / in the mass media].

나는 / 살고 있는 중일 것이다 / 이 아파트에 / 10년 동안 / 오는 4월이면

102
고2 3월

I / **will have lived** / in this apartment / for ten years / as of this coming April.
　　 V(미래완료)

→ 뒤에 기간을 나타내는 전치사 for가 쓰였다.

- 진행형은 현재/과거/미래에 진행 중인 일을 나타낸다.
- 「am/are/is+v-ing」, 「was/were+v-ing」, 「will be+v-ing」로 나타내고 '(현재) ~하고 있다', '(과거에) ~하고 있었다', (미래에) ~하고 있을 것이다'로 해석한다.

	구문 노트 ✏
대표 문장 우리는 / 요청하고 있다 / 과속 방지턱의 설치를 / Pine Street에	→ 주어가 We이므로 「are+v-ing」가 쓰
103 We / **are requesting** / the installation of speed bumps / on Pine Street.	였다.
고2 9월 응용 V(현재진행)	
나는 / 그저 더 주의를 기울이고 있을 뿐이다 / 나의 인간적인 욕구에	→ 주어가 I이므로 「am+v-ing」가 쓰였다.
104 I / **am** simply **paying** better attention / to my human needs.	
고2 3월 응용 V(현재진행)	
오늘날의 쇼 비즈니스에서 / 비즈니스 부분은 / 일어나고 있다 / 온라인상에서	→ 주어가 3인칭 단수이므로 「is+v-ing」
105 In today's version of show business, / the business part / **is happening** / online.	가 쓰였다.
고2 6월 V(현재진행)	
그 노인은 / 쓰고 있었다 / 오래된 터번을 / 그의 머리에	→ 주어가 단수이므로 「was+v-ing」가
106 The old man / **was wearing** / an old turban / on his head.	쓰였다.
고1 11월 V(과거진행)	
어느 날 / 우리 가족은 / 파티를 하고 있었다 / 다른 도시에서 온 부부와	
107 One night, / my family / **was having** a party / with a couple from another city.	
고2 11월 응용 V(과거진행)	
공격이 끝날 무렵에 / 그 폭탄들은 / 떨어지고 있었다 / 시골에 있는 암소들 위로	→ 주어가 복수이므로 「were+v-ing」가
108 By the end of the attack / the bombs / **were landing** / on cows in the country.	쓰였다.
고2 3월 응용 V(과거진행)	
이번 달에 / 우리는 / 개최하고 있을 것이다 / '부모-아이' 닮은꼴 경연을	
109 This month, / we / **will be holding** / a "parent-child" look-alike contest!	
고2 6월 V(미래진행)	
6월 1일부터 시작해서 / 우리는 제공하고 있을 것이다 / 단골 고객들에게 / 차량에 대한 정기 검사를 / 무료로	
110 Starting June 1st, / we'll **be offering** / our regular customers / periodic inspection	
고2 6월 V(미래진행)	
of vehicles / for free.	

- 완료진행형은 현재/과거 완료의 여러 의미 중 동작이 '계속' 진행 중임을 강조할 때 사용한다.
- 각각 「have[has]/had been+v-ing」으로 나타내며, '~해 오고 있는/있던 중이다'로 해석한다.
- 미래진행형은 「will have been+v-ing」로 나타낼 수 있지만, 거의 쓰이지 않는다.

	구문 노트 ✎
대표 문장 사람들은 / 마셔 오고 있다 / 커피를 / 수 세기 동안	
111 Humans / **have been drinking** / coffee / for centuries.	→ 기간을 나타내는 전치사 for가 쓰였다.
고1 11월 응용 V(현재완료진행)	
우리는 / 최근에 진행해 오고 있다 / 한 프로젝트를	
112 We / **have** recently **been working** / on a project.	
고2 11월 응용 V(현재완료진행)	
우리 Future Music School에서는 / 제공해 오고 있다 / 음악 교육을 / 재능 있는 아이들에게 / 10년 동안	
113 We at the Future Music School / **have been providing** / music education / to	→ 기간을 나타내는 전치사 for가 쓰였다.
고2 6월 V(현재완료진행)	
talented children / for 10 years.	
나는 / 사용해 오고 있다 / 당신(귀사)의 커피 머신을 / 수년 동안	
114 I / **have been using** / your coffee machines / for several years.	
고2 6월 V(현재완료진행)	
그 가족은 / 생각해 오고 있었다 / 그 개를 누군가에게 주려고	
115 The family / **had been thinking of** / giving the dog to someone.	→ thinking은 현재분사이고, giving은
고2 3월 응용 V(과거완료진행)	동명사이다.
그의 가족 구성원들은 / 찾아 오고 있던 중이었다 / 그를 / 16년 동안	
116 His family members / **had been searching for** / him / for 16 years.	
고2 6월 응용 V(과거완료진행)	
이 아이디어는 / 갑자기 '떠올랐다' / 그에게 / 그가 ~한 뒤에 / 보고 있던 / 텔레비전 방송을 / AIDS의 놀라운	
☆ **117** This idea / suddenly **"hit"** / him [after he / **had been watching** / a television	→ TV를 보고 있었던 것이 먼저 일어
고2 11월 V(과거) V'(과거완료진행)	난 일이다.
확산에 대한 / 아프리카에서의	
program / about the alarming spread of AIDS / in Africa].	

1 3형식의 수동태

- 「S+be+p.p.+by+목적어」는 3형식의 수동태로, 'S가 …에 의해 V되다'로 해석한다.
- be동사의 형태로 현재(am/are/is), 과거(was/were), 미래(will be)를 나타낸다.

| 대표 문장 | 그들의 시야는 / 흐려진다 / 첫인상에 의해 | 구문 노트 ✏ |

118
고2 6월
응용

그들의 시야는 / 흐려진다 / 첫인상에 의해
Their vision / **is clouded** / by the first impression.
　　　S　　　　V(수동태)　　　by+목적어

→ 3형식 문장의 목적어가 주어로 쓰인 수동태 문장으로, 「am/are/is+p.p.」의 현재 수동태이다.

119
고2 6월

모든 사람들은 / 영향을 받는다 / 이미지의 친숙함에
Everyone / **is influenced** / by the familiarity of an image.
　　S　　　　V(수동태)　　　　by+목적어

120
고1 11월
응용

우리는 / 둘러싸여 있다 / 기회에
We / **are surrounded** / by opportunities.
　S　　　V(수동태)　　　by+목적어

121
고1 11월
응용

어떤 도덕적 또는 윤리적 견해는 / 영향을 받는다 / 개인의 문화적 관점에 의해
Any moral or ethical opinions / **are affected** / by an individual's cultural
　　　　　　S　　　　　　　　　　V(수동태)　　　　by+목적어
perspective.

122
고2 11월

Justin은 / 환영받았다 / 한 늙은 농부에게
Justin / **was greeted** / by an old farmer.
　S　　　V(수동태)　　　by+목적어

→ 「was/were+p.p.」의 과거 수동태이다.

123
고2 6월
응용

기계식 시계의 발명은 / 영향을 받았다 / 승려들에 의해
The invention of the mechanical clock / **was influenced** / by monks.
　　　　　　S　　　　　　　　　　　V(수동태)　　　by+목적어

124
고1 11월
응용

Rangan의 생각은 / 방해받았다 / 한 노인에 의해
Rangan's thoughts / **were disturbed** / by an old man.
　　S　　　　V(수동태)　　　by+목적어

125
고1 11월
응용

그 경기들은 / 참석될 것이다 / 많은 대학 코치들에 의해
The games / **will be attended** / by many college coaches.
　　S　　　　V(수동태)　　　by+목적어

→ 「will be+p.p.」의 미래 수동태이다.

126
고2 11월
응용

모든 포스터는 / 심사될 것이다 / San Diego Clean Environment Commission(SCEC)에 의해
All posters / **will be judged** / by San Diego Clean Environment Commission(SCEC).
　　S　　　V(수동태)　　　　　by+목적어

• 수동태의 행위자가 불분명하거나 막연한 일반인일 때 「by+목적어」는 흔히 생략된다.

		구문 노트 ✏️
	음식과 애완동물들은 / 금지된다 / 박물관에서	→ 행위자가 생략된 수동태 문장으로,
127 고1 11월	Food and pets / **are prohibited** / in the museum. S　　　　　　V(수동태)	「am/are/is+p.p.」의 현재 수동태 이다.
	의료 서비스는 / 여전히 공정하게 분배되지 않고 있다	→ 수동태의 부정형은 「be+not+p.p.」
☆**128** 고2 3월 응용	Medical services / **are** still **not** well **distributed**. S　　　　　　　V(수동태)	로 나타낸다.
	우리의 문화는 / 편향되어 있다 / 순수 예술 쪽으로	
129 고2 6월 응용	Our culture / **is biased** / toward the fine arts. S　　　　V(수동태)	
	그것은 / 완전히 충전된다 / 30분 만에 / USB 케이블을 통해	
130 고2 3월 응용	It / **is** fully **charged** / in 30 minutes / via USB-cable. S　　　V(수동태)	
	많은 발명품들은 / 발명되었다 / 수천 년 전에	→ 「was/were+p.p.」의 과거 수동태
131 고2 6월 응용	Many inventions / **were invented** / thousands of years ago. S　　　　　　V(수동태)	이다.
	그의 창의성은 / 칭송받았다 / 그 당시에 / 천재성의 표시로	
132 고2 3월	His creativity / **was praised** / at the time / as the mark of genius. S　　　　　V(수동태)	
	Thomas Nast는 / 태어났다 / 1840년 9월 27일에 / 독일 Landau에서	
133 고2 6월 응용	Thomas Nast / **was born** / on September 27, 1840, / in Landau, Germany. S　　　　V(수동태)	
	간단한 음식이 / 제공될 것이다 / 끝나는 지점에서	→ 「will be+p.p.」의 미래 수동태이다.
134 고2 3월	Refreshments / **will be provided** / at the finish point. S　　　　　V(수동태)	
	수상작들은 / 사용될 것이다 / 교내 보안 인식 캠페인에	
135 고2 11월	Winning entries / **will be used** / in campus security awareness campaigns. S　　　　V(수동태)	

- 「S+be+p.p.+O」는 4형식의 수동태로, 'S가 (…에 의해) O를 V되다'로 해석한다.
- 4형식 문장의 간접목적어가 목적어 자리에 남을 때에는 전치사와 함께 쓰거나 생략한다.

대표 문장	개인들은 / 인정받는다 / 공로를 / 주요한 획기적 발견에 대해	**구문 노트** ✏

136 Individuals / **are given** / **credit** / for major breakthroughs.
고2 6월　　　　S　　　　　V(수동태)　　　O

→ 4형식 문장의 직접목적어 credit이 수동태 동사 뒤에 남아 있다.

생각해 보라 / 일란성 쌍둥이를 / 두 사람은 모두 / 부여받는다 / 똑같은 유전자를

137 Consider / identical twins; / both individuals / **are given** / **the same genes**.
고2 3월　　V₁　　　　O₁　　　　　S　　　　V₂(수동태)　　　O₂

→ 세미콜론(;) 앞은 명령문이다.

1844년에 / 그는 / 수여받았다 / 수학으로 금메달을 / Royal Society에서

138 In 1844, / he / **was awarded** / **a gold medal for mathematics** / by the Royal
고1 11월
응용　　　　　S　　　V(수동태)　　　　　　　　O　　　　　　　　　by+목적어

Society.

→ 문장 뒤에 「by+목적어」는 상을 수여한 주체(능동태 문장의 주어)이다.

주말 동안 오후 2시에 / 우리 공룡 퀴즈의 우승자 한 명은 / 받을 것이다 / 진짜 화석을 / 상품으로

139 At 2:00 p.m. during the weekend, / one winner of our dinosaur quiz / **will**
고1 11월　　　　　　　　　　　　　　　　　　　S

be given / **a real fossil** / as a prize.
　V(수동태)　　　　O

파란 스웨터는 / 주어졌다 / 그녀에게 / 그녀의 삼촌 Ed로부터

☆140 A blue sweater / **was given** / **to her** / by her uncle Ed.
고2 3월
응용　　　S　　　　V(수동태)　　전치사+O

→ 4형식 문장의 간접목적어였던 her가 전치사와 함께 수동태 동사 뒤에 남았다.

당신의 발표 녹화 영상은 / 제공될 것이다 / 당신에게 / 메모리 스틱에 담겨서

141 A recording of your presentation / **will be given** / **to you** / on a memory stick.
고2 9월　　　　　　　　S　　　　　　　　　V(수동태)　　전치사+O

→ 4형식 문장의 간접목적어였던 you가 전치사와 함께 수동태 동사 뒤에 남았다.

3 5형식의 수동태

본책 p. 43

• 「S+be+p.p.+C」는 5형식의 수동태로, 'S가 (…에 의해) C로 V되다', 'S가 (…에 의해) C하도록 V되다'로 해석한다.

대표 문장 인생에서 / 우리의 열매는 / 불린다 / 우리의 결과로	**구문 노트** 🖊
142 In life, / our fruits / **are called** / **our results**.	→ 5형식 문장의 명사구 보어가 수동태
고1 11월 S V(수동태) C	동사 뒤에 남아 있다.

자신감은 / 자주 여겨진다 / 긍정적인 특성으로

143 Confidence / **is often considered** / **a positive trait**.
고1 11월   S   V(수동태)   C
응용

Apple 컴퓨터의 걸작인 'Think Different' 캠페인은 / 널리 여겨진다 / 역대 최고의 광고로

144 Apple Computer's classic "Think Different" campaign / **is widely considered** /
고2 3월   S   V(수동태)
응용

the best ad of all time.
       C

1828년 무렵에 / 그는 / 되었다 / Musical Lyceum의 지휘자가

145 By 1828 / he / **was made** / **conductor of the Musical Lyceum**.
고2 9월   S   V(수동태)   C
응용

한 회의에서 / 로봇들은 / 불렸다 / 'caring machines'라고

146 At one conference, / the robots / **were called** / **"caring machines."**
고2 9월   S   V(수동태)   C
응용

이러한 영향은 / 작용할 것이다 / 더욱 부정적으로 / 지역에 / 아프리카와 같은

☆**147** This effect / **will be made** / **worse** / for regions / such as Africa.   → 5형식 문장의 형용사 보어가 수동태
고2 9월   S   V(수동태)   C   동사 뒤에 남아 있다.
응용

4 주의할 수동태

- 수동태의 진행형은 「be being+p.p.」로 나타내고, '~되고 있다', '~되는 중이다'로 해석한다.
- 수동태의 완료형은 「have[has]/had been+p.p.」로 나타내고 '~되었다', '~되어 왔다' 등으로 해석한다.

		구문 노트 ✏
대표 문장 주머니고양이의 생존이 / 위협받고 있었다 / 수수두꺼비에 의해		→ 「was/were being+p.p.」의 과거진행
148 The quoll's survival / **was being threatened** / by the cane toad.		수동태가 쓰였다.
고1 11월 응용 　　　　　　　　　　　V(과거진행 수동태)		
약이 / 준비되고 있었다		
149 The medicine / **was being prepared**.		
고1 9월 응용 　　　　　　　　　V(과거진행 수동태)		
과학적 발견들은 / 결실이 맺어지고 있다		→ 「am/are/is being+p.p.」의 현재진행
150 Scientific discoveries / **are being brought** to fruition.		수동태가 쓰였다.
고2 9월 응용 　　　　　　　　　　V(현재진행 수동태)		
많은 것이 / 쓰여지고, 이야기되어 왔다 / 자신에게 하는 긍정적인 말에 관한		→ 「have[has] been+p.p.」의 현재완료
☆**151** Much / **has been written** and **said** / about positive self-talk.		수동태로, 주어가 3인칭 단수이므로
고1 3월 응용 　　　　　　　V(현재완료 수동태)		has가 쓰였다.
그 권고는 / 그 후 채택되었다 / 일부 수정을 거쳐 / 거의 모든 곳에서		
152 The recommendation / **has** since **been adopted**, / with some modifications, /		
고2 3월 　　　　　　　　　　V(현재완료 수동태)		
almost everywhere.		
주요 질병들은 / 천연두, 소아마비 그리고 홍역과 같은 / 근절되어 왔다 / 집단 접종에 의해서		→ 「have[has] been+p.p.」의 현재완료
153 Major diseases / such as smallpox, polio, and measles / **have been eradicated** /		수동태가 쓰였다.
고2 11월 응용 　　　　　　　　　　　　　　V(현재완료 수동태)		
by mass vaccination.		
수 세기에 걸쳐 / 다양한 작가들과 사상가들은 / 부딪혀왔다 / 사회적 삶의 연극적 속성에		
154 Over the centuries / various writers and thinkers / **have been struck** / by the		
고2 6월 응용 　　　　　　　　　　　　　　V(현재완료 수동태)		
theatrical quality of social life.		
그 아파트는 / 최근에 도색되었다		→ 「had been+p.p.」의 과거완료 수동
155 The apartment / **had been** recently **painted**.		태가 쓰였다.
고2 3월 응용 　　　　　　　V(과거완료 수동태)		
화요일 오전 중간쯤에 / 거의 152,000달러가 / 기부되었다		
156 As of mid-morning Tuesday, / close to $152,000 / **had been donated**.		
고2 6월 　　　　　　　　　　　　　　　V(과거완료 수동태)		

• 수동태의 행위자를 나타낼 때 by 이외에 다른 전치사가 사용되는 관용적 표현들도 있다.

		구문 노트

대표 문장 그는 / 놀랐다 / 바람의 힘에

157 He / **was amazed at** / the power of the wind.
고2 11월　　　V(수동태+전치사)　　　O(전치사의 목적어)

→ be amazed at: ~에 놀라다

그녀는 / 항상 실망했다 / 그녀의 성취에 / 그녀의 노력에도 불구하고

158 She / **was** always **disappointed about** / her performance / despite her efforts.
고1 11월 응용　　　V(수동태+전치사)　　　O(전치사의 목적어)

→ be disappointed about: ~에 실망하다

직원들의 선택은 / 근거를 두고 있다 / 자신의 필요에

159 Employees' selections / **are based on** / their needs.
고2 9월 응용　　　V(수동태+전치사)　O(전치사의 목적어)

→ be based on: ~에 근거를 두다

그녀는 / 적극적으로 참여하였다 / 정치에

160 She / **was** actively **engaged in** / politics.
고1 11월 응용　　　V(수동태+전치사)　O(전치사의 목적어)

→ be engaged in: ~에 참여하다

전쟁 중에 / 그는 / 참여했다 / 해군 무기 연구에

161 During the war, / he / **was involved in** / naval weapons research.
고2 11월 응용　　　V(수동태+전치사)　　O(전치사의 목적어)

→ be involved in: ~에 참여하다

그의 손과 얼굴은 / 덮여 있었다 / 주름으로

162 His hands and face / **were covered in** / wrinkles.
고1 11월　　　V(수동태+전치사)　O(전치사의 목적어)

→ be covered with[in]: ~로 덮여 있다

우리는 / 직면해 있다 / 전례 없는 위기에

163 We / **are faced with** / unprecedented perils.
고2 9월 응용　　　V(수동태+전치사)　　O(전치사의 목적어)

→ be faced with: ~에 직면하다

매년 봄 / 북미에서 / 이른 아침 시간은 / 가득 차 있다 / 명금(鳴禽)들의 아름다운 노랫소리로 / 참새나 울새와 같은

164 Each spring / in North America, / the early morning hours / **are filled with**
고2 3월　　　　　　　　　　　　　　　　　　　　　　V(수동태+전치사)

the sweet sounds of songbirds, / such as sparrows and robins.
　　　O(전치사의 목적어)

→ be filled with: ~로 가득 차 있다

이것은 / 알려져 있다 / '의도적 합리화'라고

☆165 This / **is known as** / "motivated reasoning."
고2 9월　V(수동태+전치사)　O(전치사의 목적어)

→ be known as: ~로 알려져 있다

1 조동사: 능력, 허가, 의무, 충고

- can/could/be able to는 능력을 나타내며 '~할 수 있다/~할 수 있었다'로 해석한다.
- may, can/could는 허가를 나타내며 '~해도 된다' 또는 '~할 수 있다'로 해석한다.

대표 문장 우리는 / 통제할 수 있다 / 우리의 체온을 / 다양한 방법으로	**구문 노트** ✏
166 We / **can control** / our temperature / in lots of ways.	→ 동사 앞에 능력을 나타내는 조동사
고2 6월 응용 V(능력: can+동사원형)	can이 쓰였다.

식품은 / 즉시 영향을 줄 수 있다 / 유전자 청사진에

167 Foods / **can** immediately **influence** / the genetic blueprint.

고2 3월 응용   V(능력: can+동사원형)

식물들은 / 바꿀 수 없다 / 위치를 / 또는 확장할 수 없다 / 그것들의 번식 범위를 / 도움 없이

☆**168** Plants / **can't change** / location / or **extend** / their reproductive range /

고1 11월 응용   V(능력: can't+동사원형₁)   (동사원형₂)

without help.

→ 능력을 나타내는 can의 부정형 can't 뒤에 두 개의 동사 change와 extend가 or로 연결되어 있다.

인공호흡기는 / 구할 수 있었다 / 많은 생명을

169 Respirators / **could save** / many lives.

고2 3월 응용   V(능력: could+동사원형)

→ 능력을 나타내는 조동사 can의 과거형 could가 쓰였다.

어제 / 그는 / 일을 처리할 수 없었다

170 Yesterday / he / **could not attend** to business.

고1 11월 응용   V(능력: could not+동사원형)

연극 'Othello' 속 Iago와 같은 악역들은 / 숨길 수 있다 / 그들의 적대적 의도를 / 친근한 미소 뒤에

☆**171** Evil types such as Iago in the play *Othello* / **are able to conceal** / their hostile

고2 6월   V(능력: be able to+동사원형)

intentions / behind a friendly smile.

→ 능력을 나타내는 조동사 be able to가 쓰였다.

→ be able to는 be동사의 형태로 시제를 나타낸다.

그리스인들은 / 이해할 수 있었다 / 옳고 그름을 / 그들의 삶에서

172 The Greeks / **were able to understand** / right and wrong / in their lives.

고1 11월 응용   V(능력: be able to+동사원형)

당신은 / 구매할 수 있다 / 선물용 회원권을 / 다음의 등급 중에서

173 You / **may purchase** / a gift membership / at any of the following levels.

고2 9월   V(허가: may+동사원형)

→ 동사 앞에 허가를 나타내는 조동사 may가 쓰였다.

개별 학생 혹은 학생들 그룹으로 / 제출할 수 있다 / 영상물을

174 An individual student or a group of students / **may submit** / a video.

고2 11월   V(허가: may+동사원형)

- must, have[has]/had to는 강한 의무를 나타내고 '(반드시) ~해야 한다/~해야 했다'로 해석한다.
- should는 의무, 충고를 나타내며 '~해야 한다' 또는 '~하는 것이 좋겠다'로 해석한다.

대표 문장	각 참가자는 / 가져와야 한다 / 자신의 재료들을	구문 노트 ✏️
175 고2 3월	Each contestant / **must bring** / their own materials. 　　　　　　　　　V(의무: must+동사원형)	→ 동사 앞에 강한 의무를 나타내는 조동사 must가 쓰였다.

	나는 / 거절해야만 한다 / 그 추천을	
176 고1 11월 응용	I / **must decline** / the recommendation. 　V(의무: must+동사원형)	

	스포츠 마케팅 담당자는 / 피해야만 한다 / 마케팅 전략을 / 순전히 승리에만 근거한	
177 고1 11월 응용	The sport marketer / **must avoid** / marketing strategies / based solely on 　　　　　　　V(의무: must+동사원형) winning.	

	다리는 / 결코 해쳐서는 안 된다 / 환경의 균형을	
☆**178** 고2 6월 응용	A bridge / **must not upset** / the balance of the environment. 　　　　　V(강한 금지: must not+동사원형)	→ 동사 앞에 강한 금지를 나타내는 조동사 must not이 쓰였다.

	당신은 / 의문을 가져야 한다 / 오래된 개념들에	
179 고1 11월	You / **have to question** / the out-of-date ideas. 　　　V(의무: have to+동사원형)	→ 동사 앞에 강한 의무를 나타내는 조동사 have to가 쓰였다.

	새로운 참가자(업체)들은 / 헤쳐 나가야 한다 / '특허 덤불'을	
180 고2 9월 응용	New entrants / **have to fight** their way / through "patent thickets." 　　　　　V(의무: have to+동사원형)	

	사진은 / ~여야 한다 / 컬러 / 흑백 사진은 / 허용되지 않는다	
☆**181** 고2 11월	Photos / **should be** / in color / (black-and-white photos / are not accepted). 　　　V(의무: should+동사원형)　　　　　　　　　　　　　V(수동태)	→ 동사 앞에 의무를 나타내는 조동사 should가 쓰였다.

	제한의 시행은 / ~해야 한다 / 일관성 있고 단호한	
182 고2 6월	Enforcement of the limit / **should be** / consistent and firm. 　　　　　　　V(의무: should+동사원형)	

	참가자들은 / 예약해야 한다 / 늦어도 5월 31일까지는	
183 고2 6월	The participants / **should make** a reservation / no later than May 31. 　　　　　V(의무: should+동사원형)	

2 조동사: 가능성, 추측, should

• might, may, could, can, should, ought to, would, will, must는 가능성, 추측의 의미가 있고, might에서 must로 갈수록 확신의 정도가 강해진다.

대표 문장	출근하는 길에 / 당신은 / 넣을지도 모른다 / 휘발유를 / 자신의 차에	구문 노트 🖊

184
고2 3월

On the way to work,/ you / **might put** / gasoline / in your car.

V(가능성 · 추측: might+동사원형)

→ might/may는 매우 불확실한 추측을 나타낸다.

가격 하락은 / 보일 수 있다 / 일시적인 판매량의 상승을 / 판매자들에게

185
고2 11월
응용

A reduction in prices / **might see** / a temporary increase in sales / for the seller.

V(가능성 · 추측: might+동사원형)

후보자들의 외모와 소개는 / 알려줄 수도 있다 / 신체 조정 능력의 부족, 불안, 그리고 형편없는 대인 관계 기술을

186
고1 11월
응용

Candidates' appearance and introduction / **may tell of** / a lack of coordination,

V(가능성 · 추측: may+동사원형)

fear, and poor interpersonal skills.

이 건물들은 / ~일 수도 있다 / 오래되고 진품인

187
고2 11월
응용

These buildings / **may be** / old and genuine.

V(가능성 · 추측: may+동사원형)

일시적으로 유행하는 다이어트는 / 실제로 초래할 수도 있다 / 근육량의 손실을

188
고2 11월
응용

A fad diet / **could** actually **result in** / a loss of muscle mass.

V(가능성 · 추측: could+동사원형)

→ could/can은 might/may보다 조금 더 확실한 추측을 나타낸다.

상황적 설명은 / ~할 수 있다 / 복잡한

189
고2 6월
응용

Situational explanations / **can be** / complex.

V(가능성 · 추측: can+동사원형)

갑작스러운 성공이나 상금은 / ~할 수 있다 / 아주 위험한

190
고2 6월

Sudden success or winnings / **can be** / very dangerous.

V(가능성 · 추측: can+동사원형)

우리 프로젝트는 / 크게 혜택을 받을 것이다 / 당신의 협조로

191
고2 11월
응용

Our project / **would benefit** greatly / from your cooperation.

V(가능성 · 추측: would+동사원형)

→ would/will은 비교적 확실한 추측을 나타낸다.

"나는 / 힘이 빠지고 있음에 틀림없어" / 젊은 나무꾼은 / 생각했다

☆**192**
고2 9월

"I / **must be losing** my strength," / the young man / thought.

V(가능성 · 추측: must+동사원형(be)+v-ing)　　　　　V

→ must는 거의 확실한 추측을 나타낸다.

- 요구, 주장, 제안, 필요, 명령 등을 나타내는 동사의 목적어로 쓰인 that절의 내용이 '~해야 한다'라는 의미의 당위성을 나타낼 때 that절의 동사는 「(should +)동사원형」 형태이다.
- that절은 명사 역할을 하는 명사절로 「that+S+V ~」의 형태이며 '~하는 것을'로 해석한다. **LINK** UNIT 6-2

대표 문장		구문 노트 ✏

대표 문장 그는 / 제안했다 / 자신의 아들에게 / 그가 / 가서 / 그 질문을 하라고 / 코끼리 조련사에게

193
고2 11월 응용

He / suggested / to his son [that he / go / ask the question / to the elephant
　　　V(제안)　　　　　　　　　　V'((should+)동사원형)

trainer].

→ suggest의 목적어로 쓰인 ~~that~~절이 당위성을 나타내므로, should가 생략되었다.

그 층의 간호사는 / 반복적으로 제안했다 / 쌍둥이들이 / 함께 놓여야 한다고 / 한 인큐베이터에

194
고2 6월

A nurse on the floor / repeatedly suggested [that the twins / be kept together /
　　　　　　　　　　　　V(제안)　　　　　　　　　V'((should+)동사원형)

in one incubator].

→ that절의 동사 (should) be kept는 수동태이다.

스웨덴 법은 / 요구한다 / 적어도 두 개의 신문들이 / 발행되어야만 한다고 / 모든 마을마다

195
고1 11월 응용

Swedish law / requires [that at least two newspapers / **be published** / in
　　　　　　V(요구)　　　　　　　　　　　　　　　V'((should+)동사원형)

every town].

→ that절의 동사 (should) be published는 수동태이다.

물리학에서 / 상대성 이론은 / 요구한다 / 모든 방정식이 / 물리 법칙들을 설명하는 / 가져야 한다고 / 동일한 형태를 /

196
고2 9월

In physics, / the principle of relativity / requires [that all equations 〈describing
　　　　　　　　　　　　　　　　　　V(요구)

관성좌표계와 관계없이

the laws of physics〉 **have** / the same form / regardless of inertial frames of
　　　　　　　V'((should+)동사원형)

reference].

→ describing ~은 that절의 주어를 수식하는 현재분사이다. 수식어 역할을 하는 현재 분사는 '~하는'으로 해석한다.

- 「might/may/could/must+have p.p.」는 과거 사실에 대한 가능성·추측을 나타내며, 조동사에 따라 확신의 정도가 다르다.
- 「should+have p.p.」는 과거 사실에 대한 후회·유감(~했어야 하는데(하지 않았다))을 나타낸다.

		구문 노트 ✎

대표 문장 당신은 / 들어본 적이 있을지도 모른다 / 전문가의 직관에 관한 이야기들을

197 You / **might have heard of** / stories of expert intuition.
고1 11월 응용 V(과거의 추측: might+have p.p.)

→ 「might+have p.p.」는 과거 사실에 대한 불확실한 추측을 나타낸다.

고대 수렵 채집 생활인들의 내일의 메뉴는 / ~였을지도 모른다 / 완전히 다른

198 Tomorrow's menu of the ancient foragers' / **might have been** / completely
고2 9월 응용 V(과거의 추측: might+have p.p.)

different.

연이은 네 번의 아웃은 / ~이었을 수도 있다 / 불운

199 Four outs in a row / **may have been** / bad luck.
고2 3월 응용 V(과거의 추측: may+have p.p.)

→ 「may+have p.p.」는 과거 사실에 대한 불확실한 추측을 나타낸다.

그들은 / 보낼 수 있었을 것이다 / 그 시간을 / 환자를 진료하는 데

200 They / **could have spent** / the time / seeing patients.
고2 6월 응용 V(과거의 추측: could+have p.p.)

→ 「could+have p.p.」는 「might/may+have p.p.」보다 조금 더 확실한 추측을 나타낸다.

나는 / 잠을 잤음에 틀림없다 / 반나절이나

201 I / **must have slept** / half the day.
고2 6월 응용 V(과거의 추측: must+have p.p.)

→ 「must+have p.p.」는 과거 사실에 대한 거의 확실한 추측을 나타낸다.

많은 습관에 대해서 / 있었음에 틀림없다 / 어떤 가치가

202 For many of the habits, / there **must have been** / some value.
고2 6월 응용 V(과거의 추측: must+have p.p.)

그는 / 지키고 있어야 했다 / 그 장소를

☆**203** He / **should have been guarding** / the area.
고2 6월 응용 V(과거의 후회·유감: should+have p.p.)

→ 「should+have p.p.」는 과거 사실에 대한 후회나 유감을 나타낸다.

4 다양한 조동사 표현

- would/used to는 과거의 규칙적 습관/과거의 상태 · 불규칙적 습관을 나타내며 '~하곤 했다'로 해석한다.
- would like[love] to는 바람이나 소망을 나타내며 '~하고 싶다'로 해석한다.

		구문 노트 ✏️

대표 문장   'Intelligence(지능)'는 / 포함하곤 했다 / 감각, 감성, 인지, 이성, 재치 등을

204
고2 9월
응용

Intelligence / **used to include** / sensibility, sensitivity, awareness, reason, wit,
V(과거의 습관: used to+동사원형)

etc.

→ used to는 과거의 상태나 불규칙적 습관을 나타낸다.

중국의 사제들은 / 매달곤 했다 / 밧줄을 / 사원 천장에

205
고2 11월
응용

Chinese priests / **used to dangle** / a rope / from the temple ceiling.
V(과거의 습관: used to+동사원형)

그와 나는 / 샅샅이 뒤지곤 했다 / 클로버 밭을 / 우리 할아버지 집에 있는 / 몇 시간 동안

206
고2 9월

He and I / **would search** through / patches of clover / at our grandparents'
V(과거의 습관: would+동사원형)

house / for hours.

→ would는 과거의 규칙적 습관을 나타낸다.

그녀는 / 무시하곤 했다 / 안전 기준을 / 그리고 들으려 하지 않았다 / 다른 계약자들의 말을

☆ **207**
고2 3월
응용

She / **would ignore** / safety standards / and **would not listen to** / other contractors.
V₁(과거의 습관: would+동사원형)   V₂(과거의 습관: would not+동사원형)

→ 「would not+동사원형」은 '~하지 않았다'라는 부정의 의미이다.

우리는 / 촬영하고 싶다 / Sunbury Park에서 / 2019년 11월 14일 / 오전 9시부터 오후 3시까지

208
고2 9월

We / **would like to film** / at Sunbury Park / on November 14th, 2019, / from
V(바람 · 소망: would like to+동사원형)

9 a.m. to 3 p.m.

우리는 당신을 다시 맞이하기를 바란다 / 고객으로

209
고2 6월
응용

We**'d like to have** you back / as a customer.
V(바람 · 소망: would like to+동사원형)

→ would like [love] to는 바람이나 소망을 나타낸다.

회사들은 / 높이고자 한다 / 직원의 업무 만족도를 / 몇 가지 이유로

210
고2 3월

Companies / **would like to enhance** / employee contentment on the job / for
V(바람 · 소망: would like to+동사원형)

several reasons.

나는 / 들어 왔다 / 놀라운 일들에 대해 / 당신의 회사에 대한 / 그리고 합류하기를 바란다 / 당신의 팀에

☆ **211**
고2 6월

I / **have heard** / wonderful things / about your company / and **would love to**
V₁   V₂(바람 · 소망: would love to+동사원형)

join / your team.

- 명사와 대명사, 명사구는 문장의 주어 자리에 올 수 있다.
- 「명사+수식어」 형태의 명사구 주어는 '수식어 → 명사' 순으로 해석하며, 동사는 명사의 수에 일치시킨다.

구문 노트 ✎

당신은 / 빠져든다 / 무의식적인 반복으로
212 **You** / fall into / mindless repetition.
고2 3월 S(대명사)   V

→ 대명사가 주어로 쓰였다.

그것들은 / ~할 수 있다 / 똑같이 위험한 / 마찬가지로
213 **They** / can be / equally dangerous / as well.
고2 6월 S(대명사)   V

그녀는 / 세면서 꺼냈다 / 동전들을 / 그녀의 돼지 저금통에서
214 **She** / counted out / the coins / from her piggy bank.
고2 6월
응용 S(대명사)   V

사업은 / 보였다 / 제로섬 게임처럼
215 **Business** / looked / like a zero-sum game.
고2 3월 S(명사)   V

→ 명사가 주어로 쓰였다.

스쿠터 회사들은 / 제공한다 / 안전 규정을
216 **Scooter companies** / provide / safety regulations.
고2 9월
응용 S(명사구)   V

tarsier의 서식지는 / 대개 ~이다 / 열대우림 지역
217 **The habitat** ⟨of the tarsier⟩ is generally / tropical rain forest.
고2 6월
응용 S(명사구)   V

→ 「명사+수식어」 형태의 명사구가
주어로 쓰였다.
→ 동사는 명사의 수에 일치시킨다.

임팔라의 평균 수명은 / ~이다 / 13년에서 15년 사이 / 야생에서
218 **The average life span** ⟨of an impala⟩ is / between 13 and 15 years / in the wild.
고2 6월 S(명사구)   V

그림에 있어서의 색은 / ~이다 / 중요한 영향력 / 우리의 정서에
219 **Color** ⟨in painting⟩ is / a major influence / on our emotions.
고2 11월
응용 S(명사구)   V

지면 위 물웅덩이는 / 점차 말라 / 사라지고 / 그런 다음 나중에 떨어진다 / 비가 되어
☆**220** **A puddle of water** ⟨on the ground⟩ gradually dries out, / disappears, / and
고2 3월
응용 S(명사구)   V₁   V₂

→ A puddle이 단수이므로 단수 동사가
쓰였다.

then falls later / as rain.
V₃

→ 동사 세 개가 and로 연결되어 있다.

- 동명사(v-ing), to부정사(to-v)는 명사구로서 주어 자리에 올 수 있고, '~하는 것은'으로 해석한다.
- 동명사와 to부정사 주어는 단수 취급하여 단수 동사를 쓴다.

		구문 노트 🖊
대표 문장 영화에서 (관객의) 집중을 얻는 것은 / ~이다 / 쉬운		
221 **Achieving focus in a movie** / is / easy.		→ 동명사구가 주어로 쓰였다.
고1 11월 S(동명사구) V(단수)		→ 동명사(구) 주어는 단수 취급한다.

듣는 것으로는 / ~하지 않다 / 충분한

222 **Listening** / is not / enough.
고2 6월 S(동명사) V(단수)

사진을 찍는 것이 / 허용된다

223 **Taking pictures** / is allowed.
고2 6월 S(동명사구) V(단수)

→ 「be+p.p.」는 수동태이다.

더 빨리 운전하는 것은 / 데려다주지는 않을 것이다 / 당신을 / 당신의 목적지에 / 조금이라도 더 일찍

224 **Driving faster** / will not get / you / to your destination / any sooner.
고2 11월 S(동명사구) V

나의 삶의 모든 면에 회복 시간을 도입하는 것은 / 바꾸어 놓았다 / 나의 전반적인 경험을

225 **Introducing recovery in all aspects of my life** / has transformed / my overall
고2 3월 experience. S(동명사구) V(단수)

→ 「have[has]+p.p.」는 현재완료이다.

매주 하루를 종일 쉬는 것은 / ~하게 한다 / 내가 / 더 생산적인

226 **Taking one full day off every week** / makes / me / more productive.
고2 3월 응용 S(동명사구) V(단수)

→ 형용사구 more productive가 목적격 보어로 쓰여 목적어 me의 상태를 보충 설명하고 있다.

보는 것은 / 당신의 코앞에 있는 것을 / 필요로 한다 / 끊임없는 노력을

227 **To see [what is in front of your nose]** needs / constant struggle.
고1 11월 응용 S(to부정사구) V(단수)

→ to부정사구가 주어로 쓰였다.
→ to부정사(구) 주어는 단수 취급한다.

아이에게 있는 욕구를 촉발하는 것이 / ~이다 / 가족 전체의 욕구를 촉발하는 것

228 **To trigger desire in a child** / is / to trigger desire in the whole family.
고2 6월 S(to부정사구) V(단수)

→ 동사 is 뒤의 to부정사구는 보어 이고, '~하는 것'으로 해석한다.

brother-in-law를 구별할 수 없는 것은 / 아내의 남자 형제인지 여자 형제의 남편인지 / 보일 것이다 / 혼란스러운

229 **To be unable to distinguish a brother-in-law** / as the brother of one's wife or
고2 9월 응용 S(to부정사구)

the husband of one's sister / would seem / confusing.
V

- That절 주어는 「That+S+V ~」의 형태로 '~라고 하는 것은'의 의미이며 확실한 정보를 나타낸다.
- Whether절 주어는 「Whether+S+V ~ (or not)」의 형태로 '~인지 (아닌지)는'의 의미이며 불확실한 정보를 나타낸다.
- That절과 Whether절은 완전한 구조를 이루며, 명사절 주어는 단수 취급한다.

	구문 노트 ✏
우리가 우리의 상황에 영향을 미칠 수 있는 힘을 가지고 있다는 것은 / ~이다 / 매우 용기를 북돋우는 생각	→ 접속사 That이 이끄는 명사절이
230 [**That we hold the power** 〈**to influence our circumstances**〉] is / a very reassuring 고2 9월 S(명사절: That+S+V ~) V(단수)	주어로 쓰였다.
thought.	→ 명사절 주어는 단수 취급한다.
	→ That절 내 to부정사구는 the power
팔십 대의 여인이 브레이크 댄스를 출 수 있다는 것은 / 놀라게 한다 / 더 젊은 사람들을	를 수식하고 있다.
231 [**That a woman in her 80s can breakdance**] surprises / younger people. 고2 11월 S(명사절: That+S+V) V(단수)	
어떤 사람이 기업가가 되느냐 되지 않느냐 하는 것은 / ~이다 / 환경, 인생 경험, 그리고 개인적인 선택의 기능	→ 접속사 Whether가 이끄는 명사절이
232 [**Whether someone becomes an entrepreneur or not**] is / a function of 고2 3월 응용 S(명사절: Whether+S+V ~) V(단수)	주어로 쓰였다.
environment, life experiences, and personal choices.	
여성이 노예인지 부유한 계층 출신인지가 / 낳았다 / 많은 차이를	
233 [**Whether a woman was a slave or came from a wealthier class**] made / a 고2 6월 S(명사절: Whether+S+V ~) V	
great deal of difference.	
물건이 처음, 마지막, 중간 중 어디에 위치하는지가 / 가끔 영향을 미친다 / 그 물건에 대한 선택 또는 반응에	→ 목적어 자리에 명사구 두 개가 or로
☆**234** [**Whether the item is located in the first, last, or middle position**] 고2 3월 S(명사절: Whether+S+V ~)	연결되어 있다.
sometimes affects / the selection of or response to that item. V(단수)	→ the selection of 뒤에 that item이 생략되어 있다.

- 관계대명사 What절 주어는 「What+(S +)V ~」의 형태로 불완전한 구조를 이루며 '~하는 것은'으로 해석한다.
- 의문사절 주어는 「의문사+(S +)V ~」의 형태로 의문사에 따라 '누가[무엇이/어느 쪽이/언제/어디서/왜/어떻게] ~하는지는'으로 해석한다.

대표 문장	그가 발견한 것은 / ~이었다 / 놀라운	구문 노트 🖊
235 고2 11월	[**What he found**] was / extraordinary. S(명사절: What+S+V)　　V(단수)	→ 관계대명사 What이 이끄는 명사절이 주어로 쓰였다. → What이 절 내에서 목적어 역할을 하는 불완전한 구조이다.
236 고1 11월	필요한 것은 / ~이다 / 자녀들과 함께하는 적극적인 참여 [**What is needed**] is / active engagement with children. S(명사절: What+V)　V(단수)	→ What이 절 내에서 주어 역할을 하는 불완전한 구조이다.
☆ **237** 고2 11월 응용	그것을 다르게 만드는 것은 / ~이다 / 상대적인 신장 / 어린아이와 어른 사이의 [**What makes it different**] is / the relative height / between a young child and S(명사절: What+V ~)　　　V(단수) an adult.	→ What절 내에 형용사 different가 목적격보어로 쓰여 목적어 it의 상태를 보충 설명하고 있다.
238 고1 11월	이 두 상황 모두에서 달랐던 것은 / ~이었다 / 구매의 가격 맥락 [**What differed in both of these situations**] was / the price context of the S(명사절: What+V ~)　　　　　V(단수) purchase.	
239 고2 9월	흔히 '평균 기대 수명'이라고 알려진 것은 / ~이다 / 엄밀히 말하면 '출생 당시의 기대 수명' [**What is commonly known as "average life expectancy"**] is / technically S(명사절: What+V ~)　　　　　　　　　　V(단수) "life expectancy at birth."	
240 고2 3월	당신이 당신의 교수들을 어떻게 부를 것인지는 / ~에 달려 있다 / 많은 요인들 / 나이, 대학 문화, 그리고 교수 자신의 [**How you address your professors**] depends on / many factors, / such as S(명사절: How+S+V ~)　　　　　V(단수) 선호도 같은 age, college culture, and their own preference.	→ 의문사 How가 이끄는 명사절이 주어로 쓰였다.

3 가주어 it

- to부정사(to-v)구가 주어로 쓰이면, 주로 가주어 it을 쓰고, 진주어 to부정사구를 뒤로 보낸다.
- 가주어 it은 해석하지 않고, 진주어 to부정사구를 주어로 해석한다.
- 「It is[was] ~ for[of]+목적격+to부정사구」 형태로 to부정사의 의미상 주어가 함께 쓰이기도 한다.

구문 노트 ✏️

대표 문장 × / ~할 수 있다 / 도움이 되는 / 당신 자신의 에세이를 큰 소리로 읽는 것이

241
It / can be / helpful ⟨to read your own essay aloud⟩.
고2 3월 응용 S(가주어)   S'(진주어: to부정사구)

→ 가주어 it은 해석하지 않고, 진주어 to부정사구를 주어로 해석한다.

~이다 / 가능한 / 숫자를 가지고 거짓말하는 것은

242
It's / possible ⟨to lie with numbers⟩.
고2 11월 응용 S(가주어)   S'(진주어: to부정사구)

× / ~이다 / 어려운 / Booth 이전에 '진공'에 대한 어떠한 언급도 찾기가

243
It / is / hard ⟨to find any references to "vacuum" prior to Booth⟩.
고2 3월 응용 S(가주어)   S'(진주어: to부정사구)

1년 뒤 / × / ~였다 / 필요한 / 문 자물쇠를 교체하는 것이

244
A year later, / it / was / necessary ⟨to change the door lock⟩.
고2 3월 응용   S(가주어)   S'(진주어: to부정사구)

특히 / × / ~이다 / 유용한 / 자료를 개인적으로 유의미하게 만드는 것이

☆245
In particular, / it / is / useful ⟨to make material personally meaningful⟩.
고2 9월   S(가주어)   S'(진주어: to부정사구)

→ 진주어 to부정사구 내에 형용사구 personally meaningful이 목적격보어로 쓰여 목적어 material의 상태를 보충 설명하고 있다.

× / ~이다 / 거의 불가능한 / 우리가 / 감정이 없는 삶을 상상하는 것은

246
It / is / nearly impossible / for us ⟨to imagine a life without emotion⟩.
고2 9월 S(가주어)   의미상 주어   S'(진주어: to부정사구)

→ to부정사구 앞에 「for+목적격」 형태의 의미상 주어가 쓰였다.

× / ~이다 / 매우 중요한 / 우리가 / 맥락을 확인하는 것이

247
It / is / so important / for us ⟨to identify context⟩.
고1 11월 응용 S(가주어)   의미상 주어   S'(진주어: to부정사구)

× / ~이다 / 어려운 / 그들이 / 다른 사람들의 눈을 통해서 완전히 그들 자신을 아는 것은

248
It / is / difficult / for them ⟨to see themselves fully through the eyes of others⟩.
고2 9월 응용 S(가주어) 의미상 주어   S'(진주어: to부정사구)

× / ~이다 / 당연한 / 단어들이 / 그것들의 의미가 변하는 것은 / 시간이 흐르고 환경이 새롭게 바뀜에 따라

249
It / is / natural / for words ⟨to change their meaning / over time and with new
고2 9월 S(가주어) 의미상 주어   S'(진주어: to부정사구)

circumstances⟩.

- 접속사 that과 whether, 관계대명사 what과 의문사가 이끄는 명사절이 주어로 쓰이면, 주로 가주어 it을 쓰고, 명사절을 뒤로 보낸다.
- 가주어 it은 해석하지 않고, 진주어 명사절을 주어로 해석한다.

	구문 노트 ✏
× / ~이다 / 이제 분명한 / 우리가 생활 보조 시설로 이사를 해야만 한다는 것이	→ 가주어 it은 해석하지 않고, 진주어
250 It / is / now apparent [**that we must move to an assisted-living facility**]. 고2 3월 S(가주어)　　　　　　　　　　　　　S′(진주어: 명사절(that+S+V ~))	명사절을 주어로 해석한다. → 접속사 that이 이끄는 명사절이
	진주어이다.
× / 생각된다 / 일련의 새로운 상황들이 바람직할 것이라고	
251 It / is assumed [**that a new set of conditions would be desirable**]. 고2 6월 응용 S(가주어)　　　　　　　　S′(진주어: 명사절(that+S+V ~))	
× / ~이다 / 분명한 / 우리가 정보를 학습하고 기억할 수 있다는 것은 / 성인이 된 훨씬 이후에도	
252 It / is / evident [**that we can learn and remember information** / **long after** 고2 11월 S(가주어)　　　　　　　　　　S′(진주어: 명사절(that+S+V ~)) **maturation**].	
× / 중요하지 않다 / 당신이 차, 커피, 청바지 혹은 전화기를 사고 싶어 하는지는	
253 It / doesn't matter [**whether you want to buy tea, coffee, jeans, or a phone**]. 고2 9월 S(가주어)　　　　　　　　　S′(진주어: 명사절(whether+S+V ~))	→ 접속사 whether가 이끄는 명사절이 진주어이다.
× / ~이다 / 의심스러운 / 더 심한 저주가 인간에게 가해질 수 있는지	
254 It / is / doubtful [**whether any heavier curse could be forced on man**]. 고2 9월 응용 S(가주어)　　　　　　　　　　S′(진주어: 명사절(whether+S+V ~))	
× / ~이다 / 정말 매우 놀라운 / 그 사상들이 얼마나 비슷한가는	
255 It / is / indeed very striking [**how similar the ideas are**]. 고2 3월 응용 S(가주어)　　　　　　　　S′(진주어: 명사절(how+형용사+S+V))	→ 의문사 how가 이끄는 명사절이 진주어이다.
× / ~하지 않다 / 분명한 / 단지 어디서 커피가 유래했는지 / 혹은 / 누가 그것을 처음 발견했는지는	
256 It / is not / clear / just [**where coffee originated**] or [**who first discovered it**]. 고1 11월 응용 S(가주어)　　　　S′₁(진주어: 명사절(where+S+V))　　　S′₂(진주어: 명사절(who+V ~))	→ 의문사 where와 who가 이끄는 두 개의 명사절이 진주어이다.

4 다양한 주어 표현

- 시간, 날씨, 거리, 명암, 날짜, 요일, 상황 등을 나타내는 문장의 주어 It은 비인칭 주어이다.
- It seems[appears] that ~의 주어 It도 비인칭 주어이며, '~인 것 같다/~인 듯하다'로 해석한다.

		구문 노트 ✏️
대표 문장 × / ~이었다 / 견딜 수 없을 정도로 더운 시카고의 어느 날		→ 날(day)을 나타내는 문장에 비인칭
257 It / was / **an unbearably hot Chicago day.**		주어 It이 쓰였다.
고2 9월 응용 S(비인칭 주어) 날(day)		→ 비인칭 주어 it은 해석하지 않는다.
× / ~였다 / 암울한 시기		→ 상황을 나타내는 문장이다.
258 It / was / **a dark time.**		
고2 11월 S(비인칭 주어) 상황		
× / ~이었다 / 1999년 8월 18일		→ 날짜를 나타내는 문장이다.
259 It / was / **August 18, 1999.**		
고2 9월 응용 S(비인칭 주어) 날짜		
× / ~이었다 / 1983년 / 그리고 Sloop은 / 되었다 / 6학년이		
260 It / was / **1983** / and Sloop / was entering / the sixth grade.		
고2 11월 S(비인칭 주어) 날짜		
× / ~이었다 / 9월의 어느 화창한 날 아침		→ 시간을 나타내는 문장이다.
261 It / was / **a beautiful September morning.**		
고2 3월 S(비인칭 주어) 시간		
~인 것 같다 / 의지력은 유한한 것		→ It appears that ~에 쓰인 It은
262 It appears [**that** willpower is finite].		비인칭 주어이다.
고2 9월 It appears that ~		
~으로 보일 것이다 / 여건이 개선된 것		
263 It would appear [**that** conditions improved].		
고2 9월 응용 It would appear that ~		
~인 것 같다 / 당신의 취소 요구는 우리에게 보내진 것 / 인가된 취소 기간 이후에		→ It seems that ~에 쓰인 It은
264 It seems [**that** your cancellation request was sent to us / after the authorized		비인칭 주어이다.
고2 11월 응용 It seems that ~		
cancellation period].		
오늘날 / 종종 ~인 것 같다 / 우리는 기억하는 것이 거의 없는 것		→ seems 뒤에 that이 생략되어 있다.
☆ **265** Today / it often **seems** [we remember very little].		
고2 11월 it seems (that+)S+V ~		

- It is[was] ~ that …은 '…한 것은 바로 ~이다[이었다]'라는 의미로 사용되는 표현이다.
  - It is[was]와 that 사이에 강조하고자 하는 어구가, that 뒤에 문장의 나머지 부분이 모두 온다. (단, 동사 강조 불가)
  - 강조 구문의 that 이하는 불완전한 구조를 이룬다. (단, 수식어(부사) 강조 시 완전한 구조)
  - 강조 대상에 따라 that 대신 who(m)(사람), which(사물), where(장소), when(시간)을 쓰기도 한다.

		구문 노트 🖊

바로 ~이다 / 그 두 번째 기차 / 반대 방향으로 움직이고 있는 것은

266
고2 6월

It is / the second train [**that** is moving in the opposite direction].
It is　　　강조 어구(S)　　　　　　　that+나머지 어구(V+M)

→ 강조 어구가 주어이므로 ~~that~~ 뒤에 주어가 없다.

바로 ~이다 / 신념, 태도, 가치관만이 아닌 / 주관적인 것은

267
고2 9월

It is / not only beliefs, attitudes, and values [**that** are subjective].
It is　　　　　　강조 어구(S)　　　　　　　that+나머지 어구(V+C)

기근 동안 / ~ 아니다 / 열량 부족이 / 죽음의 궁극적인 원인은

268
고2 11월
응용

During a famine, / **it's** not / the lack of calories [**that** is the ultimate cause of death].
　　　　　　　　　it's not　　　강조 어구(S)　　　that+나머지 어구(V+C)

→ 원래 문장이 부정문이면 It is[was] 뒤에 not을 쓴다.

바로 ~이다 / 수고스러운 활동의 신호 / 그것들이 서로 간섭한다는 것은

269
고1 11월
응용

It is / the mark of effortful activities [**that** they interfere with each other].
It is　　　　　강조 어구(O)　　　　　　　that+나머지 어구(S+V+M)

→ 강조 어구가 목적어이므로 ~~that~~ 뒤에 목적어가 없다.

바로 ~였다 / 그때 / Bahati가 마침내 그 가난한 노파의 말의 의미를 깨달은 것은

270
고2 11월
응용

It was / then [**that** Bahati finally realized the meaning of the words of the poor old woman].
It was　강조 어구(M)　　　　　that+나머지 어구(S+V+O)

→ 강조 어구가 수식어이므로 ~~that~~ 뒤가 완전하다.

바로 ~였다 / 정말 즐거운 마음으로 / 내가 국립박물관에서 있었던 당신의 강연에 참석한 것은 / 고대 유적에 관한

271
고2 9월
응용

It was / with great pleasure [**that** I attended your lecture at the National Museum / about the ancient remains].
It was　　강조 어구(M)　　　　　that+나머지 어구(S+V+O+M)

~ 아니다 / 몸의 표면 온도가 / 중요한 것은

☆**272**
고2 6월

It is not / the temperature at the surface of the body [**which** matters].
It is not　　　　　강조 어구(S)　　　　　　which+나머지 어구(V)

→ 강조 대상이 사물일 때 that 대신 which를 쓸 수 있다.

바로 그 순간에 / 바로 ~였다 / 그 / 내게 올바른 길을 알려준 사람은

273
고2 11월
응용

At that very moment, / **it was** / he [**who** showed me the right way].
　　　　　　　　　it was　강조 어구(S)　who+나머지 어구(V+IO+DO)

→ 강조 대상이 사람일 때 that 대신 who를 쓸 수 있다.

5 주어의 자리바꿈

- 주어는 보통 문장의 앞에 오지만, 강조 등의 이유로 다른 어구(부사, 보어 등)가 문장 맨 앞에 올 수 있다.
- 부사(구)나 보어가 문장 앞에 올 때 「부사(구)/보어+V+S」 형태로 도치가 일어나기도 한다.
- 부정어(구)가 문장 앞에 올 때는 반드시 「부정어+V+S」 또는 「부정어+조동사+S+V」 형태로 주어와 동사의 위치가 바뀌는 도치가 일어난다.

대표 문장	식물들로부터 / 나온다 / 화합물들이	구문 노트 ✏️
274 고1 11월 응용	From plants / come / **chemical compounds**. 부사구　　　　　V　　　　　S(도치)	→ 부사구가 문장 앞에 쓰여 주어와 동사의 위치가 바뀌었다.
275 고2 9월 응용	방 안의 탁자 위에는 / 있었다 / 두 개의 그릇이 On the table in the rooms / were / **two bowls**. 부사구　　　　　　　V　　　S(도치)	
☆ 276 고2 3월 응용	몇 년 후에야 비로소 / × / 그 개념은 / 되었다 / 대중화된 Only some years later / did / **the concept** / become / popular. 부사구　　　　　조동사　　S(도치)　　　V	→ only가 이끄는 부사구가 문장 앞에 쓰이면 반드시 도치가 일어난다.
277 고2 3월 응용	그 어린 소녀의 바로 뒤에서 따라가고 있는 / 있었다 / 그 가족의 독일 셰퍼드종 개가 Following just behind the baby girl / was / **the family's Alsatian dog**. 보어　　　　　　　　　　V　　　S(도치)	→ 보어가 문장 앞에 쓰여 주어와 동사의 위치가 바뀌었다. → 도치된 주격보어는 '진행을 나타내는 현재분사구(v-ing)이다.
278 고2 6월 응용	동봉되어 / 있다 / 나의 영수증과 보증서 사본들이 Enclosed / are / **copies of my receipts and guarantees**. 보어　　V　　　S(도치)	→ 도치된 주격보어는 '수동'을 나타내는 과거분사(p.p.)이다.
279 고1 11월	거의 ~않는 / ~하다 / 전화들은 / 긴급한 Rarely / are / **phone calls** / urgent. 부정어　　V　　　S(도치)	→ 부정어가 문장 앞에 쓰여 주어와 동사의 위치가 바뀌었다.
☆ 280 고1 11월	이전에는 결코 ~ 않는 / × / 이러한 대상들이 / 여겨져 왔다 / 화가들에게 적절하다고 Never before / had / **these subjects** / been considered / appropriate for artists. 부정어　　조동사　　S(도치)　　　　　V	→ 5형식 문장의 과거완료 수동태 문장으로, 형용사구 목적격보어가 동사 뒤에 남아 있다.

- 유도부사(There/Here)가 문장 앞에 쓰인 「There/Here+V+S」 형태의 도치 구문도 자주 사용된다.
- 뒤에 오는 주어가 단수면 단수 동사, 복수면 복수 동사를 쓴다.

		구문 노트 ✏
× / 있다 / 쌍방향 상호 작용이 / 행사와 맥락 간에		→ 유도부사 There가 문장 앞에 쓰여
281 There / is / **a two-way interaction** / between the event and the context.		도치가 일어났다.
고1 11월 응용 There V S(단수)		
× / 존재한다 / 내재적인 논리적 모순이 / 문화 상대주의에는		
282 There / exists / **an inherent logical inconsistency** / in cultural relativism.		
고1 11월 응용 There V S(단수)		
× / 있었다 / 총성과 같은 날카로운 소리가		
283 There / was / **a crack** ⟨**like a rifle shot**⟩.		
고2 9월 There V S(단수)		
옛날에 / × / 있었다 / 아르메니아의 한 왕이		
284 Once upon a time / there / was / **a king of Armenia**.		
고2 3월 응용 there V S(단수)		
× / 있었다 / 잠들기 전에 읽어 주는 이야기가 없는		
285 There / were / **no bedtime stories**.		
고2 3월 응용 There V S(복수)		
여기 / 있다 / 아주 훌륭한 예가		→ 유도부사 Here가 문장 앞에 쓰여
286 Here / is / **an excellent example**.		도치가 일어났다.
고2 9월 Here V S(단수)		
여기에 있다 / 흥미로운 부분이		
287 Here's / **the interesting part**.		
고2 11월 Here+V S(단수)		

1 명사와 명사구 목적어

- 명사와 대명사는 문장의 목적어 자리에 올 수 있고, 주로 '~을/를'이나 '~에게'로 해석한다.
- 동명사(v-ing), to부정사(to-v)는 명사구로서 목적어 자리에 올 수 있고, '~하는 것을'로 해석한다.
  - 동명사를 목적어로 쓰는 동사: avoid, enjoy, finish, keep, mind, quit, stop 등
  - to부정사를 목적어로 쓰는 동사: agree, decide, expect, hope, plan, refuse, want 등

구문 노트 ✏️

☆288
고2 9월

Jacob의 동료는 / 바라보았다 / 그를 / 그리고 주었다 / 그에게 / 안 된다는 신호를

Jacob's partner / looked at / **him** / and gave / **him** / **the thumbs-down**.
　　　　　　　　　 V₁　　　　O₁(대명사)　 V₂　 IO(대명사)　 DO(명사구)

→ looked at의 목적어로 대명사가 쓰였다.
→ gave의 간접목적어로 대명사가, 직접 목적어로 명사가 쓰였다.

289
고1 11월
응용

오늘날 / 전문가들은 / 이해하고 있다 / 근력 운동의 중요성을

Today, / experts / understand / **the importance of strength training**.
　　　　　　　　　 V　　　　　 O(명사구)

→ 명사구가 목적어로 쓰였다.

290
고1 11월

사냥꾼은 / 소유하고 있었다 / 사납고 훈련이 형편없이 된 사냥개 몇 마리를

The hunter / owned / **a few fierce and poorly-trained hunting dogs**.
　　　　　　　 V　　　　　　　　O(명사구)

291
고2 6월
응용

Maria와 Alice는 / 기원해 주었다 / 그 깜짝 놀란 여성에게 / 즐거운 크리스마스를

Maria and Alice / wished / **the astonished woman** / **a merry Christmas**.
　　　　　　　　　　 V　　　 IO(명사구)　　　　　 DO(명사구)

→ 두 개의 명사구가 각각 간접목적어 (~에게)와 직접목적어(~을/를)로 쓰였다.

대표 문장

292
고2 3월

나는 / 즐겨왔다 / 이곳에서 사는 것을 / 그리고 희망한다 / 계속해서 그렇게 하기를

I / have enjoyed / **living here** / and hope / **to continue doing so**.
　　 V₁　　　　　 O₁(동명사구)　 V₂　　　　 O₂(to부정사구)

→ enjoy는 동명사를 목적어로 쓰고, hope는 to부정사를 목적어로 쓴다.

293
고2 3월

그것은 / 자동으로 멈춘다 / 작동하는 것을 / 8분 뒤에

It / automatically stops / **running** / after 8 minutes.
　　　　　　 V　　　　　　 O(동명사)

→ stop은 동명사를 목적어로 쓴다.

294
고2 6월
응용

입구에서 / 그는 / 계속 ~한다 / 자신의 휴대폰으로 사진을 찍는 것을

At the entrance / he / keeps / **taking photos with his cell phone**.
　　　　　　　　　　　 V　　　　 O(동명사구)

→ keep은 동명사를 목적어로 쓴다.

295
고2 3월

그녀는 / 결심했다 / 다가오는 학급의 프로젝트를 이용하기로

She / decided / **to take advantage of an upcoming project for the class**.
　　　 V　　　　　　　　　　O(to부정사구)

→ decide는 to부정사를 목적어로 쓴다.

296
고2 6월
응용

그들은 / 동의했다 / 식사 시간을 항상 가지기로 / 적절한 식사 시간에

They / agreed / **to always take a meal break** / at the appropriate meal
hour.　　　V　　　　　　 O(to부정사구)

→ agree는 to부정사를 목적어로 쓴다.

- 동명사와 to부정사 둘 다 목적어로 쓰는 동사도 있다.
  - 둘 다(의미 차이 없음): like, love, hate, prefer, attempt, intend, start, begin, continue 등
  - 둘 다(의미 차이 있음): forget, remember, regret, try 등

		구문 노트 🖋
	이 문제들 중 일부는 / 계속해 왔다 / 수학자들을 시험하는 것을 / 현대까지	→ continue는 동명사와 to부정사 둘 다
297 고2 9월	Some of these problems / have continued / **to challenge mathematicians** / 　　　　　　　　　　　　　V　　　　　　　　O(to부정사구) until modern times.	목적어로 쓰고 의미 차이가 없다.
	아이들은 / 계속했다 / 철봉 사다리에서 손을 흔들며 외치는 것을	→ continue의 목적어 waving과
298 고2 3월 응용	The kids / continued / **waving and shouting on the climbing bars**. 　　　　　　V　　　　　　　　　O(동명사구)	shouting이 and로 연결되어 있다.
	첫 번째 커브에서 / 내 심장은 / 시작했다 / 빠르게 뛰기	→ start는 동명사와 to부정사를 둘 다
299 고1 11월	At the first curve, / my heart / started / **beating fast**. 　　　　　　　　　　　　　　V　　　　O(동명사구)	목적어로 쓰고 의미 차이가 없다.
	사람들은 / 시작했다 / 기계식 시계의 시간을 따르기	
300 고2 6월 응용	People / started / **to follow the mechanical time of clocks**. 　　　　　V　　　　　　　O(to부정사구)	
	나는 / 노력했다 / 그 생각을 설명하려고	→ 「try+to부정사」는 '~하려고 노력
301 고2 3월 응용	I / tried / **to explain the idea**. 　　V　　　O(to부정사구)	하다'의 의미이다.
	Lucas는 / 시험 삼아 ~해 보았다 / 그녀를 설득하려고	→ 「try+동명사」는 '시험 삼아 ~해 보다'
302 고2 6월 응용	Lucas / tried / **reasoning with her**. 　　　　V　　　　O(동명사구)	의 의미이다.
	그는 / 후회했다 / 그 노인의 자전거를 수리한 것을	→ 「regret+동명사」는 '(과거에) ~한
303 고1 11월	He / regretted / **fixing up the old man's bicycle**. 　　　　V　　　　　　　O(동명사구)	것을 후회하다'의 의미이다.
	나는 / 기억한다 / "음, 나는 그것을 할 수 있을 거야."라고 속으로 생각한 것을	→ 「remember+동명사」는 '(과거에) ~한
304 고2 3월	I / remember / **thinking to myself, "Well, I could do that."** 　　　　V　　　　　　　　　O(동명사구)	것을 기억하다'의 의미이다.
	참가자들은 / 잊을지도 모른다 / 불안해하는 것을	→ 「forget+to부정사」는 '(미래에) ~할
305 고2 9월 응용	Participants / may forget / **to be nervous**. 　　　　　　　　V　　　　　　O(to부정사구)	것을 잊다'라는 의미이다.

2 명사절 목적어

- 접속사 that과 whether[if]가 이끄는 명사절은 문장의 목적어 자리에 올 수 있다.
- 「that+S+V ~」 형태의 명사절 목적어는 '~라고 하는 것을'로 해석하며, that을 생략하기도 한다.
- 「whether[if]+S+V ~」 형태의 명사절 목적어는 '~인지 (아닌지)를'로 해석하며, 주로 동사 ask, doubt, tell, know, wonder 등의 목적어로 쓰인다.

		구문 노트 ✎

대표 문장 Edison은 / 알게 되었다 / 마케팅과 발명이 통합되어야 한다는 것을

306 Edison / learned [that marketing and invention must be integrated].

고2 11월   V   O(명사절: that+S+V)

→ that이 이끄는 명사절이 목적어로 쓰였다.

나는 / 알고 있다 / 이것이 자비로 될 것이라는 것을

307 I / understand [that this would be at my own expense].

고2 3월 응용   V   O(명사절: that+S+V ~)

세계적으로 유명한 어떤 시리얼 브랜드의 라벨은 / 보여 준다 / 시리얼이 1회분에 11g의 설탕을 함유하고 있음을

308 A world-famous cereal brand's label / indicates [that the cereal has 11 grams

고2 3월 응용   V   O(명사절: that+S+V ~)

of sugar per serving].

Jacob은 / 생각했다 / 이미 매우 절망적인 것처럼 보인다고

309 Jacob / thought [it was already looking pretty hopeless].

고2 9월   V   O(명사절: (that+)S+V ~)

→ 명사절 목적어를 이끄는 접속사 that은 생략할 수 있다.

Kathy와 함께 한 몇 주가 지난 후 / 나는 / 발견했다 / 내가 매우 영리하고 매우 의지력이 강한 아이를 맡고 있다는 것을

310 After a few weeks with Kathy, / I / discovered [I was dealing with a very

고2 9월   bright, very strong-willed child].   V   O(명사절: (that+)S+V ~)

나는 / 의심했다 / 내가 그것을 잘 해낼 수 있을지를

311 I / doubted [whether I could make it].

고1 11월 응용   V   O(명사절: whether+S+V ~)

→ 명사절 목적어로 쓰인 접속사 whether는 if로 바꿔 쓸 수 있으며 '~인지 (아닌지)를'의 의미이다.

당신은 / 모를 것이다 / 당신이 그의 이름을 영화, 스포츠 또는 정치 상황에서 만났는지를

312 You / will not know [whether you encountered his name in the context of

고2 6월 응용   V   O(명사절: whether+S+V ~)

movies, sports, or politics].

그녀는 / 연락했다 / 친구들과 가족에게 / 그리고 물었다 / 그들에게 / 그들이 100달러를 내줄 수 있는지를

313 She / reached out / to friends and family / and asked / them [if they could

고2 11월   spare $100].   V   IO   DO(명사절: if+S+V ~)

→ if가 이끄는 명사절이 asked의 직접 목적어로 쓰였다.

나는 / 궁금하다 / 하루 동안 교실에서 아이들을 촬영하는 것이 가능한지

☆ 314 I / wonder [if it is possible to film children in classes for a day].

고2 11월 응용   V   O(명사절: if+S+V ~)

→ wonder의 목적어로 쓰인 if절에 가주어 it과 진주어 to부정사구가 쓰였다.

- 관계대명사 what과 의문사가 이끄는 명사절은 문장의 목적어 자리에 올 수 있다.
- 「what+(S+)V ~」 형태의 명사절 목적어는 '~하는 것을'로 해석한다.
- 「의문사+(S+)V ~」 형태의 명사절 목적어는 의문사에 따라 '누가[무엇이/어느 쪽이/언제/어디서/왜/어떻게] ~하는지를'로 해석한다.

구문 노트

우리는 / 완전히 통제할 수 없다 / 우리가 전달하는 것을

315
고2 6월
응용

We / cannot completely control [**what we communicate**].
　　　　　V　　　　　　　O(명사절: what+S+V)

→ 관계대명사 what이 이끄는 명사절이 목적어로 쓰였다.

대부분의 사람들은 / ~할 것이다 / 판매원이 요청하는 것을

316
고1 11월
응용

Most people / will do [**what the salesperson asks**].
　　　　　　V　　　　O(명사절: what+S+V)

그들은 / 가르쳤다 / 자기 자손들에게 / 자신들이 배운 것을

☆ 317
고1 11월
응용

They / taught / their own offspring [**what they'd learned**].
　　　V　　　　　IO　　　　　　DO(명사절: what+S+V)

→ 관계대명사 what이 이끄는 명사절이 taught의 직접목적어로 쓰였다.

→ 명사절에 과거완료가 쓰였다.

그는 / 물었다 / 왜 그 동물이 탈출하려고 애쓰지 않는지를

318
고2 11월
응용

He / asked [**why the beast didn't try to escape**].
　　V　　　O(명사절: why+S+V ~)

→ 의문사 why가 이끄는 명사절이 목적어로 쓰였다.

너는 / 알고 있니 / 우리가 어떤 길로 왔는지 / Lauren이 / 물었다

☆ 319
고2 9월
응용

"Do you / know [**which way we came**]?" / Lauren / asked.
　　　　V　　O(명사절: which+명사+S+V)

→ 의문사 which[what]가 이끄는 명사절 목적어는 「which[what]+명사(구)+(S+)V」 형태로 쓸 수 있다.

과학은 / 말해 줄 수 있을 뿐이다 / 우리에게 / 세상이 우리에게 어떻게 보이는지를

320
고2 9월
응용

Science / can only tell / us [**how the world appears to us**].
　　　　　V　　　　IO　　DO(명사절: how+S+V ~)

→ 의문사 how가 이끄는 명사절이 목적어로 쓰였다.

그것들은 / 영향을 미친다 / 정보가 지점 간에 얼마나 원활하게 또는 곧바로 이동할 수 있는지에 / 전 세계 사이버

☆ 321
고2 9월

They / affect [**how smoothly or directly information can move from point to**
　　　V　　　　　　　　O(명사절: how+부사+S+V ~)

공간에서

point / in global cyberspace].

→ 의문사 how가 이끄는 명사절 목적어는 「how+형용사/부사+(S+)V」 형태로 쓸 수 있다.

그것은 / 결정한다 / 대화의 구조를 / 그리고 / 누가 어떤 정보에 접근할 수 있는지를

322
고2 11월

It / determines / the structure of conversations / and [**who has access to what**
　　V　　　　　O₁　　　　　　　O₂(명사절: who+V ~)

information].

→ 두 개의 목적어가 and로 연결되어 있다.

→ 의문사 who가 이끄는 명사절이 두 번째 목적어로 쓰였다.

---

3 가목적어 it, 재귀목적어

- to부정사구나 that절이 목적어로 쓰이면 그 자리에 가목적어 it을 쓰고, 진목적어인 to부정사구나 that절을 뒤로 보낸다.
- 주로 5형식 문장에서 나타나며, 가목적어 it은 해석하지 않고, 진목적어를 목적어로 해석한다.

		구문 노트 ✏

대표 문장 의사들은 / 거의 항상 알게 될 것이다 / × / 이득이라는 것을 / 다른 누군가를 고용하는 것이

323
고2 6월
응용

Doctors / will almost always find / **it** / advantageous / **to hire someone else**.
　　　　　　　 V　　　　　　 O(가목적어)　　　　　　 O'(진목적어: to부정사구)

→ it은 가목적어이고, to부정사구가 진목적어이다.

나는 / 늘 생각해 왔다 / × / 어렵다고 / 문이 없는 사무실에서는 창의적으로 되기가

324
고2 6월

I / have always found / **it** / hard / **to be creative in a doorless office**.
　　　　　 V　　　　 O(가목적어)　　　　 O'(진목적어: to부정사구)

사람들은 / 생각했다 / × / 나쁜 선택이라고 / 추정하는 것은 / 자신들이 더 많은 부를 만들어 낼 것으로 / 십 년이 지난 후

☆ **325**
고2 3월
응용

People / considered / **it** / a bad bet / **to assume [that they would be producing**
　　　　 V　　 O(가목적어)　　　　 O'(진목적어: to부정사구)

→ 진목적어 to부정사구 안에 that절이 assume의 목적어로 쓰였다.

more wealth / ten years down the line].

창의적인 회사들은 / ~하고 있다 / × / 가능하게 / 그들의 고객들이 / 소유권과 이용권을 공유하는 것을 / 거의

326
고2 11월
응용

Creative companies / are making / **it** / possible / for their clients / **to share**
　　　　　　　　　 V　　 O(가목적어)　　　　 O'(진목적어: to부정사구)

→ for their clients는 to부정사구의 의미상 주어이다.

모든 것에 대한

ownership and access / to just about everything.

블록체인의 탈중개화되고 초국가적인 특성이 / ~하게 한다 / × / 어렵게 / 블록체인의 소프트웨어 프로토콜의

327
고2 11월
응용

The disintermediated and transnational nature of blockchains / makes / **it** /
　　　　　　　　　　　　　　　　　　　　　　　　　　 V　 O(가목적어)

변경을 시행하는 것을

difficult / **to implement changes to a blockchain's software protocol**.
　　　　 O'(진목적어: to부정사구)

나는 / 생각했다 / × / 놀랍다고 / 그가 그 질문을 명백히 고려하지 않았다는 것이

328
고2 6월
응용

I / found / **it** / remarkable [**that he had apparently not considered the question**].
　 V　 O(가목적어)　　　　 O'(진목적어: that+S+V ~)

→ it은 가목적어이고, that절이 진목적어이다.

유력한 전설에 따르면 / ~한다 / × / 한 염소지기가 커피를 발견했다고 / 에티오피아 고산지에서

329
고1 11월
응용

The predominant legend / has / **it** [**that a goatherd discovered coffee / in**
　　　　　　　　　 V　 O(가목적어)　　　　 O'(진목적어: that+S+V ~)

the Ethiopian highlands].

- 목적어가 주어와 같은 대상일 때, 재귀대명사(-self/-selves)를 쓰고, '자신을/자신에게'로 해석한다.
- 문장의 목적어로 쓰인 재귀대명사는 생략할 수 없다.

		구문 노트 ✏

Masami는 / 알게 되었다 / 자신이 / 불운한 상황에 놓여있는 것을

330
고2 6월
응용

Masami / found / **herself** / in a bad situation.
　　S　　　V　　　　O
　　└────(=)────┘

→ 주어와 목적어가 같은 대상을 나타내
므로 재귀대명사가 목적어로 쓰였다.

그 곰은 / 몸을 낮추었다 / 스스로 / 그리고 천천히 움직였다 / 왼쪽으로

331
고2 9월
응용

The bear / lowered / **itself** / and moved slowly / to the left.
　S　　　　V　　　　O

나는 / 본다 / 나 자신을 / 가장 분명하게 / 그녀의 눈 속에서 / 그녀의 영혼의 창인

332
고2 3월

I / see / **myself** / most clearly / in her eyes, / the windows to her soul.
S　V　　O

→ 콤마(,) 뒤의 명사구는 her eyes에
관해 보충 설명하고 있다.

대부분의 교수들은 / 여긴다 / 자신들이 / 전문가적 권위를 가진 위치에 있다고 / 그들의 학생들보다는

333
고2 3월
응용

Most professors / see / **themselves** / in a position of professional authority /
　　　S　　　　　V　　　　O

over their students.

그는 / 가르쳤다 / 스스로에게 / 수학, 자연 철학, 그리고 여러 언어를

☆334
고1 11월

He / taught / **himself** / mathematics, natural philosophy and various languages.
S　　V　　　IO　　　　　　　　　　　DO

→ 재귀대명사가 간접목적어로 쓰였다.

→ teach oneself: 독학하다

4 전치사의 목적어

- 「전치사＋(대)명사」 형태의 전치사구에서 전치사 뒤에 오는 말을 전치사의 목적어라고 한다.
- 명사와 대명사, 동명사(구) 등이 주로 전치사의 목적어로 쓰이며, to부정사(구)는 전치사의 목적어로 쓰이지 않는다.

		구문 노트 ✏
	Maria는 / 말했다 / 그녀의 동료들에게 / 그녀의 딸의 최근 프로젝트에 관해	→ 전치사의 목적어로 명사구가 쓰였다.
335 고2 6월 응용	Maria / told / her coworkers / about **her daughter's latest project.** 전치사　　　　　O(명사구)	
	한 펭귄의 운명이 / 바꾼다 / 운명을 / 모든 나머지 펭귄들의	
336 고1 11월	One penguin's destiny / alters / the fate / of **all the others.** 전치사　O(명사구)	
	때때로 / 우리의 판단은 / 우리 자신에 대한 / ~이다 / 터무니없이 부정적인	→ 전치사의 목적어로 재귀대명사가
☆ **337** 고2 3월	Sometimes / our judgments / of **ourselves** / are / unreasonably negative. 전치사　O(재귀대명사)	쓰였다.
	우리는 / 대단히 감사할 것입니다 / 당신의 배려에 / 우리를 위해 / 이 어려운 시기에　　전치사	→ 전치사 for와 in의 목적어로 각각
338 고2 3월	We / would very much appreciate / your consideration / for **us** / in **this difficult** time.　　　　　　　　　　　　　전치사 O(대명사)　　O(명사구)	대명사와 명사구가 쓰였다.
대표 문장	우리는 / 걱정할 필요가 없다 / 굶주리는 것에 대해	→ 전치사의 목적어로 동명사가 쓰였다.
339 고2 11월	We / do not have to worry / about **starving.** 전치사　O(동명사)	
	조절하시오 / 음량을 / 조이스틱을 좌우로 움직임으로써	→ 전치사의 목적어로 동명사구가
340 고2 9월	Adjust / the volume level / by **moving the joystick left or right.** 전치사　　　　　O(동명사구)	쓰였다.
	탐구해 보자 / 이 질문을 / Madeleine과 Alexandra의 사례를 생각하면서	→ 동명사구 내 전치사 of의 목적어로
341 고2 11월 응용	Let's explore / this question / by **considering the case of Madeleine and** 전치사　　　　　O(동명사구) **Alexandra.**	명사구가 쓰였다.
	100만 달러의 상금이 / 수여될 것이다 / 이 7개 문제를 해결하는 것에 각각	→ 동명사구 내 전치사 of의 목적어로
342 고2 9월	A $1 million prize / will be awarded / for **solving each of these seven problems.** 전치사　　　　　O(동명사구)	
	당신은 / 활용해야 한다 / 과정을 / 선택을 시험해보는 / 좀 더 작은 규모로	→ 동명사구 내 전치사 on의 목적어로
343 고2 6월	You / should use / the process / of **testing the option** / on **a smaller scale.** 전치사　　　　　O(동명사구)	명사구가 쓰였다.

- 접속사 whether, 관계대명사 what, 의문사가 이끄는 명사절은 전치사의 목적어로 쓰인다.
- that과 if가 이끄는 명사절은 전치사의 목적어로 쓰이지 않는다.

		구문 노트 ✎
	나는 / 완전히 확신하지 못했다 / 그 결과가 어떠할지를	
344 고2 6월 응용	I / was not fully convinced / of [**how the outcome would be**]. 　　　　　　　　　　　　　　전치사　　O(명사절: how+S+V)	→ 의문사 how가 이끄는 명사절이 전치사의 목적어로 쓰였다.
	그 봉투 속에 있는 편지는 / 설교했다 / 나에게 / 전부를 / 모든 연령대에서 오래된 우정이 얼마나 중요한지에 대해서	
345 고2 11월 응용	A letter inside the envelope / lectured / me / all / about [**how important old** 　　　　　　　　　　　　　　　　　　　　전치사　O(명사절: how+형용사+S+V ~) **friendships are at all ages**].	→ 「how+형용사+S+V」 형태의 의문 사절이 전치사의 목적어로 쓰였다.
	부모들은 / 반드시 합의해야 한다 / 어디에 제한을 둘지에 대해 / 그리고 / 어떻게 그것이 시행될지에 대해	
☆ **346** 고2 6월 응용	Parents / must agree / on [**where a limit will be set**] and [**how it will be enforced**]. 　　　　　　　　전치사　O₁(명사절: where+S+V)　　　　　　O₂(명사절: how+S+V)	→ 전치사 on의 목적어로 의문사 where 와 how가 이끄는 명사절 두 개가 and로 연결되어 있다.
	나의 동료와 그의 아내는 / 있었다 / 지속적인 갈등 속에 / 언제 집안일이 이루어져야 하는지에 대해	
347 고2 6월	My buddy and his wife / were / in constant conflict / over [**when the housework** 　　　　　　　　　　　　　　　　　　　　　　전치사　O(명사절: when+S+V) **should get done**].	→ 의문사 when이 이끄는 명사절이 전치사의 목적어로 쓰였다.
	우리는 / 가지고 있었다 / 본능적인 인식을 / 우리 몸이 어떤 음식을 필요로 하는지에 관한	
348 고2 3월 응용	We / had / an instinctive awareness / of [**what foods our body needed**]. 　　　　　　　　　　　　　　　　전치사　　O(명사절: what+명사+S+V)	→ 「what+명사+S+V」 형태의 의문사 절이 전치사의 목적어로 쓰였다.
	우리는 빗나가고 있다 / 과녁에서 / 인생이 전부인 것의	
349 고2 3월 응용	We're missing / the mark / of [**what life is all about**]. 　　　　　　　　　　전치사　O(명사절: what+S+V ~)	→ 관계대명사 what이 이끄는 명사절이 전치사의 목적어로 쓰였다.
	어린아이처럼 / 예술가는 / 만들어낸다 / 예술을 / 그가 자기 주변에 가지고 있는 것으로부터	
350 고2 3월 응용	Like a child, / an artist / makes / art / from [**what he has around him**]. 　　　　　　　　　　　　　　　　　전치사　　O(명사절: what+S+V ~)	
	안타깝게도 / 많은 사람들이 / 집중하는 경향이 있다 / 그들이 가지고 있지 않은 것에	
351 고2 11월 응용	Unfortunately, / many people / tend to focus / on [**what they don't have**]. 　　　　　　　　　　　　　　　　전치사　　O(명사절: what+S+V)	

- 「동사+목적어+전치사구」 형태로 전치사구를 동반하는 동사구문은 특정한 의미로 쓰인다.
  - see[view/think of/regard] A as B: A를 B로 보다/생각하다/간주하다
  - add/apply A to B: A를 B에 더하다/적용하다
  - thank A for B: A에게 B에 대해 감사하다

		구문 노트 🖊
대표 문장 당신은 / 보아야 한다 / 삶을 / 일련의 모험으로		→ see A as B는 'A를 B로 보다[간주
352 You / have to **see** / life / **as** a series of adventures.		하다]'의 의미이다.
고2 6월　　　　　 V　　　 O　　　 전치사+O(명사구)		
생각해 보라 / 그것을 / 로봇의 도움을 받는 인간으로		→ think of A as B는 'A를 B로 생각
353 **Think of** / it / **as** the robot-assisted human.		하다[간주하다]'의 의미이다.
고2 3월 응용　 V　　 O　　 전치사+O(명사구)		
사람들은 / 보통 생각한다 / 설득을 / 깊은 사고 과정이라고		
354 People / commonly **think of** / persuasion / **as deep** processing.		
고2 6월 응용　　　　 V　　　　 O　　　 전치사+O(명사구)		
당신은 / 더했을 뿐이다 / 더 많은 빚을 / 당신의 (빚) 목록에		→ add A to B는 'A를 B에 더하다'의
355 You / just **added** / more debt / **to** your list.		의미이다.
고2 3월 응용　　　 V　　　 O　　 전치사+O(명사구)		
상상력이 풍부하다는 것은 / 준다 / 우리에게 / 행복감을 / 그리고 더한다 / 흥분을 / 우리의 삶에		
356 Being imaginative / gives / us / feelings of happiness / and **adds** / excitement /		
고2 3월　　　　　　　　　　　　　　　　　　　　　V　　　 O		
to our lives.		
전치사+O(명사구)		
감사합니다 / 당신께 / 당신이 이해해 주셔서		→ thank A for B는 'A에게 B에 대해
357 **Thank** / you / **for** your understanding.		감사하다'의 의미이다.
고1 11월　 V　　 O　　 전치사+O(동명사)		→ understanding 앞의 your는 동명사
		의 의미상 주어이다.
우리는 / 감사합니다 / 당신에게 / 동의한 것에 대해 / 음악을 연주하기로 / 9월 17일에 열리는 제 딸의 결혼식에		→ 동명사구 내에 agreeing의 목적어로
☆ **358** We / **thank** / you / **for** agreeing / to play the music / **for** my daughter's wedding		to부정사구가 쓰였다.
고2 6월　　 V　　 O　　　　 전치사+O(동명사구)		
on September 17.		

- provide[present]/fill *A* with *B*: A에게 B를 제공하다/A를 B로 채우다
- prevent[keep/stop] *A* from *B*: A가 B하는 것을 막다
- separate *A* from *B*: A를 B와 분리하다
- remind/convince *A* of *B*: A에게 B를 상기시키다/확신시키다

		구문 노트 🖊

우유와 고기는 / 제공한다 / 사람들에게 / 많은 지방과 단백질을

359
고2 6월
응용

The milk and meat / **provide** / people / **with** much fat and protein.
　　　　　　　　　　V　　　　O　　　전치사+O(명사구)

→ provide *A* with *B*는 'A에게 B를 제공하다'의 의미이다.

몇몇 회사들은 / 제공한다 / 직원들에게 / 카페테리아 장려금 프로그램을

360
고2 9월

Some companies / **provide** / their employees / **with** cafeteria incentive programs.
　　　　　　　　V　　　　　O　　　　　전치사+O(명사구)

그는 / 채웠다 / 난로를 / 모든 나무 조각으로

361
고1 11월
응용

He / had **filled** / the stove / **with** every piece of wood.
　　V　　　　O　　　　전치사+O(명사구)

→ fill *A* with *B*는 'A를 B로 채우다'의 의미이다.

그 게임이 / 막았다 / 초기의 트라우마를 일으키는 기억들이 / 굳어지는 것을

362
고2 11월
응용

The game / **prevented** / the initial traumatic memories / **from** solidifying.
　　　　V　　　　　　　O　　　　　　　전치사+O(동명사)

→ prevent *A* from *B*는 'A가 B하는 것을 막다'의 의미이다.

숫자에 집중하는 것은 / 분리한다 / 사람들을 / 자신의 몸과 조화를 이루는 것으로부터

363
고2 11월
응용

Focusing on numbers / **separates** / people / **from** being in tune with their body.
　　　　　　　　　V　　　　　O　　　전치사+O(동명사구)

→ separate *A* from *B*는 'A를 B와 분리하다[구분하다]'의 의미이다.

청소년 축구 토너먼트 시리즈를 대표하여 / 저는 / 상기시켜 드리고 싶습니다 / 귀하에게 / 다음 주 2019 시리즈를

364
고1 11월

On behalf of the Youth Soccer Tournament Series, / I / would like to **remind** /
　　　　　　　　　　　　　　　　　　　　　　　　　　　V

you / **of** the 2019 Series next week.
O　　　전치사+O(명사구)

→ remind *A* of *B*는 'A에게 B를 상기시키다'의 의미이다.

1 주격보어: 형용사, 명사

- 형용사는 주격보어로 쓰여 주어의 성질, 상태를 나타낼 수 있고, '주어가 ~하다/~해지다'로 해석한다.
- 둘 이상의 형용사가 함께 오거나 형용사 앞뒤에 수식어가 붙기도 한다.

대표 문장 블록체인은 / ~이다 / 탈중개화되어 있고 초국가적인	**구문 노트**
365 Blockchains / are / **disintermediated and transnational.** 고2 11월 ⟨S⟩ ⟨V⟩ ⟨C(형용사구)⟩	→ be동사 뒤에 형용사구가 주격보어로 쓰였다.
젊은 나무꾼은 / ~이었다 / 매우 열심히 일하는 **366** The young man / was / **very hardworking.** 고2 9월 ⟨S⟩ ⟨V⟩ ⟨C(형용사구)⟩	→ 수식어 very가 형용사 hardworking 을 수식하고 있다.
돈은 / ~이다 / 이동 가능하고 (지불을) 연기할 수 있는 **367** Money / is / **transferable and deferrable.** 고2 6월 응용 ⟨S⟩ ⟨V⟩ ⟨C(형용사구)⟩	→ 형용사 보어 두 개가 and로 연결되어 있다.
우리의 일은 / ~된다 / 질이 높아지게 / 로봇에게 의존함으로써 **368** Our jobs / become / **enriched** / by relying on robots. 고2 3월 응용 ⟨S⟩ ⟨V⟩ ⟨C(형용사)⟩	→ 변화를 나타내는 동사 become 뒤에 형용사가 주격보어로 쓰였다.
우리는 / ~된다 / 지루하며, 완고하고, 경직된 **369** We / become / **boring, rigid, and hardened.** 고2 6월 응용 ⟨S⟩ ⟨V⟩ ⟨C(형용사구)⟩	→ A, B, and C의 형태로 형용사 보어 세 개가 연결되어 있다.
같은 상품을 담아 드는 것이 / 검은색 쇼핑백에 / 느껴진다 / 더 무거운 ☆**370** Carrying the same product / in a black shopping bag / feels / **heavier.** 고1 11월 응용 ⟨S⟩ ⟨V⟩ ⟨C(형용사)⟩	→ 동명사구가 주어로 쓰였다. 동명사구 주어는 단수 취급한다. → 감각동사 feel 뒤에 형용사가 주격 보어로 쓰였다.
그녀는 / 곧 느꼈다 / (자신이) 중요하고 쓸모 있다고 **371** She / immediately felt / **important and useful.** 고2 3월 ⟨S⟩ ⟨V⟩ ⟨C(형용사구)⟩	
뇌는 / 남아 있다 / 변화할 수 있는 상태로 / 평생에 걸쳐 **372** The brain / remains / **changeable** / throughout the life span. 고2 11월 응용 ⟨S⟩ ⟨V⟩ ⟨C(형용사)⟩	→ 상태를 나타내는 동사 remain 뒤에 형용사가 주격보어로 쓰였다.
그녀의 엄마의 격려 덕분에 / 그녀는 / 유지했다 / 긍정적인 상태를 **373** With her mother's encouragement, / she / remained / **positive.** 고1 11월 응용 ⟨S⟩ ⟨V⟩ ⟨C(형용사)⟩	

- 명사는 주격보어로 쓰여 주어의 지위, 자격을 나타낼 수 있고, '주어는 ~이다/~가 되다'로 해석한다.
- 둘 이상의 명사가 함께 오거나 명사 앞뒤에 수식어가 붙기도 한다.

구문 노트 ✏

374 고1 11월

음식은 / ~이다 / 원래 마음을 지배하는 약

Food / is / **the original mind-controlling drug**.
S　　V　　　C(명사구)

→ be동사 뒤에 명사구가 주격보어로 쓰였다.

---

375 고2 6월 응용

말하기 대회의 우승자는 / ~이다 / Josh Brown

The winner ⟨of the speech contest⟩ is / **Josh Brown**!
　　　　　　S　　　　　　　　　　V　　C(명사)

☆376 고2 9월

Shah Rukh Khan은 / ~이다 / 인도의 영화배우이자 제작자

Shah Rukh Khan / is / **an Indian film actor and producer**.
S　　　　　　　　V　　　　　C(명사구)

→ 명사 두 개가 and로 연결되어 있다.

---

377 고2 9월

그의 아버지는 / ~이었다 / 음악 선생님 / 그리고 그의 어머니는 / ~였다 / 가수이자 아마추어 화가

His father / was / **a music teacher** / and his mother / was / **a singer and an**
S₁　　　　V₁　　C₁(명사구)　　　　　　S₂　　　　V₂　　C₂(명사구)

amateur painter.

---

378 고2 6월

Martin Luther King Jr.는 / ~이었다 / 위대한 사람

Martin Luther King Jr. / was / **a great man**.
S　　　　　　　　　V　　　C(명사구)

→ 형용사 great가 명사 man을 수식하고 있다.

---

379 고2 3월 응용

우리 중 거의 없는 / ~될 수 있다 / 프로 운동선수, 예능인, 또는 영화배우가

Few of us / can become / **the professional athlete, entertainer, or movie star**.
S　　　　V　　　　　　　　C(명사구)

→ 변화를 나타내는 동사 become 뒤에 명사구가 주격보어로 쓰였다.

---

380 고2 3월 응용

당신은 / ~될 수 있다 / 자기 자신의 치어리더가 / 스스로에게 긍정적으로 이야기함으로써

You / can become / **your own cheerleader** / by talking to yourself positively.
S　　V　　　　　C(명사구)

---

381 고2 3월 응용

의료 서비스에 대한 접근성은 / 남아 있다 / 문제로 / 세계의 여러 지역에서

Accessibility ⟨of medical services⟩ remains / **a problem** / in many parts of the world.
　　　　　　S　　　　　　　　　　V　　　C(명사)

→ 상태를 나타내는 동사 remain 뒤에 명사가 주격보어로 쓰였다.

☆382 고2 3월 응용

Victor Frankl은 / ~이었다 / Vienna Policlinic Hospital의 신경학 과장 / 25년 동안

Victor Frankl / remained / **head of the neurology department** ⟨at the Vienna
S　　　　　V　　　　　　　C(명사구)

Policlinic Hospital⟩ for twenty-five years.

→ 전치사구가 명사를 수식하여 보어가 길어졌다.

---

2 주격보어: to부정사, 동명사, 명사절

- to부정사(to-v)와 동명사(v-ing)는 명사구로서, 주격보어로 쓰일 수 있고, '주어는 ~하는 것이다'로 해석한다.

구문 노트 ✏️

그들의 과제는 / ~이었다 / 그들의 역할을 반대로 바꾸는 것

383
고2 6월
응용

Their challenge / was / to reverse their roles.
　　　S　　　　　V　　　　C(to부정사구)

→ be동사 뒤에 to부정사구가 명사구 주격보어로 쓰였다.

그 관리자의 목적은 / ~이었다 / 할당량을 충족시키는 것 / 가능한 가장 쉬운 방법으로

384
고2 9월
응용

The manager's goal / was / to meet the quota / in the easiest possible way.
　　　S　　　　　　V　　　　C(to부정사구)

더 좋은 생각은 / ~이다 / 그저 없애는 것 / 영양가가 낮은 것은 어떤 것이든

385
고2 3월
응용

A better idea / is / to simply get rid of / anything with low nutritional value.
　　S　　　V　　　　C(to부정사구)

필요한 마케팅 과업은 / ~이다 / 일시적으로 혹은 영구적으로 수요를 줄이는 것

386
고2 6월
응용

The needed marketing task / is / to reduce demand temporarily or permanently.
　　　S　　　　　　V　　　　C(to부정사구)

풍선은 / ~인 것 같았다 / 그것 스스로의 의지를 가진

☆ **387**
고2 3월

The balloon / seemed / to have a mind of its own.
　　S　　　V　　　C(to부정사구)

→ 동사 seem 뒤에 to부정사구가 형용사구 주격보어로 쓰였다.

사람들은 / ~인 것 같다 / 간주하는 / 비형식적인 학습을 / 경험적이고 사회적인 것으로

388
고2 11월
응용

People / seem / to consider / informal learning / experiential and social.
　S　　　V　　　　　　C(to부정사구)

→ consider A B는 'A를 B라고 여기다' 라는 의미이다.

까다로운 부분은 / ~이다 / 보여 주는 것 / 당신이 얼마나 특별한지를 / 당신 자신에 대한 이야기를 하지 않고

389
고2 6월
응용

The tricky part / is / showing [how special you are / without talking about
　　S　　　V　　　C(동명사구)

yourself].

→ be동사 뒤에 동명사구가 명사구 주격보어로 쓰였다.
→ how 이하는 showing의 목적어로 쓰인 명사절이다.

지적 겸손이란 / ~이다 / 인정하는 것 / 당신이 인간이고 / 지식에 한계가 있다는 것을

390
고1 11월
응용

Intellectual humility / is / admitting [you are human / and there are limits to
　　　S　　　　　　V　　　C(동명사구)

the knowledge].

→ admitting 뒤에 명사절을 이끄는 접속사 that이 생략되어 있다.

• 접속사 that과 whether, 관계대명사 what, 의문사가 이끄는 절은 각각 명사절로서, 주격보어로 쓰일 수 있다.

		구문 노트 ✏
대표 문장 문제는 / ~이다 / 기술과 내용이 서로 연결되어 있다는 것		→ 접속사 that이 이끄는 명사절이
391 고2 9월	The problem / is [that the skills and the content are interconnected]. S　　　　V　　　　　　C(명사절: that+S+V)	주격보어로 쓰였다.
하나의 널리 받아들여지는 관점은 / ~이다 / 자기 이익이 모든 인간의 상호 작용의 기초가 된다는 것		
392 고2 6월 응용	One widely held view / is [that self-interest underlies all human interactions]. S　　　　　　V　　　　　C(명사절: that+S+V ~)	
주된 이점은 / ~이다 / 그들이 거의 모든 지구의 환경에 적응할 수 있다는 것		
393 고2 9월 응용	The primary advantage / is [that they can adapt to nearly all earthly environments]. S　　　　　V　　　　C(명사절: that+S+V ~)	
모든 가정용 제품에 대해서 / 그녀의 주된 관심은 / ~이었다 / 그것들이 매력적으로 보이는가 하는 것 / 그것들이		→ whether가 이끄는 명사절이 주격
394 고2 3월 응용	For all the home products, / her main concern / was [whether they looked 　　　　　　　　　　　　　S　　　　　V　　C(명사절: whether+S+V ~)	보어로 쓰였다.
효과적인가 또는 믿을 만한가가 아니라	attractive, / not whether they were effective or reliable].	→ A, not B는 'B가 아니라 A'라는 의미이다.
당신의 이야기는 / ~이다 / 당신을 특별하게 만드는 것		→ 관계대명사 what이 이끄는 명사절이
☆ 395 고2 6월	Your story / is [what makes you special]. S　　　　V　　　C(명사절: what+V ~)	주격보어로 쓰였다. → what이 절 내의 주어 역할을 하는 불완전한 구조이다.
첫 추종자가 / ~이다 / 외로운 괴짜를 지도자로 바꾸는 것		
396 고2 6월 응용	The first follower / is [what transforms a lone nut into a leader]. S　　　　　V　　　　C(명사절: what+V ~)	
내가 모르는 것은 / ~이다 / 내가 어디로 가고 있는가		→ 의문사가 이끄는 명사절이 주격보어로
397 고1 11월	[What I don't know] is [where I'm going]. S　　　　　V　C(명사절: where+S+V)	쓰였다.
주목할 만한 것은 / ~이다 / 사람들의 행동이 얼마나 빠르게 그리고 급격하게 변화하는가		→ 의문사 how가 이끄는 명사절 보어는
398 고2 9월 응용	[What is noteworthy] is [how quickly and radically people's behavior changes]. S　　　　V　　　　　C(명사절: how+부사+S+V)	「how+형용사/부사+(S+)V」 형태 로 쓸 수 있다.

3 목적격보어: 형용사, 명사

- 형용사는 목적격보어로 쓰여 목적어의 성질, 상태를 나타낼 수 있고, '목적어가 ~하다고/목적어를 ~하게'로 해석한다.
- 명사는 목적격보어로 쓰여 목적어의 지위, 자격을 나타낼 수 있고, '목적어를 ~로/~라고'로 해석한다.

		구문 노트 ✏️
대표 문장 Arbore는 / 알았다 / 이 교류가 / 깊은 의미가 있다는 것을		
399 Arbore / found / this exchange / **profound**.		→ 형용사가 목적어의 성질·상태를
고2 6월 S V O C(형용사)		나타내는 목적격보어로 쓰였다.
우리는 / 알게 된다 / 특수효과들이 / 특히 흥미롭다는 것을		
400 We / find / special effects / **especially interesting**.		→ 부사 especially 가 형용사 보어를
고2 11월 응용 S V O C(형용사구)		수식하고 있다.
우리의 자동적이고 무의식적인 습관이 / 지켜줄 수 있다 / 우리를 / 안전하게		
401 Our automatic, unconscious habits / can keep / us / **safe**.		
고2 3월 응용 S V O C(형용사)		
그것은 / 만들어 줄 것이다 / 축제를 / 더 다채롭고 훌륭하게		
402 It / would make / the festival / **more colorful and splendid**.		→ 형용사 보어 두 개가 and로 연결
고2 6월 S V O C(형용사구)		되어 있다.
반복은 / 만든다 / 우리를 / 더 자신 있게 / 우리의 예측에 있어서 / 그리고 더 효율적으로 / 우리의 행동에 있어서		
403 Repetition / makes / us **more confident** / in our forecasts / and **more efficient** /		
고2 11월 S V O C₁(형용사구) C₂(형용사구)		
in our actions.		
그 부드러움은 / 만들었다 / 청바지를 / 노동자들이 가장 많이 선택하는 바지로		
404 That softness / made / jeans / **the trousers 〈of choice for laborers〉**.		→ 명사(구)가 목적어의 지위·자격을
고2 9월 S V O C(명사구)		나타내는 목적격보어로 쓰였다.
오늘날 / 전문가들은 / 만들어 오고 있다 / 근력 운동을 / 경기의 일부로		
405 Today / experts / have made / strength training / **part of the game**.		
고1 11월 응용 S V O C(명사구)		
모든 사람들이 / 불렀다 / 그를 / A. Y.라고		
406 Everyone / called / him / **A. Y.**		→ call A B는 'A를 B로 부르다' 라는
고2 3월 응용 S V O C(명사)		의미이다.
사회 심리학자들은 / 부른다 / 그것을 / 사회적 교환 이론이라고		
407 Social psychologists / call / it / **social exchange theory**.		
고2 6월 S V O C(명사구)		

4 목적격보어: to부정사, 원형부정사 본책 p. 101

- to부정사는 명사구로서, 목적격보어로 쓰일 수 있고, '목적어가 ~하기를/~하도록'으로 해석한다.
- 목적격보어 자리에 to부정사를 쓰는 동사는 want, force, ask, tell, allow 등이 있다.

	구문 노트 ✏

대표 문장   Mary는 / 원했다 / 그 집의 실내가 / 매력적으로 보이기를

408   Mary / wanted / the interior of the house / **to look attractive.**
고2 3월   S   V   O   C(to부정사구)

→ 동사 want는 to부정사를 목적격 보어로 쓴다.

나는 / 원했다 / 그가 / 그것을 스스로 간직하기를

409   I / wanted / him / **to keep it for himself.**
고2 9월 응용   S   V   O   C(to부정사구)

Holmes는 / 만들었다 / 성인들이 / 30분을 기다리도록

410   Holmes / forced / the adults / **to wait for thirty minutes.**
고2 11월   S   V   O   C(to부정사구)

→ 동사 force는 to부정사를 목적격 보어로 쓴다.

질문을 하는 습관은 / 만든다 / 당신이 / 다른 내적인 삶의 경험을 갖도록

☆ **411**   The habit of asking questions / forces / you / **to have a different inner life**
고2 6월 응용   S   V   O   C(to부정사구)

experience.

→ asking questions는 전치사 of의 목적어로 쓰인 동명사구이다.

농부는 / 요청했다 / 그의 이웃에게 / 그의 개들을 제지해 달라고

412   The farmer / asked / his neighbor / **to keep his dogs in check.**
고1 11월 응용   S   V   O   C(to부정사구)

→ 동사 ask는 to부정사를 목적격 보어로 쓴다.

Taglia 선생님은 / 요청했다 / 두 소녀에게 / 자신과 만나자고 / 쉬는 시간에

413   Miss Taglia / asked / both of the girls / **to meet with her / during recess.**
고2 3월 응용   S   V   O   C(to부정사구)

선생님은 / 말했다 / 학생들에게 / 이제 깜짝 시험을 준비하라고

414   The teacher / told / the students / **to be ready for the surprise test now!**
고1 11월 응용   S   V   O   C(to부정사구)

→ 동사 tell은 to부정사를 목적격 보어로 쓴다.

참여는 / 해 준다 / 개인들이 / 소속감을 보여 주도록

415   Participation / allows / individuals / **to demonstrate a belonging.**
고1 11월 응용   S   V   O   C(to부정사구)

→ 동사 allow는 to부정사를 목적격 보어로 쓴다.

태도는 / 해 준다 / 당신이 / 기대하고, 너그러이 봐주고, 용서하고, 잊어버리도록 / 고지식하거나 어리석지 않으면서

416   Attitude / allows / you / **to anticipate, excuse, forgive and forget, / without**
고2 11월   S   V   O   C(to부정사구)

being naive or stupid.

→ being 이하는 전치사 without의 목적어로 쓰인 동명사구이다.

- 원형부정사는 목적격보어로 쓰일 수 있고, '목적어가 ~하도록/~하는 것을'로 해석한다.
- 목적격보어 자리에 원형부정사를 쓰는 동사는 사역동사(make, have, let)와 지각동사(see, hear, feel 등)가 있다.

| | | 구문 노트 ✎ |

417
고2 6월 응용

결국 / 그는 / 놔두었다 / 그녀가 / 스스로 지치도록
Finally, / he / let / her / **wear herself out.**
　　　　　S　　V　　O　　C(원형부정사구)

→ 사역동사 let은 원형부정사를 목적격 보어로 쓴다.

418
고2 3월

우리는 / 절대 해서는 안 된다 / 우리의 편견과 감정이 / 우리의 대부분을 차지하도록
We / definitely should not let / our prejudice and emotion / **take the better**
S　　　　　V　　　　　　　　　O　　　　　　　　　C(원형부정사구)

part of us.

☆ 419
고2 9월

그녀의 절박하고 다급한 목소리는 / 만들었다 / Jacob이 / 즉시 건물로 진입하는 것을 결심하도록
Her desperate and urgent voice / made / Jacob / **decide to enter the building**
instantly.　　　S　　　　　　　　　V　　　O　　　　C(원형부정사구)

→ 사역동사 make는 원형부정사를 목적격보어로 쓴다.

→ to enter ~ instantly는 decide의 목적어로 쓰인 to부정사구이다.

420
고2 3월

15분이 넘게 / 돈을 받은 이 박수 부대들은 / 했다 / 그 장소에 / 자신들의 열광이 울려 퍼지게
For more than 15 minutes, / these paid hand-clappers / made / the place /
ring with their enthusiasm.　　　S　　　　　V　　　O
　　C(원형부정사구)

☆ 421
고2 6월 응용

이것은 / 도왔다 / 내가 / 그의 방법론, 스타일, 그리고 교육 내용을 이해하도록
This / helped / me / **understand his methodology, style, and content.**
S　　V　　O　　　　　C(원형부정사구)

→ 준사역동사 help는 원형부정사 또는 to부정사를 목적격보어로 쓸 수 있다.

422
고2 3월

나는 / 느꼈다 / 내 심장이 / 마구 뛰는 것을
I / felt / my heart / **jump.**
S　V　　O　　C(원형부정사)

→ 지각동사 feel은 원형부정사를 목적격 보어로 쓴다.

423
고2 11월

Maria는 / 보았다 / 생기가 / Alice의 얼굴에서 사라지는 것을 / 그 소식에
Maria / saw / the cheer / **disappear from Alice's face / at the news.**
S　　　V　　O　　　C(원형부정사구)

→ 지각동사 see는 원형부정사를 목적격 보어로 쓴다.

424
고2 6월 응용

Paul은 / 본다 / 기술자들이 / 도르래를 사용하는 것을
Paul / watches / engineers / **use pulleys.**
S　　V　　　O　　C(원형부정사구)

→ 지각동사 watch는 원형부정사를 목적격보어로 쓴다.

425
고2 3월 응용

목구멍 깊은 곳에서부터 나오는 목소리로 / 나는 / 들었다 / 그가 / 말하는 것을 / "실례합니다만, 당신이 가방을 떨어뜨리셨습니다."라고
From deep in his throat, / I / heard / him / say, / "Excuse me, you dropped
your bag."　　　　　S　　V　　O　　C(원형부정사)

→ 지각동사 hear는 원형부정사를 목적격 보어로 쓴다.

5 목적격보어: 현재분사, 과거분사

본책 p. 103

- 현재분사와 과거분사는 형용사(구)로서 목적격보어로 쓰일 수 있다.
- 현재분사는 목적어와 능동 관계를 이루며 동작이 '진행' 중임을 나타낼 때, '목적어가 ~하고 있는 것을'로 해석한다.
- 과거분사는 목적어와 수동 관계를 이루며 동작이 '완료' 되었음을 나타낼 때, '목적어가 ~된 것을/~되도록'으로 해석한다.

대표 문장	구문 노트 ✏️

대표 문장

갑자기 / 나는 / 알아차렸다 / 머리가 긴 남자가 / 몰래 내 뒤에서 자전거를 타고 오는 것을

426
고2 3월

Suddenly, / I / noticed / a man with long hair / **secretly riding behind me.**
　　　　　　S　　V　　　　　O　　　　　　　　　C(현재분사구)

→ 지각동사는 능동·진행을 나타낼 때 현재분사를 목적격보어로 쓴다.

그는 / 볼 수 있었다 / 어린 소년이 / 바닥에 누워 있는 것을

427
고2 9월
응용

He / could see / a little boy / **lying on the floor.**
S　　V　　　　O　　　　　　C(현재분사구)

항생제와 예방 접종이 / ~하게 한다 / 우리를 / 더 오래 살게

428
고2 9월
응용

Antibiotics and vaccinations / keep / us / **living longer.**
　　　　　S　　　　　　　　　　V　　O　　C(현재분사구)

몇몇 유행성 다이어트는 / ~ 할지도 모른다 / 당신이 / 열량 부족을 유지하도록

☆ **429**
고2 11월
응용

Some fad diets / might have / you / **running a caloric deficit.**
　　S　　　　　　　V　　　　　O　　　C(현재분사구)

→ 사역동사 have는 능동·진행을 나타낼 때 현재분사를 목적격보어로 쓰기도 한다.

포유류와 조류는 / 주로 만든다 / 자신들의 존재가 / 소리로 느껴지도록

430
고2 3월
응용

Mammals and birds / commonly make / their presence / **felt by sound.**
　　S　　　　　　　　V　　　　　　　O　　　　　C(과거분사구)

→ 지각동사는 수동·완료를 나타낼 때 과거분사를 목적격보어로 쓴다.

당신의 상상력은 / 해 줄 것이다 / 당신이 / 당면한 과업을 완수하도록 집중하게

☆ **431**
고2 3월
응용

Your imagination / will keep / you / **focused on completing the tasks at hand.**
　　S　　　　　　　V　　　　O　　　　C(과거분사구)

→ completing 이하는 전치사 on의 목적어로 쓰인 동명사구이다.

Amy는 / 들었다 / 자신의 이름이 / 불리는 것을

432
고1 11월
응용

Amy / heard / her name / **called.**
S　　V　　　O　　　C(과거분사)

1 형용사(구): 어순

- 형용사(구)는 주로 명사를 앞에서 수식한다.
- 형용사(구)는 -thing, -body, -one으로 끝나는 대명사를 뒤에서 수식한다.

	구문 노트 ✏
대표 문장 우리는 / 기대하고 있다 / 긍정적인 답변을 받을 수 있기를	→ 형용사(구)는 주로 명사 앞에서
433 We / look forward to / receiving a **positive** reply.	명사를 수식한다.
고2 6월 형용사 ⌣ 명사	
궁극적으로 / 주의를 기울이지 않은 것은 / 회복과 유지보수에 / 초래했다 / 장기간의 부정적인 결과들을	
434 Ultimately / not giving attention / to recovery and maintenance / resulted in /	→ 형용사 두 개가 구를 이루어 명사를
고2 6월 응용 **long-term negative** consequences.	수식하고 있다.
형용사구 ⌣ 명사구	
최초의 상업용 철도 서비스는 / 시작했다 / 운행을 / Liverpool과 Manchester 간에 / 1830년에	
435 The **first commercial** train service / began / operating / between Liverpool	
고2 9월 형용사구 ⌣ 명사구	
and Manchester / in 1830.	
민간 항공기는 / 일반적으로 운항한다 / 항로로 / 도로와 유사한	
✯ **436** **Commercial** airplanes / generally travel / airways ⟨**similar to roads**⟩.	→ 형용사와 형용사구가 각각 명사를
고2 3월 응용 형용사 ⌣ 명사 명사 ⌣ 형용사구	앞, 뒤에서 수식하고 있다.
커다란 무엇인가가 / 다가올 수도 있었다 / 그에게 그토록 가까이 / 그도 모르는 새	
437 Something **large** / could have come / so close to him / without his knowing.	→ 형용사는 대명사 something을
고2 9월 응용 대명사 ⌣ 형용사	뒤에서 수식한다.
그는 / 요청하였다 / 그들에게 / 하도록 / 급진적인 무엇인가를	
438 He / asked / them / to do / something **radical**.	
고2 6월 응용 대명사 ⌣ 형용사	
그녀는 / 바랐다 / 그녀가 / 할 수 있기를 / 비슷한 어떤 일을 / 다른 사람을 위해	
439 She / hoped [she / would be able to do / something **similar** / for someone	→ 형용사가 대명사 something과
고2 6월 응용 대명사 ⌣ 형용사 대명사	someone을 뒤에서 수식하고 있다.
else].	
⌣ 형용사	

- 「전치사＋명사」형태의 전치사구는 형용사구 역할을 하며, 명사를 뒤에서 수식한다.
- to부정사(구)는 '~할, ~하는'의 의미로 형용사구 역할을 하며, 명사를 뒤에서 수식한다.

		구문 노트 ✎

욕망은 / 명성에 대한 / 두고 있다 / 그것의 뿌리를 / 경험에 / 무시당한

440 The desire 〈**for fame**〉 has / its roots / in the experience 〈**of neglect**〉.
고2 3월　　명사　ↆ 전치사구　　　　　　　명사　ↆ 전치사구
→ 전치사구는 명사를 뒤에서 수식한다.

나의 파에야가 / 스페인에서의 / 영감을 주었다 / 나에게 / 공로를 인정받도록 / 원자 이론에 대한

441 My paella 〈**in Spain**〉 / had inspired / me / to take the credit 〈**for atomic theory**〉.
고2 3월
응용　　명사　ↆ 전치사구　　　　　　명사　ↆ 전치사구

크라우드 펀딩은 / 여겨질 수 있다 / 민주화로 / 기업 자금 조달의

442 Crowdfunding / can be viewed / as the democratization 〈**of business financing**〉.
고2 11월　　　　　　　　　　　　　명사　ↆ 전치사구

화합물이 / 유칼립투스 잎 속의 / 만들었다 / 코알라들을 / 몽롱한 상태로

443 The compounds 〈**in eucalyptus leaves**〉 kept / koalas / in a drugged-out state.
고2 3월
응용　　명사　ↆ 전치사구

이 과정은 / ~이다 / 훌륭한 방법 / 당신 스스로 자신의 자전거를 수리하고 유지하는 방법을 배우기 시작하는

444 This course / is / a great way 〈**to begin learning how to repair and maintain**
고2 3월　　　　　　명사구　ↆ to부정사구
→ to부정사구가 「형용사＋명사」형태의
명사구를 뒤에서 수식하고 있다.

your bike yourself〉.
→ 「how＋to부정사」는 '~하는 방법'으로 해석한다.

그것은 / ~이다 / 개인의 결심 / 평정심을 유지하고 화내지 않겠다는

☆**445** It / is / a personal decision 〈**to stay in control and not to lose your temper**〉.
고2 11월　　　　　명사구　ↆ to부정사구
→ 「not＋to부정사」는 to부정사의 부정형이다.

비즈니스는 / 항상 찾고 있다 / 더 쉽고 더 값싼 방법들을 / 그들의 상품을 홍보할

446 Businesses / are always looking for / easier and cheaper ways 〈**to market**
고2 6월
응용　**their products**.　　　　　　　　　명사구　ↆ to부정사구

Turner는 / ~이었다 / 최초의 사람 / 곤충이 학습할 수 있다는 것을 발견한

447 Turner / was / the first person 〈**to discover that insects are capable of learning**〉.
고1 11월
응용　　　　　명사구　ↆ to부정사구
→ 접속사 that 이하는 discover의 목적어 역할을 하는 명사절이다.

청소년 축구 토너먼트 시리즈는 / 될 수 있다 / 엄청난 기회가 / 어린 축구 선수들이 / 자신의 역량을 보여줄 /

☆**448** The Youth Soccer Tournament Series / can be / a great opportunity / for
고1 11월
응용　운동선수로서　　　　　　　　　　　　　　명사구
→ for ~ players는 to부정사의 의미상 주어이다.

young soccer players 〈**to demonstrate their capabilities / as athletes**〉.
to부정사구: 명사구 수식

2 형용사(구): 현재분사, 과거분사

- 현재분사(v-ing)는 형용사 역할을 하며, 단독으로 쓰일 때 명사를 앞에서 수식한다.
- 다른 어구(목적어, 보어, 부사 등)를 동반하는 현재분사구는 명사를 뒤에서 수식한다.
- 현재분사는 능동 · 진행의 의미를 나타내며, '~하는, ~할, ~하고 있는'으로 해석한다.

	구문 노트
대표 문장 그러한 지식은 / 개선할 것이다 / 현존하는 기후 모형을	
449 Such knowledge / may improve / **existing** climate models. 고2 9월 응용 현재분사 ↘ 명사구	→ 현재분사는 명사를 앞에서 수식한다.
항공기 간의 충돌은 / 대개 발생한다 / (주위를) 둘러싸고 있는 지역에서 / 공항의	
450 Collisions between aircraft / usually occur / in the **surrounding** area / of airports. 고2 3월 응용 현재분사 ↘ 명사	→ 명사 area가 현재분사와 전치사구의 수식을 받고 있다.
일부 개발 도상국들은 / 갇혀 있다 / 의존에 / 자국의 많은 천연자원에 대한	
451 Some **developing** countries / are trapped / in their dependence / on their large 고2 3월 응용 현재분사 ↘ 명사 natural resources.	
그의 아버지는 / 생각했다 / 커가는 소년은 / 푹 자야 한다고 / 밤 내내	
452 His father / thought [the **growing** boy / should sleep soundly / through the 고2 3월 응용 현재분사 ↘ 명사 night].	
우리는 / 노력한다 / 격려하려고 / 사람들을 / 우리를 위해 일하는	
453 We / try / to encourage / the people ⟨**working for us**⟩. 고2 9월 응용 명사 ↙ 현재분사구	→ 현재분사구는 명사를 뒤에서 수식한다.
~이 있다 / 많은 미신들 / 연극계를 둘러싸고 있는	
454 There are / many superstitions ⟨**surrounding the world of the theater**⟩. 고2 3월 명사구 ↙ 현재분사구	
그녀는 / 있었다 / 외아들이 / 멀리 살고 있는 / 그리고 그리워했다 / 그를 / 몹시	
455 She / had / an only son ⟨**living far away**⟩ and missed / him / a lot. 고2 11월 응용 명사구 ↙ 현재분사구	
Emily는 / 요청했다 / 한 집단의 성인들에게 / 비디오를 보라고 / 열한 개의 영상을 다루고 있는	
456 Emily / asked / a group of adults / to watch a video ⟨**featuring eleven clips**⟩. 고2 11월 응용 명사 ↙ 현재분사구	
심리학자 John Bargh는 / 했다 / 실험을 / 인간의 인식이 외부 요인에 의해 영향을 받을 수 있다는 것을 보여 주는	
☆457 Psychologist John Bargh / did / an experiment ⟨**showing human perception** 고2 11월 응용 명사 ↙ 현재분사구 can be influenced by external factors⟩.	→ human 앞에 명사절 접속사 that이 생략되었다.

- 과거분사(p.p.)는 형용사 역할을 하며, 단독으로 쓰일 때 명사를 앞에서 수식한다.
- 다른 어구(목적어, 보어, 부사 등)를 동반하는 과거분사구는 명사를 뒤에서 수식한다.
- 과거분사는 수동·완료의 의미를 나타내며, '~해진, ~된, ~한'으로 해석한다.

	구문 노트 ✏
Francis의 디자인은 / 포함했다 / 일련의 구멍을 낸 파이프를	
458 Francis's design / involved / a series of **perforated** pipes.	→ 과거분사는 명사를 앞에서 수식한다.
고2 3월 응용 과거분사 ⌣ 명사	

청각은 / 기본적으로 ~이다 / 분화된 한 형태 / 촉각의

459 Hearing / is basically / a **specialized** form / of touch.

고2 11월   과거분사 ⌣ 명사

그 총량은 / 증가하고 있었다 / 주어진 기간 동안에

460 The total amount / was on the rise / during the **given** period.

고2 9월 응용   과거분사 ⌣ 명사

공격은 / ~이 된다 / 가장 좋은 형태의 방어 수단, / 그러므로 그 갇힌 동물은 / 돌아서서 싸울 것이다

461 Attack / becomes / the best form of defence, / and so the **trapped** animal /

고2 3월 응용   과거분사 ⌣ 명사

will turn and fight.

매년 / ~가 있다 / 주제 / Safety First Chair에 의해서 선정되는

462 Each year / there is / a topic ⟨**chosen by the Safety First Chair**⟩.

고2 3월   명사 ⌣ 과거분사구

→ 과거분사구는 명사를 뒤에서 수식한다.

뽐내 보세요 / 당신의 사진들을 / 이 아름다운 마을에서 촬영된

463 Show off / your pictures ⟨**taken in this beautiful town**⟩.

고2 11월   명사구 ⌣ 과거분사구

그는 / ~이었다 / 바이올린 연주자이자 작곡가 / 독특한 연주 방법으로 알려진

464 He / was / a violinist and composer ⟨**known for his unique performance method**⟩.

고2 9월   명사구 ⌣ 과거분사구

현대의 불교 스승인 Dainin Katagiri는 / 집필했다 / 주목할 만한 책을 / '침묵으로의 회귀'라는

465 The contemporary Buddhist teacher Dainin Katagiri / wrote / a remarkable

고2 3월 응용 book ⟨**called** *Returning to Silence*⟩.   명사구

⌣ 과거분사구

한 예가 / 발견되었다 / 행동 생태학자들에 의해 / 주머니고양이라고 불리는 작은 호주 동물의 행동을 연구하는

☆466 One example / was uncovered / by behavioral ecologists ⟨studying the behavior

고1 11월 of a small Australian animal **called the quoll**⟩.

    명사구 ⌣ 과거분사구

→ studying 이하는 behavioral ecologists 를 수식하는 현재분사구이다.

→ 현재분사구 내에 명사구를 수식하는 과거분사구가 포함되어 있다.

3 형용사절: 관계대명사절

- 관계대명사가 이끄는 절은 형용사 역할을 하는 절로, 명사(선행사)를 뒤에서 수식한다.
- 「주격 관계대명사(who/which/that)+V ~」는 'V하는 (선행사)'로 해석한다.
- 「소유격 관계대명사(whose)+명사+V ~」는 '~의 명사가 V하는 (선행사)'로 해석한다.

	구문 노트 ✏
대표 문장 행사들은 / 의존한다 / 기존의 맥락에 / 오랜 시간 동안 있어 왔던	
467 Events / depend on / an existing context [**which has been for a long time**]. 고1 11월 응용 선행사 ↳ 관계대명사절(which+V ~)	→ 주격 관계대명사 which가 이끄는 절이 선행사를 뒤에서 수식한다. → 주격 관계대명사절 내 동사는 선행사의 수에 일치시킨다.
수컷 임팔라는 / 가지고 있다 / 길고 뾰족한 뿔을 / 길이가 90센티미터인	
468 Male impalas / have / long and pointed horns [**which can measure 90** 고2 6월 선행사 ↳ 관계대명사절(which+V ~) **centimeters in length**].	
아이들만이 / 스스로 선택하고 평가하는 / 진정으로 발전시킬 수 있다 / 자기 자신만의 미적 취향을	
469 Only children [**who choose and evaluate for themselves**] can truly develop / 고2 3월 선행사 ↳ 관계대명사절(who+V ~) their own aesthetic taste.	→ 주격 관계대명사 who가 이끄는 절이 선행사를 뒤에서 수식한다.
어떤 원고도 / 오류를 포함하는 / 가능성이 거의 없다 / 받아들여질 / 출판을 위해	
470 Any manuscript [**that contains errors**] stands little chance / at being accepted / 고2 3월 선행사 ↳ 관계대명사절(that+V ~) for publication.	→ 주격 관계대명사 that이 이끄는 절이 선행사를 뒤에서 수식한다.
대부분의 출판사는 / 원하지 않을 것이다 / 시간을 낭비하는 것을 / 집필자에게 / 그의 자료가 너무 많은 오류를	
471 Most publishers / will not want / to waste time / with writers [**whose material** 고2 3월 선행사 ↳ 관계대명사절(whose + 포함하고 있는 **contains too many mistakes**]. 명사 + V ~	→ 소유격 관계대명사 whose가 이끄는 절이 선행사를 뒤에서 수식한다.
코알라는 / ~이다 / 유일한 동물로 알려진 / 그것의 뇌가 겨우 두개골의 절반을 채우는	
472 The koala / is / the only known animal [**whose brain only fills half of its skull**]. 고2 3월 선행사 ↳ 관계대명사절(whose+명사+V ~)	→ 소유격 관계대명사는 선행사의 종류에 상관없이 whose를 쓴다.
Arbore는 / 만들었다 / 24시간 긴급 직통 전화를 / 그곳의 자원봉사자들이 자살할 가능성이 있는 노인들에게 연락을	
473 Arbore / founded / a 24-hour hotline [**whose volunteers reach out to suicidal** 고2 6월 응용 선행사 ↳ 관계대명사절(whose+명사+V ~) 취할 수 있는 **seniors**].	

- 「목적격 관계대명사(who(m)/which/that)+S+V ~」는 'S가 V하는 (선행사)'로 해석하며, 관계대명사가 생략되기도 한다.
- 관계대명사가 절 내에서 전치사의 목적어 역할을 할 때, 「전치사+관계대명사」의 형태로 전치사를 앞에 쓸 수 있다. (that 제외)

		구문 노트 ✏
	이 사례는 / 보여 준다 / 역할을 / 개별 소비자의 행동이 행하는	
474 고2 11월 응용	This case / illustrates / the role [**that an individual consumer's behavior plays**]. 　　　　　　　　　선행사 ↰ 관계대명사절(that+S+V)	→ 목적격 관계대명사 that이 이끄는 절이 선행사를 뒤에서 수식한다.
	신원 도용자들은 / 구입할 수 있다 / 재화를 / 당신이 결코 보지 않겠지만 값을 지불할	
475 고2 11월 응용	Identity thieves / can buy / goods [**which you will never see but will pay for**]. 　　　　　　　　선행사 ↰ 관계대명사절(which+S+V ~)	
	보세요 / 우리의 청소 장소 목록을 / 그리고 선택하세요 / 장소를 / 당신이 원하는	
476 고2 9월	View / our list of cleanup locations / and choose / the location [**you want**]. 　　　　　　　　　　　　　　선행사 ↰ 관계대명사절 　　　　　　　　　　　　　　　　　(which[that] 생략)	→ 목적격 관계대명사 which[that]이 생략되었다.
	Frankl은 / 계속했다 / 직접 답장을 / 수백 통의 편지 중 일부에 / 자신이 매주 받은	
477 고2 3월 응용	Frankl / continued / to respond personally / to some of the hundreds of letters 　　　　　　　　　　　　　　　　　　　　선행사 [**he received every week**]. 　↰ 관계대명사절(which[that] 생략)	→ 목적격 관계대명사 which[that]가 생략되었다
	지도자 중 다수가 / 내가 미디어 업계에서 알고 있는 / ~이다 / 지적이고, 유능하고, 정직한	
478 고2 3월	Many of the leaders [**I know in the media industry**] are / intelligent, capable, 　　　선행사　　　↰ 관계대명사절(who(m)[that] 생략) and honest.	→ 목적격 관계대명사 who(m)[that]이 생략되었다.
	~가 있다 / 많은 방식들과 공간적 위계 / 관광업이 기후 변화에 영향을 끼치는	
479 고2 9월 응용	There are / **many ways and spatial scales** [**at which tourism contributes to** 　　　　　　　선행사　　　　　　↰ 전치사+관계대명사절 **climate change**].	
	이러한 모든 상황 속에서 / 우리는 / 기본적으로 넘쳐나게 된다 / 선택 사항들로 / 우리가 고를 수 있는	
480 고2 9월	In all these situations, / we / are basically flooded / with options [**from which** 　　　　　　　　　　　　　　　　　선행사 ↰　　　전치사+ **we can choose**]. 관계대명사절	
	Charles Darwin은 / 묘사했다 / 진화 과정을 / 유기체의 적응이 생존을 위한 경쟁에 의해 일어난다는	
481 고2 3월 응용	Charles Darwin / created a picture of / the evolutionary process [**in which** 　　　　　　　　　　　　　　　　선행사　　　 ↰ 전치사+ **organismic adaptation was caused by competition for survival**]. 관계대명사절	

4 형용사절: 관계부사절

- 관계부사가 이끄는 절은 형용사 역할을 하는 절로, 시간, 장소, 이유를 나타내는 선행사를 뒤에서 수식한다.
- 「관계부사(when/where/why)+S+V ~」는 'S가 V하는 (시간/장소/이유)'로 해석한다.

대표 문장	구문 노트 ✏️
목욕은 / ~이다 / 시간 / 그 아이가 상상을 하며 편안해하는	
482 The bath / is / a time [**when the child is comfortable with her imagination**].	→ 관계부사 when이 이끄는 절이
고2 9월 응용 선행사 ↳ 관계부사절(when+S+V ~)	시간을 나타내는 선행사를 뒤에서
	수식한다.
중요한 시점이 / 다가왔다 / 어느 날 / 그가 Mark와 캐치볼 경기를 하고 있었던	
483 A milestone / had been reached / one day [**when he was playing catch with Mark**].	
고2 3월 응용 선행사 ↳ 관계부사절(when+S+V ~)	
이 실제 이야기는 / ~이다 / 정부 소유의 신발 공장에 관한 것 / 폴란드에 있는 / 시절에 / 그 나라(폴란드)가 훨씬	
484 This true story / is / about a government-owned shoe factory / in Poland /	
고2 9월 더 사회주의적인 경제 체제를 가지고 있었던	
in the days [**when the country had a much more socialist economy**].	
선행사 ↳ 관계부사절(when+S+V ~)	
Maria Sutton은 / ~이었다 / 사회복지사 / 지역의 / 평균 소득이 매우 낮은	
485 Maria Sutton / was / a social worker / in a place [**where the average income**	→ 관계부사 where가 이끄는 절이
고2 6월 **was very low**]. 선행사 ↳ 관계부사절(where+S+V ~)	장소를 나타내는 선행사를 뒤에서
	수식한다.
1990년대 후반에 / 한 가족이 / 방문하였다 / 공립 초등학교로 / 내가 청각 장애인을 가르치는	
486 In the late 1990s, / a family / visited / the public elementary school [**where I**	
고2 9월 **taught deaf students**]. 선행사 ↳ 관계부사절	
(where+S+V ~)	
생각해 보자 / 상황을 / 한 연구자가 벗어난 행동을 연구하는	
☆ **487** Consider / a situation [**where an investigator is studying deviant behavior**].	→ 선행사가 추상적인 상황, 사건, 또는
고2 6월 선행사 ↳ 관계부사절(where+S+V ~)	조건일 때도 관계부사 where를 쓴다.
Tough는 / 연구했다 / 이유를 / 사람들이 수업에 참석하는 것보다 스스로 학습하는 것을 선택한	
488 Tough / researched / the reasons [**why people chose to learn on their own**	→ 관계부사 why가 이끄는 절이
고2 11월 선행사 ↳ 관계부사절(why+S+V ~)	이유를 나타내는 선행사를 뒤에서
rather than attend a class].	수식한다.
가족에게 아이의 출생은 / 종종 ~이다 / 이유 / 사람들이 사진을 재미로 배우거나 재발견하기 시작하는	
489 The birth of a child in a family / is often / the reason [**why people begin to**	
고2 11월 **take up or rediscover photography**]. 선행사 ↳ 관계부사절(why+S+V ~)	
이러한 순환은 / ~이다 / 근본적인 이유 / 생명이 수백만 년 동안 우리 지구에서 번창해 왔던	
490 This cycle / is / the fundamental reason [**why life has thrived on our planet**	
고1 11월 선행사 ↳ 관계부사절(why+S+V ~)	
for millions of years].	

- 「관계부사(how)+S+V ~」는 선행사(the way) 없이 단독으로 쓰거나 「the way+S+V ~」형태로 how를 생략한 채 쓰며, 'S가 V하는 방법[방식]'으로 해석한다.
- 관계부사가 일반적인 선행사 the time/the place/the reason을 수식할 때 관계부사 when/where/why는 생략할 수 있다.

491
고2 3월

그것은 / 가져온다 / 질적인 변화를 / 방식에 / 사람들이 살아가는

It / brings / qualitative changes / in the way [**people live**].
　　　　　　　　　　　　　　　　　　　선행사 ◟ 관계부사절((how+)S+V)

구문 노트 ✏

→ 관계부사 how가 생략된 절이 선행사를 뒤에서 수식한다.

492
고1 11월

방식은 / 우리가 의사소통하는 / 영향을 미친다 / 우리의 능력에 / 강하고 건강한 공동체를 만드는

The way [**we communicate**] influences / our ability 〈to build strong and
선행사 ◟ 관계부사절((how+)S+V)

healthy communities〉.

→ to 이하는 our ability를 수식하는 to부정사구이다.

☆ 493
고1 11월

색상은 / 영향을 줄 수 있다 / 당신이 무게를 인식하는 방식에

Color / can impact [**how you perceive weight**].
　　　　　　　　　관계부사절(how+S+V ~)

→ 관계부사 how가 이끄는 절이 선행사 없이 단독으로 쓰여 문장의 목적어 역할을 하고 있다.

494
고2 11월
응용

이러한 인상적인 변화들은 / 결정해 왔다 / 문명사회가 살고 죽는 방식을

These impressive shifts / have determined [**how civilizations will live and die**].
　　　　　　　　　　　　　　　　　　　　　　관계부사절(how+S+V)

☆ 495
고2 6월
응용

최근에 / 몇몇 연구자들은 / 발견했다 / 사람들이 칭찬받는 방식이 매우 중요하다는 것을

Recently, / some researchers / found [that 〈**how people are praised**〉 is very
　　　　　　　　　　　　　　　　　　　　　　관계부사절(how+S+V)

important].

→ 관계부사 how가 이끄는 절이 문장의 목적어 역할을 하는 that절 내 주어로 쓰였다.

496
고2 9월

그 이유는 / 이런 일들이 일어나지 않는 / ~(때문)이다 / 중력의 당기는 힘의 강도가 두 가지에 따라 달라진다는 것

The reason [these things don't happen] is [that the strength of gravity's pull
　　선행사　　◟ 관계부사절((why+)S+V)

depends on two things].

→ 관계부사 why가 생략된 절이 선행사를 뒤에서 수식한다.
→ that 이하는 문장의 보어 역할을 하는 명사절이다.

497

Doug는 / 앉았다 / 딸과 함께 / 그리고 되풀이했다 / 이야기를 / 그때의 / 변기가 넘쳐흘렀던

Doug / sat down / with his daughter / and retold / the story / of the time [**the
toilet overflowed**].
　　　　　　　　　　　　　　　　　　　　선행사 ◟
관계부사절((when+)S+V)

→ 관계부사 when이 생략된 절이 선행사를 뒤에서 수식한다.

498

그것이 사실이다 / '단순' 정보에 대한 / 당신의 전화번호 같은 / 혹은 장소 / 당신이 열쇠를 놓아둔

That's true / of *sheer* information, / like your phone number / or the place
[**you left your keys**].
　　　　　　　선행사
◟ 관계부사절((where+)S+V ~)

→ 관계부사 where가 생략된 절이 선행사를 뒤에서 수식한다.

- 관계대명사 who(m), whose, which가 이끄는 절은 「콤마(,)＋관계대명사절」의 형태로 선행사를 보충 설명하며, 접속사 and, but 등의 의미를 포함한다. 특히 관계대명사 which는 명사(구)뿐만 아니라 절 전체를 보충 설명하기도 한다.
- 관계대명사 that과 what은 보충 설명하는 절을 이끌지 않는다.

		구문 노트 🖊
대표 문장	Harris는 / 이야기했다 / 변호사와 / 그리고 그 변호사는 그가 그 돈을 신탁에 넣도록 도와주었다	
499 고2 6월	Harris / talked / to a lawyer, [who helped him put the money in a trust]. 　　　　　　　　선행사　　관계대명사절(who+V ~)	→ 관계대명사 who가 이끄는 절이 콤마 앞의 선행사를 보충 설명한다.
	우리는 / 만들어낸다 / '가공품들'을 / 그리고 그것들은 기술의 중요한 한 측면을 형성한다	
500 고2 3월 응용	We / create / *artifacts*, [which form an important aspect of technologies]. 　　　　　　선행사　　관계대명사절(which+V ~)	→ 관계대명사 which가 이끄는 절이 콤마 앞의 선행사를 보충 설명한다.
	차는 / 보충한다 / 유목민들의 기본적인 필수 요소들을 / 그런데 그들의 식단은 채소가 부족하다	
501 고2 6월 응용	Tea / supplements / the basic needs of the nomadic tribes, [whose diet lacks 　　　　　　　　　　　　　　　　선행사　　　　　　관계대명사절(whose+ vegetables]. 명사+V ~	
	Northern Burma의 사람들은 / Jinghpaw 언어로 사고하는 사람들인데 / 가진다 / 18개의 기본 용어를 /	
☆502 고2 9월	People of Northern Burma, [who think in the Jinghpaw language], have / 　　선행사　　　　　　관계대명사절(who+V ~) 그들의 친족을 묘사하기 위한 eighteen basic terms / for describing their kin.	→ 관계대명사절이 앞/뒤에 콤마를 수반한 채 문장의 중간에 삽입되어 선행사를 보충 설명하는 경우도 있다.
	이러한 문화적 장소들은 / 힌디 어, 만다린 어와 같은 언어들에 지배되는 곳인데 / 무시하고 저항한다 / 영어의 확산을	
503 고2 11월	These cultural spaces, [which are dominated by languages like Hindi and 　선행사　　　　관계대명사절(which+V ~) Mandarin], ignore and challenge / the spread of English.	
	한 목사가 / 들려주고 있었다 / 갓 태어난 쌍둥이에 관한 이야기를 / 그런데 그들(쌍둥이) 중에 한 명은 아팠다	
☆504 고2 6월	A priest / was sharing / a story about newborn twins, [one of whom was ill]. 　　　　　　　　　　　　　선행사　　관계대명사절(one of＋whom＋V ~)	→ 「one of＋whom」을 주어로 하는 관계대명사절이 선행사를 보충 설명하고 있다.
	그녀의 친척 중 한 명은 / 운영했다 / 사립 미술학교를 / 그리고 이것은 Lotte가 소묘를 배우도록 해주었다	
505 고2 11월 응용	One of her relatives / ran / a private painting school, [which allowed Lotte 　　선행사(절)　　　　　　　　　관계대명사절(which+V ~) to learn drawing].	→ 관계대명사 which가 이끄는 절이 앞에 나온 절 전체를 보충 설명한다.
	포도당은 / 높인다 / 인슐린 수치를 / 그런데 그것은 처음에는 렙틴의 수치를 높인다	
506 고2 6월 응용	Glucose / raises / insulin levels, [which initially raises levels of leptin]. 　　　　　　선행사(절)　　관계대명사절(which+V ~)	

- 관계부사 where와 when이 이끄는 절은 「콤마(,)+관계부사절」의 형태로 선행사를 보충 설명하며, 접속사 and, but 등의 의미를 포함한다.
- 관계부사 why와 how는 보충 설명하는 절을 이끌지 않는다.

		구문 노트 ✎
507 고2 6월	1862년에 / 그는 / 들어갔다 / Harper's Weekly의 직원으로 / 그리고 그곳에서 그는 정치 만화에 대한 그의 In 1862 / he / joined / the staff of *Harper's Weekly*, [**where he focused his** 선행사 〔 관계부사절(where+S+V ~) 〕 노력을 집중했다 **efforts on political cartoons**].	→ 관계부사 where가 이끄는 절이 콤마 앞의 선행사를 보충 설명한다.
508 고2 9월 응용	Khan은 / 보냈다 / 그의 많은 시간을 / Delhi의 Theatre Action Group에서 / 그리고 그곳에서 그는 연기를 공부했다 Khan / spent / much of his time / at Delhi's Theatre Action Group, [**where he** 선행사 〔 관계부사절 **studied acting**]. (where+S+V ~)	
☆ **509** 고2 11월 응용	자유화는 / 자본 시장의 / 그곳에서는 투자를 위한 자금을 빌릴 수 있는데 / ~이었다 / 중요한 기여 요인 / 세계화 속도에 The liberalization / of capital markets, [**where funds for investment can be** 선행사 〔 관계부사절(where+S+V ~) 〕 **borrowed**], has been / an important contributor / to the pace of globalization.	→ 관계부사절이 앞/뒤에 콤마를 수반한 채 문장의 중간에 삽입되어 선행사를 보충 설명하는 경우도 있다.
510 고2 9월	이 능력은 / 처음으로 생겨났을지도 모른다 / 150만 년 전에서 50만 년 전 사이에 / 그리고 그때 인간이 불을 This capacity / may first have emerged / between 1.5 and 0.5 million years 선행사 통제하기 시작했다 ago, [**when humans began to control fire**]. 관계부사절(when+S+V ~)	→ 관계부사 when이 이끄는 절이 콤마 앞의 선행사를 보충 설명한다.
511 고2 11월 응용	한 건물이 / 차지했다 / 이와 같은 장소를 / 약 2,500년 전에 / 그리고 그때 그것은 숲이 우거진 신전의 일부였다 A building / had occupied / this same spot / some two-and-a-half thousand 선행사 years earlier, [**when it was part of a wooded sanctuary**]. 관계부사절(when+S+V ~)	
512 고2 9월	1947년에 / 그때 사해 사본이 발견되었는데 / 고고학자들은 / 걸었다 / 포상금을 / 새롭게 발견되는 각각의 문서마다 In 1947, [**when the Dead Sea Scrolls were discovered**], archaeologists / set / a 선행사 관계부사절(when+S+V ~) finder's fee / for each new document.	→ 앞/뒤에 콤마를 수반한 관계부사절이 문장 중간에 삽입되어 선행사를 보충 설명하고 있다.

6 복잡한 관계사절

- 선행사 뒤에 다른 수식어가 붙어, 선행사와 관계사절이 멀리 떨어지기도 한다.
- 두 개의 관계사절이 하나의 선행사를 수식할 때, 두 관계사절은 접속사나 콤마(,)로 연결되거나 먼저 오는 관계사가 생략된다.

대표 문장	구문 노트 ✎
어떤 일이 / 있었다 / 학기 초에 / 그녀의 기억 속에 아직도 남아 있는	
513 Something / happened / early in the semester [**that is still in her memory**]. 선행사 ⌐━━━━━━━━━━━━━━━━━━━━━━┐ 관계대명사절(that+V ~)	→ 선행사와 관계대명사 that이 이끄는 절이 떨어져 있다.
고2 11월 응용	
신경학적으로, / 화학물질들이 / 분비된다 / 뇌에서 / 흥분과 에너지의 강력한 분출을 유발하는	
514 Neurologically, / chemicals / are released / in the brain [**that give a powerful** 선행사 ⌐━━━━━━━━━━━━━━━━━━━━━━┐ 관계대명사절(that+V ~)	→ 관계대명사 that 바로 앞에 있는 명사 the brain을 선행사로 간주하지
고2 6월 응용 **burst of excitement and energy**].	않도록 주의해야 한다.
Kluckhon은 / 말한다 / 한 여인에 대해 / Arizona에서 자신이 알았던 / 음식에 대한 문화적 반응을 이끌어 내는	
515 Kluckhohn / tells / of a woman [**he knew in Arizona**] [**who took a perverse** 선행사 ⌐◡ 관계대명사절₁(who(m)[that] 생략) 관계대명사절₂(who+V ~):	→ 두 개의 관계대명사절이 하나의 선행사를 수식하고 있다. 먼저 온 절에
고2 3월 응용	관계대명사 whom[that]이 생략되
것에서 심술궂은 기쁨을 얻었던	었다.
pleasure in causing a cultural response to food]. a woman 수식	
사람들은 / 솔직하고 개방적인 / 그리고 다른 사람들과 자신의 지식을 공유하는 / 여겨질 수 있다 / 자기 노출 유형으로	
516 People [**who are frank and open**] and [**who share their knowledge with** 선행사 ⌐◡ 관계대명사절₁(who+V ~) 관계대명사절₂(who+V ~): People 수식	→ 접속사 and로 연결된 두 개의 관계 대명사절이 하나의 선행사(People)를
고2 9월 응용 **others**] can be considered / as the self-disclosing type.	수식하고 있다.

- 관계사절 내에 또 다른 관계사절이 포함되어, 각각 다른 선행사를 수식하기도 한다.
- 관계대명사절 내에 「S+V」로 구성된 다른 절이 삽입되어, 「관계대명사+S+V(+S)+V ~」의 형태가 되기도 한다.

	구문 노트 ✏
우리는 / ~이다 / 학생들 / St. Andrew's 대학의 / 현재 수강하고 있는 / Media Studies 강좌를 / 우리에게	→ 선행사 students와 who절 사이에
517 We / are / students / from St. Andrew's College [**who are currently taking** / 고2 9월　　　　　　선행사₁ ↑──────────────── 관계대명사절₁(who+V ~)	수식어구가 있다.
단편 영상을 촬영할 것을 요구하는 a Media Studies class 〈**that requires us to film a short video**〉]. 　　　　선행사₂　　ꙩ 관계대명사절₂(that+V ~)	→ who절 내 목적어를 that절이 수식한다.
그것은 ~이다 / 그런 종류의 질문 / 과학자에게 가져다줄 수 있는 / 이그 노벨상을 / 경의를 표하는 / 연구에 /	→ the kind of question을 수식하는
☆ **518** That's / the kind of question [**that could win a scientist** / **an Ig Nobel Prize** 고2 6월　　　　선행사₁　　ꙩ 관계대명사절₁(that+V ~)　　　　　　선행사₂	관계대명사절 내에 an Ig Nobel
'사람들을 웃게 한 후 생각하게 만드는' 〈**that honors** / **research** / **that "makes people laugh, then think."**〉] ꙩ 관계대명사절₂(that+V~) 선행사₃ ꙩ 관계대명사절₃(that+V ~)	Prize와 research를 수식하는 또 다른 두 개의 관계대명사절이 포함되어 있다.
여성의 비율은 / 핸즈프리 기술을 가장 원한 / ~이다 / 5% / 그리고 그것은 여성의 비율의 절반 이상이다 /	→ who절은 앞에 있는 선행사 females
☆ **519** The proportion of females [**who want hands-free technology the most**] is / 5%, 고2 6월　　　선행사₁ ꙩ 관계대명사절₁(who+V ~)　　　　　선행사₂(절)	를 수식한다.
방수를 가장 원한 [**which is more than half the percentage of the females** 〈**who want water** 관계대명사절₂(which+V ~)　　　　　　　　　선행사₃ ꙩ 관계대명사절₃(who+V ~) **resistance the most**〉].	→ which절은 앞에 나온 문장 전체를 보충 설명한다. → which절 내 전치사의 목적어를 who절 이 수식한다.
당신은 / 분개할 것이다 / 사람에게 / 당신이 느끼기에 당신이 거절하지 못할 것 같은	→ 관계대명사 who 뒤에 「S+V」가
520 You / will resent / the person [**who (you feel) you cannot say no to**]. 고1 11월　　　　　선행사　ꙩ 관계대명사절(who+S+V+S+V ~) 응용	삽입되었다.

1 부사(구): 다양한 수식

- 부사는 동사, 형용사, 부사를 수식하여 의미를 풍부하게 해준다.
- 동사를 수식할 때는 주로 동사 앞에, 형용사/부사를 수식할 때는 수식하는 형용사/부사 가까이에 위치한다.

		구문 노트 ✏
대표 문장 그녀는 / 자랑스럽게 보여 준다 / 당신에게 / 큰 붉은색 A를 / 그녀의 시험지 아래에 있는		
521 고2 6월	She / **proudly** shows / you / a big red A ⟨at the bottom of her test paper⟩. 부사 ↝ V	→ 부사가 동사를 수식하고 있다.
Beebe는 / 점차 키웠다 / 해양 생물학에 대한 흥미를		
522 고2 11월 응용	Beebe / **gradually** developed / an interest in marine biology. 부사 ↝ V	
오늘날 우리의 삶은 / ~이다 / 전적으로 다른 / 300년 전 사람들의 삶과		
523 고2 6월 응용	Our lives today / are / **totally** different / from the lives of people ⟨three hundred 부사 ↝ 형용사 years ago⟩.	→ 부사가 보어 역할을 하는 형용사를 수식하고 있다.
우리는 / ~이다 / 꽤 자랑스러워하는 / 우리의 의견이나 믿음에 대해		
524 고2 6월 응용	We / are / **quite** proud / of our opinions and beliefs. 부사 ↝ 형용사	
진짜 유명한 사람의 경우, / 당신은 / 가지고 있다 / 그 사람에 대한 풍부한 정보로 채워진 머릿속 파일을		
525 고2 6월 응용	In some cases of **truly** famous people, / you / have / a mental file ⟨with rich 부사 ↝ 형용사 information about a person⟩.	→ 부사 truly는 명사 people을 수식하는 형용사 famous를 수식하고 있다.
그 자료는 / 매우 적절하게 작성되어야 한다		
526 고2 3월 응용	The material / must be **very** competently written. 부사 ↝ 부사	→ 「조동사(must)+be+p.p.」 형태의 동사구 내에서 부사가 또 다른 부사를 수식하고 있다.
나의 심장은 / 시작했다 / 뛰기 / 정말 격렬하고 빠르게		
☆ **527** 고2 6월 응용	My heart / started / pounding / **really** hard and fast. 부사 ↝ 부사구	→ hard와 fast는 형용사와 부사의 형태가 같다. cf. hardly: 거의 ~ 아니다
컴퓨터는 / 작동한다 / 빠르고 정확하게; / 인간은 / 일한다 / 상대적으로 느리게 / 그리고 실수를 한다		
528 고2 6월	A computer / works / quickly and accurately; / humans / work / **relatively** V ↝ 부사구 · · · · · · · · · · · · · · · · · · 부사 ↝ slowly / and make mistakes. 부사	→ 앞 문장의 부사구는 동사를, 뒤 문장의 부사는 또 다른 부사를 수식하고 있다.

- 부사는 문장 전체를 수식하여 주어의 태도나 판단, 상황에 대한 정보 등을 나타낸다.
- 「전치사+명사(구)」 형태의 전치사구는 시간, 장소, 방법 등을 나타내며 동사의 의미를 보완하는 부사구 역할을 한다.

구문 노트 🖊

불행하게도, / 결과는 / ~이었다 / 훨씬 더 좋지 않은

529 **Unfortunately**, [the results / were / even worse].
고2 9월　　　　부사 ↘ 문장 전체

→ 부사가 문장 앞에 쓰여 문장 전체를 수식하고 있다.

일반적으로, / 사람들은 / 경향이 있다 / 일관성을 추구하는

530 **Generally**, [people / tend / to seek consistency].
고2 9월　　　　부사 ↘ 문장 전체

확실히, / 우리는 / 알고 있다 / 선수 교육의 중요성을

531 **Surely**, [we / understand / the importance ⟨of a player's education⟩].
고1 11월　　　　부사 ↘ 문장 전체

1921년 1월부터 1931년 4월까지, / 그는 / 가르쳤다 / 회화를 / Bauhaus에서

532 **From January 1921 to April 1931**, / he / taught / painting / **at the Bauhaus**.
고2 9월 응용　　전치사구(시간)　　　　　V　　　　전치사구(장소)

→ 전치사구는 시간, 장소, 방법 등을 나타내는 부사구 역할을 한다.

다행히, / 나는 / 만났다 / 이 소년을 / 그 가게 앞에서

533 **Luckily**, [I / saw / this boy / **in front of the shop**].
고1 11월　　부사 ↘ 문장 전체　　　전치사구(장소)

→ 문장 앞의 부사는 문장 전체를, 문장 뒤의 전치사구는 동사 saw를 각각 수식하고 있다.

Fleming은 / 두고 갔다 / 몇몇 박테리아 배양균을 / 그의 책상 위에

534 **Fleming** / left / some bacterial cultures / **on his desk**.
고2 6월 응용　　V　　　　　전치사구(장소)

십 대 아이들은 / 때때로 행동한다 / 비합리적이거나 위험한 방식으로

535 **Teenagers** / occasionally behave / **in an irrational or dangerous way**.
고2 9월 응용　　부사 ↘ V　　　전치사구(방법)

→ 부사와 전치사구가 동시에 동사 behave를 수식하고 있다.

Sarah는 / 지나갔다 / 항상 그 자리에 있던 Harris를 / 그리고 떨어뜨렸다 / 약간의 잔돈을 / 그의 컵에

536 **Sarah** / passed / Harris ⟨at his usual spot⟩ and dropped / some change /
고2 6월 응용　　V₁　　　　　　　V₂

into his cup].
전치사구(장소)

→ 전치사구 at ~ spot은 Harris를 수식하는 형용사구이고, into his cup은 동사 dropped를 수식하는 부사구이다.

2 부사구: to부정사(구)

- to부정사(구)는 목적(~하기 위해서/~하도록), 감정의 원인(~해서/~하게 되어서), 판단의 근거(~하다니), 결과(~해서 (결국) …하다) 등의 의미를 더해 주는 부사 역할을 한다.

		구문 노트 🖊
대표 문장	결정에 이르기 위해서, / 당신은 / 필요하다 / 일종의 요약 정보가	
537 고2 6월	**To land on a choice**, / you / need / a summary of some sort. to부정사구(목적)	→ to부정사구가 목적을 나타내는 수식어(부사)로 쓰였다.
	응답자의 68%가 / 결심했다 / 가기로 / 그 가게까지 / 5달러를 절약하기 위해	
☆ 538 고1 11월 응용	68% of respondents / decided / to make their way / to the store / **in order** to부정사구(목적) **to save $5.**	→ 목적의 의미를 강조할 때 to부정사 앞에 in order/so as가 오기도 한다. 단, so as to-v는 문장 맨 앞에 쓰지 않는다.
	당신의 자녀들이 / 성공하고 행복해지려면, / 당신은 / 필요가 있다 / 확신시킬 / 그들에게 / 성공은 노력에서	
☆ 539 고2 6월 응용	For your children / **to succeed and be happy**, / you / need ⟨to convince / to부정사구(목적) 오는 것임을 them / that success comes from effort⟩.	→ For your children은 to부정사구의 의미상 주어이다. → to convince 이하는 need의 목적어로 쓰인 to부정사구이고, 간접목적어 them과 직접목적어 that절을 포함하고 있다.
	그녀는 / 놀랐다 / 그녀의 아들을 발견해서 / 문간에 서 있는	
540 고2 11월 응용	She / was surprised / **to find her son ⟨standing in the doorway⟩.** to부정사구(감정의 원인)	→ to부정사구가 감정의 원인을 나타내는 수식어(부사)로 쓰였다. → standing 이하는 her son을 수식하는 현재분사구이다.
	다음 날 아침, / Taglia 선생님은 / 기뻤다 / 두 명의 웃는 얼굴을 봐서 / 자신의 문에서	
541 고2 3월	The next morning, / Miss Taglia / was pleased / **to see two smiling faces / at** to부정사구(감정의 원인) **her door.**	
	당신은 / 급하게 나왔다 / 당신의 집에서 / 그러나 결국 깨달았다 / 당신이 전화기를 부엌 식탁 위에 잊고 온 것을	
☆ 542 고2 11월 응용	You / rush out / of your house / **only to realize [you forgot your phone on** to부정사구(결과) **the kitchen table].**	→ to부정사구가 결과를 나타내는 수식어(부사)로 쓰였다. 「only+to부정사」는 '그러나 결국 ~했다'로 해석한다. → realize의 목적어로 쓰인 명사절에 접속사 that이 생략되어 있다.

- to부정사(구)는 형용사, 부사를 뒤에서 수식하여 의미를 한정하거나, 정도·결과를 나타내는 부사 역할을 한다.
  - 형용사+to부정사: ~하기에 …한
  - too+형용사/부사+to부정사: ~하기에는 너무 …한/하게   - 형용사/부사+enough+to부정사: ~할 정도로 충분히 …한/하게
- 관용적 표현으로 쓰이는 to부정사구는 문장 전체의 의미를 더해 주는 부사구 역할을 한다.
  - to be clear[exact]: 정확히 말하자면   - to make matters worse: 설상가상으로

대표 문장		구문 노트 ✏️
	이 원칙은 / ~이다 / 중요한 / 기억하기에	
543 고2 3월	This principle / is / important ⟨to remember⟩. 　　　　　　　　　형용사 　↰ to부정사	→ to부정사가 형용사를 수식하는 　수식어(부사)로 쓰였다.
	네잎클로버는 / ~이다 / 흔하지 않은 / 그리고 힘든 / 찾기에	
544 고2 9월 응용	Four-leaf clovers / are / rare / and hard ⟨to find⟩. 　　　　　　　　　　　　형용사 　↰ to부정사	
	단지 한 명의 친구를 갖는 것만으로 / ~이다 / 충분한 / 외로움을 줄이기에	
☆ **545** 고2 6월 응용	Just having one friend / is / enough ⟨to decrease loneliness⟩. 　　　　　　　　　　형용사 　↰ to부정사구	→ to부정사구가 보어로 쓰인 형용사 enough를 수식하고 있다. enough는 형용사와 부사의 형태가 같다.
	그 작은 입자들은 / ~이다 / 눈으로 보기에는 너무 작은	
546 고2 3월 응용	The little particles / are / **too** small ⟨**to see**⟩. 　　　　　　　　　too+형용사+to부정사	→ 「too+형용사/부사+to부정사(구)」의 to부정사(구)는 형용사/부사를 수식 하는 수식어(부사)이다.
	그 개는 / ~일지도 모른다 / 작은 아이 주변에서 기르기에는 너무 큰	
547 고2 3월 응용	The dog / might be / **too** big ⟨**to keep around a small child**⟩. 　　　　　　　　　too+형용사+to부정사구	
	인간은 / 있어야 한다 / 신체적 성장에 충분한 다양한 것들을 먹을 정도로 충분히 융통성 있는	
☆ **548** 고2 9월 응용	Humans / must be / flexible **enough** ⟨**to eat a variety of items sufficient for** 　　　　　　　　형용사+enough+to부정사구 **physical growth**⟩.	→ 「형용사/부사+enough+to부정사(구)」 의 enough와 to부정사(구)는 형용사/ 부사를 수식하는 수식어(부사)이다.
	정확히 말하자면, / 우리는 / 가지고 있다 / 석기 시대의 뇌를 / 현대 세계에 사는	
549 고2 11월	⟨**To be clear**⟩, we / have / a Stone Age brain [that lives in a modern world]. to부정사구(관용 표현)	→ 관용적 표현의 to부정사구는 문장 전체 를 수식하는 수식어(부사구)이다. → that 이하는 a Stone Age brain을 수식하는 관계대명사절이다.
	설상가상으로, / 최근의 열대 폭풍우 때문에, / 모든 전화와 인터넷 서비스가 / 중지되었다	
550 고2 6월	⟨**To make matters worse**⟩, because of a recent tropical storm, / all telephone to부정사구(관용 표현) and Internet services / were down.	

3 부사구: 분사구문의 다양한 의미 본책 p. 132

- 분사구문은 「V-ing ~, S+V ....」 형태로 문장에 다양한 의미를 더해 주는 부사구 역할을 한다.
- 분사구문 앞이나 뒤에 있는 주절(S+V ~.)과의 관계에 따라 해석이 달라진다.
  - 시간: ~할 때/~하고 나서
  - 이유: ~하기 때문에/~해서
  - 조건: ~한다면
  - 양보: 비록 ~일지라도
  - 동시동작: ~하면서
  - 연속동작: ~하고 나서 …하다

	구문 노트 ✏

대표 문장 충동적으로, / Jacob은 / 달려갔다 / 복도를 / 그의 동료 없이 / (그리고 나서) 화염 속으로 사라졌다

551 Impulsively, / Jacob / ran down / the hall / without his partner, ⟨**disappearing**
고2 9월 　　　　　　　　S　　　　V　　　　　　　　　　　　　　　　분사구문(연속동작)

into the flames⟩.

→ 연속동작(~하고 나서 …하다)을 나타내는 분사구문이 쓰였다.

그 개는 / 뛰어들어왔다 / 방 안으로 / (그리고 나서) 자랑스러운 듯이 자신의 꼬리를 흔들었다

552 The dog / leapt / into the room, ⟨**proudly wagging his tail**⟩.
고2 3월　　 S　　 V　　　　　　　　　　분사구문(연속동작)
응용

20년 동안 / 증오심이 / 자랐다 / (그리고) 그들의 가족과 지역사회에 전해졌다

553 For twenty years / the hostility / grew, ⟨**spreading to their families and the**
고2 9월　　　　　　　　　　S　　　　V　　　　　분사구문(연속동작)

community⟩.

두려움에 떨면서, / 나는 / 중얼거렸다 / 기도를

554 ⟨**Shivering with fear**⟩, I / murmured / a prayer.
고2 11월　　 분사구문(동시동작)　　 S　　　 V
응용

→ 동시동작(~하면서)을 나타내는 분사구문이 쓰였다.

작은 상자 안의 고양이는 / 행동할 것이다 / 액체처럼 / 그 모든 공간을 채우면서

555 A cat ⟨in a small box⟩ will behave / like a fluid, ⟨**filling up all the space**⟩.
고2 9월　　 S　　　　　　　　 V　　　　　　　　　 분사구문(동시동작)

그 가난한 노파는 / 가져갔다 / 빵 덩어리를 / 평소처럼 / 같은 말을 중얼거리면서

556 The poor old woman / took away / the loaf / as usual, ⟨**muttering the same words**⟩.
고2 11월　　　　 S　　　　　　 V　　　　　　　　　　　　 분사구문(동시동작)

울며 자신의 아들을 껴안은 후에, / 그녀는 / 가져다주었다 / 그에게 / 갈아입을 옷과 약간의 음식을

557 ⟨**Crying and hugging her son**⟩, she / gave / him / clothes to change into and
고2 11월　　 분사구문(시간)　　　　　　 S　　 V

some food.

→ 시간(~하고 나서)을 나타내는 분사구문이 쓰였다.

Yolanda는 / 끄덕였다 / 자신의 머리를 / 깨닫고 나서 / 자신의 지혜로운 할머니가 옳다는 것을

☆ **558** Yolanda / nodded / her head, ⟨**realizing** / **that her wise grandmother was right**⟩.
고2 3월　　 S　　　 V　　　　　　　　　　　 분사구문(시간)
응용

→ that 이하는 realizing의 목적어로 쓰인 명사절이다.

그에게 동정심을 느껴서, / Rangan은 / 고쳤다 / 그 자전거를

559 ⟨**Feeling sympathy for him**⟩, / Rangan / fixed / the bicycle.
고1 11월　　 분사구문(이유)　　　　　 S　　 V

→ 이유(~해서)를 나타내는 분사구문이 쓰였다.

4 부사구: 분사구문의 다양한 형태 _{본책 p. 133}

- 「Having+p.p. ~, S+V ....」 형태의 분사구문은 주절보다 앞선 시제를 나타내는 완료 분사구문이다.
- 「(Being/Having been+)P.P. ~, S+V ....」 형태의 분사구문은 '수동'의 의미를 지닌 수동 분사구문이다.

		구문 노트 ✏
대표 문장	재판관의 해결책을 듣고 나서, / 그 농부는 / 동의했다	
560	〈**Having heard the judge's solution**〉, the farmer / agreed.	→ 「Having+p.p. ~」 형태의 완료 분사구문
고1 11월	완료 분사구문(시간) S V	이 쓰였다.

	이러한 일을 이전에는 해 본 적이 없었기 때문에, / Cheryl은 / 예측하지 못했었다 / 그 반응을	
☆561	〈**Having never done anything like this before**〉, Cheryl / hadn't anticipated /	→ 주절보다 먼저 일어난 일이므로 완료
고2 6월 응용	완료 분사구문(이유) S V	시제가 쓰였다.
	the reaction.	

	점차 고조되는 노르웨이의 낭만적 민족주의 경향에 사로잡혀서, / Bull은 / 공동 설립했다 / 최초의 극장을 / 배우들이	
562	〈**Caught up in a rising tide of Norwegian romantic nationalism**〉, / **Bull** /	→ 「(Being/Having been+) P.P. ~」 형태의
고2 9월 응용	수동 분사구문(이유) S	수동 분사구문이 쓰였다.
	노르웨이어로 공연하는	→ in which 이하는 선행사 the first
	cofounded / the first theater [in which actors performed in Norwegian].	theater를 수식하는 「전치사+관계
	V	대명사절」이다.

	지쳐서, / 나는 / 누웠다 / 바닥에 / 그리고 잠이 들었다	
563	**Tired,** / I / lay down / on the floor / and fell asleep.	
고2 3월	S V₁ V₂ ⌐ 수동 분사구문(이유)	

	여성 환자들에 대한 열악한 의학 치료에 놀라서, / 그녀는 / 설립했다 / 여성을 위한 병원을 / Edinburgh에	
564	〈**Terrified by the poor medical treatment for female patients**〉, she / founded /	
고1 11월 응용	수동 분사구문(이유) S V	
	a hospital for women / in Edinburgh.	

	오랜 시간에 걸쳐 발달되어서, / 비언어적 신호는 / ~이다 / 인간의 얼굴이 매우 표현적이게 된 방식	
☆565	〈**Developed over so much time**〉, nonverbal cue / is [how the human face	→ how 이하는 선행사(the way)를
고2 6월 응용	수동 분사구문(이유) S V	생략한 관계부사절이다.
	became so expressive].	

	사회 규범의 지지를 받는다면, / 집단 간 평등을 추구하는 / 집단 간 접촉은 / 경향이 있다 / 편견을 더 약화시키는	
566	〈**Backed by social norms / that pursue intergroup equality**〉, intergroup	→ 조건(~한다면)을 나타내는 수동 분사
고2 6월 응용	수동 분사구문(조건) S	구문이 쓰였다.
	contact / tends / to weaken bias more.	→ that ~ equality는 social norms를
	V	수식하는 관계대명사절이다.

- 「S´+v-ing/p.p. ~, S+V ....」 형태의 분사구문은 의미상 주어가 주절의 주어와 달라 분사 앞에 표시한 것이다.
- 「접속사+v-ing/p.p. ~, S+V ....」 형태의 분사구문은 의미를 분명히 하기 위해, 분사 앞에 접속사를 표시한 것이다.

		구문 노트 ✏

"너는 알고 있니 / 우리가 어떤 길로 왔는지?" / Lauren은 / 물었다 / 그녀의 시선을 여기저기 던지며

567 "Do you know [which way we came]?" / Lauren / asked, ⟨**her eyes darting**
고2 9월   S   V   의미상 주어+분사구문

around⟩.

→ 분사구문의 의미상 주어 her eyes 가 분사 앞에 쓰였다.

학생들은 / ~할 수 있다 / 무모한, / 일부는 심지어 두 명이 타면서 / 한 대의 스쿠터에 / 한꺼번에

☆ **568** Students / can be / reckless, ⟨**some even having two people** / **on one scooter** /
고2 9월   S   V   의미상 주어+분사구문
응용

at a time⟩.

→ 분사구문의 의미상 주어 some (students)가 분사 앞에 쓰였다.

문제에 직면할 때, / 우리는 / 고려해야 한다 / 관련된 모든 정보를

569 ⟨**When facing a problem**⟩, we / should consider / all relevant information.
고2 3월   접속사+분사구문   S   V
응용

→ 시간을 나타내는 접속사와 함께 쓰인 분사구문이다.

Anna의 답안지를 읽은 후에, / 그녀는 / 감동받았다

570 ⟨**After reading Anna's answer**⟩, she / was touched.
고1 11월   접속사+분사구문   S   V
응용

Costa Rica를 배낭여행 하던 중, / Masami는 / 알게 되었다 / 자신이 / 불운한 상황에 놓여있는 것을

571 ⟨**While backpacking through Costa Rica**⟩, Masami / found / herself / in a bad
고2 6월   접속사+분사구문   S   V

situation.

그들 '소유의' 주택 가격에 대해 질문을 받았을 때, / 62%는 / 믿었다 / 그것이 인상되었다고

☆ **572** ⟨**When asked about the price of their *own* home**⟩, 62% / believed [it had
고2 11월   접속사+수동 분사구문   S   V
응용

increased].

→ 시간을 나타내는 접속사와 being이 생략된 수동 분사구문이 함께 쓰였다.

→ 동사 believed의 목적어로 쓰인 명사절에 접속사 that이 생략되었다.

그의 최초 발명품 중 하나는 / ~였다 / 매우 필요함에도 불구하고 / 실패

☆ **573** One of his first inventions / was, ⟨**although much needed**⟩, / a failure.
고2 11월   S   V   접속사+수동 분사구문

→ 양보를 나타내는 접속사와 being이 생략된 수동 분사구문이 함께 쓰였다.

---

5 부사구: 분사구문의 관용적 표현

- 주절의 주어와 상관없이 분사구문의 의미상 주어 we, you, they 등을 생략한 관용적 표현도 있다.
  - generally speaking: 일반적으로 말해서
  - judging from[by]: ~으로 판단하건대
  - simply put: 간단히 말해서
  - granting[granted] (that): ~이라 하더라도
- 「with+목적어(O)+v-ing/p.p.」 형태의 분사구문은 부대상황을 나타내는 관용적 표현이다.
  - with+O+v-ing: (능동) 목적어가 ~하면서/~한 채
  - with+O+p.p.: (수동) 목적어가 ~되면서/~된 채

		구문 노트 ✏
574 고2 9월	일반적으로 말해서, / 사람들은 / 가지고 있지 않다 / 이 곡물들을 재배하는 전통을 〈**Generally speaking**〉, the people / do not have / a tradition of raising these 분사구문(관용 표현) S V crops.	→ 분사구문의 의미상 주어가 일반인인 관용적 표현의 분사구문이 쓰였다. → raising 이하는 of의 목적어로 쓰인 동명사구이다.
☆575 고2 6월 응용	간단히 말해서, / 상상해 보라 / 당신이 마치 수학을 잘하는 것처럼 느낀다고 〈**Simply put**〉, imagine [that you feel like you're good at math]. 분사구문(관용 표현) V	→ like 이하는 동사 feel의 보어이다. → 「like+S+V ~」: 마치 ~인 것처럼
576 고1 11월 응용	인상주의는 / ~(것)이다 / 보기에 '편한' / 밝은 색깔이 눈길을 끌며 Impressionism / is / 'comfortable' to look at, 〈**with bright colours appealing** S V with+O+v-ing **to the eye**〉.	→ with 뒤의 목적어와 분사는 능동 관계이다. → to look at은 형용사 comfortable을 뒤에서 수식하는 to부정사구이다.
577 고2 6월	이 상충하는 힘들이 우리 내면에서 다투면서, / 우리는 / 완전히 통제할 수 없다 / 우리가 전달하는 것을 〈**With these counterforces battling inside us**〉, we / cannot completely control with+O+v-ing S V [what we communicate].	→ 관계대명사 what 이하는 목적어 역할 을 하는 명사절이고, '~하는 것을'로 해석한다.
578 고2 6월 응용	가방을 싸고, / 나는 / 가기 시작했다 / 우리 방갈로의 앞문으로 〈**With my suitcase packed**〉, I / started for / the front door of our bungalow. with+O+p.p. S V	→ With 뒤의 목적어와 분사는 수동 관계이다.

6 부사절: 시간

- 접속사 when, while 등이 이끄는 절은 시간의 부사절로, 문장 앞이나 뒤에서 시간적 정보를 나타내는 수식어 역할을 한다.
  - when: ~할 때
  - while: ~하는 동안
  - since: ~이후/~한 이래로
  - until[till]: ~할 때까지
  - as: ~할 때/~하면서
  - before: ~하기 전에
  - after: ~하고 나서

		구문 노트 ✏️
대표 문장 완벽한 보존이 가능할 때, / 시간은 / 멈춰있다		
579 고2 9월	[**When perfect preservation is possible**], time / has been suspended. 　　　　부사절(시간)　　　　　　　　　　S　　　　V	→ 접속사 When이 이끄는 부사절이 시간적 정보를 나타낸다.
	그가 자리를 비운 동안, / 방화범들이 / 들어왔다 / 그 장소에 / 그리고 불을 질렀다	
580 고2 6월 응용	[**While he was gone**], the arsonists / entered / the area / and started the fire. 　　부사절(시간)　　　　　　S　　　　V₁　　　　　　　　　　V₂	→ 접속사 While이 이끄는 부사절이 시간적 정보를 나타낸다. → be gone: 자리를 비우다
	Alice는 / 고개를 들었다 / 자신의 연설문으로부터 / 처음으로 / 그녀가 연설을 시작한 이후	
581 고2 3월	Alice / looked up / from her speech / for the first time [**since she began talking**]. 　S　　　V　　　　　　　　　　　　　　　　　　부사절(시간)	→ 접속사 since가 이끄는 부사절이 시간적 정보를 나타낸다.
	나는 / 결심했다 / 걷기로 / 오로지 밤에만 / 내가 마을에서 멀리 떨어질 때까지	
582 고2 3월 응용	I / decided / to walk / only at night [**until I was far from the town**]. S　　V　　　　　　　　　　　　　　부사절(시간)	→ 접속사 until이 이끄는 부사절이 시간적 정보를 나타낸다.
	Paul은 / 여전히 심하게 코를 골고 있었다 / John이 일어났을 때 / 어둠 속에서 그의 물병을 찾으러	
583 고2 6월 응용	Paul / was still furiously snoring [**as John got up / to find his water bottle in** 　S　　　　　　V　　　　　　　　　　　　부사절(시간) **the dark**].	→ 접속사 as가 이끄는 부사절이 시간적 정보를 나타낸다. → 부사절 내에 목적을 나타내는 to부 정사구가 쓰였다.
	그녀는 / 몸을 돌렸다 / 간호사에게로 / 그녀의 두 뺨에 눈물이 흐르면서	
584 고2 3월 응용	She / turned / to the nurse [**as tears streamed down her cheeks**]. 　S　　　V　　　　　　　　　　부사절(시간)	
	나의 이름이 불리기 전, / 혼돈 속에서, / 믿을 수 없는 평화가 / 감쌌다 / 나를	
585 고2 3월 응용	[**Before my name was called**], in the midst of the chaos, / an unbelievable 　　　부사절(시간)　　　　　　　　　　　　　　　　　　S peace / embraced / me. 　　　　　V	→ 접속사 Before가 이끄는 부사절이 시간적 정보를 나타낸다.
	그가 TV에 출연하고 난 후, / 그의 가족들은 / 16년 동안 그를 찾고 있었던 / 있었다 / 그를 찾을 수 있는	
☆586 고2 6월 응용	[**After he appeared on TV**], his family members [who had been searching for 　　　부사절(시간)　　　　　　　　　　S him for 16 years] were / able to find him. 　　　　　　　　　　V	→ 접속사 After가 이끄는 부사절이 시간적 정보를 나타낸다. → who ~ 16 years는 his family members를 수식하는 관계대명사절 이다.

- once: ~하자마자/일단 ~하면   - as soon as: ~하자마자   - every time: ~할 때마다
- not A until B: B하고 나서야 비로소 A하다   - by the time: ~할 무렵에(는)

구문 노트 ✏️

일단 그들이 이것을 깨닫게 되자, / 그들은 / 되었다 / 타협할 수 있는 / 집안일에 관하여

587
고2 6월
[**Once they realized this**], they / were / able to compromise / regarding the
　　　부사절(시간)　　　　　S　　　V

housework.

→ 접속사 Once가 이끄는 부사절이 시간적 정보를 나타낸다.

농부가 말하자마자, / "당겨 Warrick!"이라고 / 그 당나귀는 / 끌어당겼다 / 그 차를 / 도랑 밖으로

588
고2 11월
응용
[**As soon as the farmer said,** / "**Pull Warrick!**"] the donkey / heaved / the car /
　　　　　부사절(시간)　　　　　　　　S　　　V

out of the ditch.

→ 접속사 as soon as가 이끄는 부사절이 시간적 정보를 나타낸다.

그가 도울 수 있을 정도로 충분히 가까이 갈 때마다, / 그녀는 / 잡아당겼다 / 그를 / 아래로

☆ **589**
고2 6월
[**Every time he got close enough to help**], she / pulled / him / under.
　　　　　부사절(시간)　　　　　　　　　S　　V

→ 접속사 Every time이 이끄는 부사절이 시간적 정보를 나타낸다.

→ 부사절 내에 「형용사+enough+to부정사」가 쓰였다.

한 학생은 / 비로소 흡족해했다 / 내가 포함하고 나서야 / 내 이름을 적은 의자 그림을

☆ **590**
고2 3월
응용
One student / was **not** satisfied [**until I included** / **a sketch of the chair** 〈labelled
　　S　　　V　　not A　　　　　　부사절(시간: until B)

with my name〉].

→ 접속사 until이 이끄는 부사절이 시간적 정보를 나타내고 있다.

→ not A until B는 'B할 때까지 A하지 않다'로도 해석할 수 있다.

Mark는 / 참지 못했다 / 시합에서 지는 것을 / 그가 8살이었을 무렵에는

591
고2 3월
Mark / could not stand / to lose at games [**by the time he was eight years old**].
　S　　　V　　　　　　　　　　　　　부사절(시간)

→ 접속사 by the time이 이끄는 부사절이 시간적 정보를 나타내고 있다.

→ to ~ games는 stand의 목적어로 쓰인 to부정사구이다.

7 부사절: 이유, 조건

- 접속사 because, since 등이 이끄는 절은 이유의 부사절로, 문장 앞이나 뒤에서 이유의 의미를 나타내는 수식어 역할을 한다.
  - because/since/as: ~이기 때문에
  - that: ~이므로/~이기 때문에

		구문 노트 ✏️
	토론은 많은 준비를 하도록 하기 때문에, / 개인들은 / 가지게 된다 / 확신을 / 그들의 자료에 대한	
592 고2 9월 응용	[**Because debate allows for a lot of preparation**], individuals / develop / 　　　　부사절(이유)　　　　　　　　　　　　　　S　　　　 V confidence / in their materials.	→ 접속사 Because가 이끄는 부사절이 이유를 나타낸다.
	때때로 / 누군가는 / 칭송받는다 / '가장 위대하다'고 / 비교할 만한 근거가 거의 없기 때문에	
593 고2 3월	Sometimes / a person / is acclaimed / as "the greatest" [**because there is little** 　　　　　　S　　　　　 V　　　　　　　　　　　　　　　 부사절(이유) **basis for comparison**].	
	결과적으로, / 그는 / 실패했다 / 목초지의 환경에 적응하는 데 / 그가 생존 기술이 부족했기 때문에	
594 고2 6월	Consequently, / he / failed / to adapt to the environment of the grasslands 　　　　　　　S　　 V [**because he lacked survival skills**]. 　　　　부사절(이유)	
	아주 많은 자료가 작성되고 있기 때문에, / 출판사는 / ~일 수 있다 / 매우 선택적	
595 고2 3월	[**Since so much material is being written**], publishers / can be / very selective. 　　　　　　부사절(이유)　　　　　　　　　　　　　 S　　　　 V	→ 접속사 Since가 이끄는 부사절이 이유를 나타낸다.
	우리는 알고 있기 때문에 / 우리의 편견들을 없앨 수 없다는 것을 / 우리는 / 필요가 있다 / 제한하도록 노력할 / 해로운 영향들을	
☆ **596** 고2 6월 응용	[**Since we know 〈we can't eliminate our biases〉**], we / need / to try to limit / 　　　　　　부사절(이유)　　　　　　　　　　　 S　　 V the harmful impacts.	→ 부사절 내 동사 know의 목적어로 쓰인 명사절에 접속사 that이 생략 되었다.
	질문을 하는 습관은 / ~하도록 한다 / 당신이 / 다른 내적인 삶의 경험을 갖도록, / 당신이 더욱 효과적으로 들을	
☆ **597** 고2 6월 응용	The habit of asking questions / forces / you / to have a different inner life 　　　　　　S　　　　　　　　　　 V 것이기 때문에 experience, [**since you will be listening more effectively**]. 　　　　　　　　　부사절(이유)	→ 동사 forces 뒤에 목적어 you와 목적격 보어 to부정사구가 순서대로 쓰였다.
	어제 / 그는 / 나올 수 없었다 / 가게에 / 그는 고열로 몸져누워 있었기 때문에	
598 고1 11월 응용	Yesterday / he / could not attend / to business [**as he was laid up with high fever**]. 　　　　　 S　　 V　　　　　　　　　　　　　　　 부사절(이유)	→ 접속사 as가 이끄는 부사절이 이유를 나타낸다.
	저는 염려가 됩니다 / 하나의 작은 실수가 귀사에 대한 평판에 손상을 입힐 수 있기 때문에	
599 고2 11월 응용	I'm / afraid [**that one small mistake could damage your company's reputation**]. S+V　　　　　　　　　　　　　　　 부사절(이유)	→ 접속사 that이 이끄는 부사절이 이유를 나타낸다.

- 접속사 if, unless 등이 이끄는 절은 조건의 부사절로, 문장 앞이나 뒤에서 조건의 의미를 나타내는 수식어 역할을 한다.
  - if: 만약 ~라면/~한다면
  - as[so] long as: ~하는 한
  - unless: 만약 ~이 아니라면/~하지 않는다면
  - in case (that): ~인 경우를 대비하여

		구문 노트 ✏
대표 문장 당신은 / 할 수 있다 / 무엇이든 / 만약 당신이 충분히 오랫동안 열심히 계속하기만 한다면		→ 접속사 if가 이끄는 부사절이 조건을
600 You / can do / anything, [**if you just persist long and hard enough**].		나타낸다.
고2 3월 응용 S V 부사절(조건)		→ 문장 마지막의 enough는 long and
		hard를 수식하는 부사이다.
만약 당신이 전문가라면, / 많은 팔로워 수를 가지는 것은 / 당신의 소셜 미디어 계정에 / 향상시킨다 / 모든 일을 /		
☆**601** [**If you're an expert**], having a high follower count ⟨on your social media		→ 주절의 주어는 having으로 시작하는
고2 6월 부사절(조건) S		동명사구이다.
당신이 실제 생활에서 하고 있는		→ you ~ life는 all the work를 수식
accounts⟩ enhances / all the work [you are doing in real life].		하는 관계대명사절이다.
V		
그것은 / 운반될 수 없다 / 숲 밖으로 / 강에 띄워 보내서 / 만약 목재가 먼저 건조되지 않으면		
602 It / cannot be moved / out of forests / by floating down rivers [**unless the**		→ 접속사 unless가 이끄는 부사절이
고2 3월 S V 부사절(조건)		조건을 나타내며, unless는 if ~ not
wood has been dried first].		으로 바꿔 쓸 수 있다.
만약 상황이 독특한 것이 아니라면, / 당신의 마음을 드러내는 것은 / ~일 것이다 / 파트너가 될 가능성이 있는		
☆**603** [**Unless the circumstances are unique**], baring of your soul / would be		→ 주절의 주어는 baring으로 시작하는
고2 3월 응용 부사절(조건) S V		동명사구이다.
사람들을 놀라게 할 수 있는		→ be likely to-v: ~할 가능성이 있는
likely to scare potential partners.		
그가 믿는 한 / 자신이 팀의 일부라고 / 그는 / 해낼 수 있다 / 훌륭한 일들을		
604 [**As long as he believes** ⟨he is a part of a team⟩], he / can do / great things.		→ 접속사 As long as가 이끄는 부사절
고2 11월 응용 부사절(조건) S V		이 조건을 나타낸다.
		→ he ~ team은 부사절 내 동사 believes
당신이 그것을 보지 못했을 경우를 대비하여, / 제가 동봉합니다 / 수업 일정표 사본을 / 도움이 될 만한 참고 자료로서		의 목적어로 쓰인 명사절이다.
605 [**In case you didn't see it**], I'm enclosing / a copy of our class calendar / as a		→ 접속사 In case (that)가 이끄는
고2 9월 부사절(조건) S+V		부사절이 조건을 나타낸다.
helpful reference.		

8 부사절: 양보, 대조

- 접속사 although 등이 이끄는 절은 양보의 부사절로, 문장 앞이나 뒤에서 양보의 의미를 나타내는 수식어 역할을 한다.
  - although/(even) though/(even) if: 비록 ~일지라도/~에도 불구하고
  - whether A or B: A이든 B이든

구문 노트 ✏️

비록 그것이 증명되지 못했더라도, / 진화론은 / ~이다 / 최선의 이론 / 우리가 가지고 있는

606 [**Though it hasn't been proved**], evolution / is / the best theory [that we have].
고2 6월 응용 　　　　　부사절(양보)　　　　　　　　　S　　　V

→ 접속사 Though가 이끄는 부사절이 양보의 의미를 나타낸다.

→ that 이하는 the best theory를 수식하는 관계대명사절이다.

비록 거짓말이 어떤 해로운 영향도 미치지 않는다 할지라도, / 그것은 / ~이다 / 여전히 도덕적으로 옳지 않은

607 [**Even if lying doesn't have any harmful effects**], it / is / still morally wrong.
고2 11월 응용 　　　　　　　부사절(양보)　　　　　　　　　　S　　V

→ 접속사 Even if가 이끄는 부사절이 양보의 의미를 나타낸다.

비록 당신이 그 광고를 무시할 수 있을지라도, / 단순히 당신의 눈앞에 있음으로써 / 그것들은 제 역할을 하고 있다

☆ **608** [**Even though you can ignore the ads**], by simply being in front of your eyes, /
고2 6월 응용 　　　　　부사절(양보)

they're doing / their work.
　　S+V

→ 접속사 Even though가 이끄는 부사절이 양보의 의미를 나타낸다.

비록 사람들은 설득을 깊은 사고 과정이라고 생각하지만 / 그것은 / ~이다 / 실제로는 얕은 사고 과정

609 [**Although people think of persuasion as deep processing**], it / is /actually
고2 6월 응용 　　　　　　　부사절(양보)　　　　　　　　　　　　　S　　V

shallow processing.

→ 접속사 Although가 이끄는 부사절이 양보의 의미를 나타낸다.

당신이 깔끔하든 지저분하든, / 당신의 작업 공간은 / 드러낼 것이다 / 많은 것을 / 당신의 성격에 대해

☆ **610** [**Whether you're neat or messy**], your workspace / may reveal / a lot / about
고2 6월 　　　　　부사절(양보)　　　　　　　　　S　　　　　V

your personality.

→ 접속사 Whether가 이끄는 부사절이 양보의 의미를 나타낸다.

• 접속사 whereas, while(~인 반면에) 등이 이끄는 절은 대조의 의미를 나타내는 수식어 역할을 한다.

	구문 노트 ✏

숫자 799는 / 느껴진다 / 800보다 현저히 작게 / 반면에 798은 799와 거의 비슷하게 느껴진다

☆ **611**
고1 11월 응용

The number 799 / feels / significantly less than 800, [**whereas 798 feels pretty**
　　　　S　　　　V　　　　　　　　　　　　　　　　부사절(대조)

much like 799].

→ 접속사 whereas가 이끄는 부사절이
대조의 의미를 나타낸다.

때때로 / 동물들은 / 보인다 / 태연해 / 가까이 접근했을 때 / 반면에 다른 때는 / 그들은 순식간에 사라진다 /

☆ **612**
고2 3월 응용

Sometimes / animals / seem / unconcerned ⟨when approached closely⟩,
　　　　　　　S　　　V

당신이 시야에 들어오면

[**whereas other times** / **they disappear in a flash** ⟨when you come in sight⟩].
　　　　　　　　　　부사절(대조)

→ when ~ closely는 「접속사+수동
분사구문」이다.
→ 부사절 내에 시간의 부사절
(when ~ sight)이 쓰였다.

참가자 중 절반은 / 했다 / 블록 맞추기 게임을 / 10분 동안 / 반면에 나머지 절반은 조용히 앉아 있었다

613
고1 11월 응용

Half the participants / played / a block-matching game / for ten minutes,
　　　　S　　　　　　V

[**while the other half sat quietly**].
　　　부사절(대조)

→ 접속사 while이 이끄는 부사절이
대조의 의미를 나타낸다.

항공기 간의 충돌은 / 대개 발생한다 / 공항 주변 지역에서 / 반면에 항공기 오작동으로 인한 추락은 / 발생하는

614
고2 3월 응용

Collisions between aircraft / usually occur / in the surrounding area of airports,
　　　　S　　　　　　　　V

경향이 있다 / 장거리 비행 중에

[**while crashes due to aircraft malfunction** / **tend to occur** / **during long-haul**
　　　　　　　　　　부사절(대조)

flight].

9 부사절: 목적, 결과, 양태

- 접속사 so that, in order that(~하기 위해서/~하도록)이 이끄는 절은 목적의 의미를 나타내는 수식어 역할을 한다.
- 접속사 so/such ~ that 등이 이끄는 절은 결과의 부사절로, 문장 속에서 결과의 의미를 나타내는 수식어 역할을 한다.
  - so+형용사/부사 ~ (that): 아주 ~해서 …하다   - such+(a/an)+(형용사)+명사 ~ that: 아주 ~해서 …하다

구문 노트 ✎

운동은 / ~이다 / 훌륭한 방법 / 당신이 / 당신의 부정적인 감정들을 해체하기 시작하는 / 그것들이 더 이상

615
고2 11월
응용

Exercise / is / a great way / for you / to begin to deconstruct your negative
　　　　　S　　V

→ 접속사 so that이 이끄는 부사절이 목적을 나타낸다.

당신의 삶에 영향을 미치지 않도록

emotions [**so that they no longer affect your life**].
　　　　　　　　　　부사절(목적)

→ to begin ~ emotions는 a great way를 수식하는 to부정사구이고, for you는 to부정사구의 의미상 주어이다.

그들은 / 불을 붙이곤 했다 / 밧줄에 / 아래부터 / 그것이 균등하게 타도록

616
고2 11월
응용

They / would light / a rope / from the bottom [**so that it burnt evenly**].
　S　　　V　　　　　　　　　　　　　　　　부사절(목적)

→ 조동사 would는 과거의 습관(~하곤 했다)을 나타낸다.

선별적 필기 기술은 / 포함한다 / 핵심 답변들을 적는 것을 / 그것들이 나중에 쉽게 기록될 수 있도록

617
고2 9월
응용

The technique of selective note-taking / involves / writing down the key answers
　　　　　　　　　S　　　　　　　　　　　V

[**so that they can be transcribed easily afterwards**].
　　　　　　　　　　부사절(목적)

면역 체계는 / ~이다 / 너무 복잡한 / (그래서) 그것을 설명하려면 책 한 권이 있어야 할 것이다

618
고2 6월

The immune system / is / **so** complicated [**that it would take a whole book**
　　　　S　　　　　V　　so+형용사　　　　　　　　부사절(결과)

→ 접속사 so ~ that이 이끄는 부사절이 결과를 나타낸다.

to explain it].

→ 부사절 내에 목적을 나타내는 to부정사구가 쓰였다.

인간의 반응은 / ~이다 / 너무 복잡한 / (그래서) 객관적으로 해석하기가 어려울 수 있다

619
고2 9월

Human reactions / are / **so** complex [**that they can be difficult to interpret**
　　　S　　　　　V　so+형용사　　　　　　　　부사절(결과)

→ 부사절 내 to 이하는 형용사 difficult를 수식하는 to부정사구이다.

objectively].

나는 / ~였다 / 너무 화가 난 / (그래서) 나는 문을 쾅 닫았다 / 그리고 앞 현관으로 나섰다

☆620
고2 6월

I / was / **so** angry [**I slammed the door / and stepped out on the front porch**].
S　V　so+형용사　　　　　　　　부사절(결과)

→ 결과의 부사절을 이끄는 접속사 that은 생략할 수 있다.

언어적 속임수는 / 주었다 / 초기 인간에게 / 그러한 생존의 이점을 / (그래서) 일부 진화 생물학자들은 / 믿는다 /

☆621
고1 11월

Verbal deceitfulness / gave / early humans / **such** a survival advantage
　　　　S　　　　　　V　　　　　　　　　such+a+형용사+명사

→ 접속사 such ~ that이 이끄는 부사절이 결과를 나타낸다.

말하는 능력 / 그리고 거짓말하는 능력이 / 함께 발달했다고

[**that some evolutionary biologists / believe ⟨the capacity to / speak and**
　　　　　　　　　　부사절(결과)

→ the capacity 이하는 부사절 내 동사 believe의 목적어로 쓰인 명사절이다.

the ability to lie / developed hand in hand⟩].

- 접속사 as와 as if[though]가 이끄는 절은 양태의 부사절로, 문장 앞이나 뒤에서 양태의 의미를 나타내는 수식어 역할을 한다.
  - as: ~처럼/~이듯이/~대로　　　　　　　　- as if[though]: 마치 ~인 것처럼

		구문 노트 ✎

당신도 알다시피, / Springfield 공립학교는 / 위치해 있다 / First Street와 Pine Street의 교차로에

622
고2 9월
[**As you know**], Springfield Public School / is located / at the intersection of
　부사절(양태)　　　　　　　　　　　S　　　　　　　V

First Street and Pine Street.

→ 접속사 As가 이끄는 부사절이 양태를 나타낸다.

아이들은 / 기대된다 / 하도록 / 자신의 부모가 말하는 대로

623
고1 11월
응용
Children / are expected / to do [**as their parents say**].
　S　　　　V　　　　　　　　　부사절(양태)

코알라들이 움직일 때, / 그들은 / 흔히 보인다 / 마치 그들이 슬로 모션으로 움직이는 것처럼

☆624
고2 3월
응용
[**When koalas move**], they / often look [**as though they're in slow motion**].
　부사절(시간)　　　　　S　　V　　　　　　부사절(양태)

→ 문장 맨 앞에는 접속사 When이 이끄는 시간의 부사절이, 문장 뒤에는 접속사 as though가 이끄는 양태의 부사절이 쓰였다.

• 등위접속사 and(그리고), but(그러나), or(또는)는 단어와 단어, 구와 구를 대등한 관계로 연결해 준다.

대표 문장		구문 노트 ✏
	레크리에이션은 / 충족시킨다 / 광범위한 개인의 욕구와 관심사를	
625 고2 3월 응용	Recreation / meets / a wide range of individual needs **and** interests. 　　　　　　　　　　　　　　　　　　단어₁　등위접속사　단어₂	→ 두 단어가 등위접속사 and로 연결 되어 있다.
	그곳에서 / 그 두 사람은 / 골라서 샀다 / 두 개의 작은 나무를	
626 고2 3월	There, / the two of them / chose **and** purchased / two small trees. 　　　　　　　　　　　단어₁　등위접속사　단어₂	
	어떤 것을 / 조용하거나 보이지 않는 / 우리는 / 평가절하한다 / 우리의 마음속에서	
627 고2 6월	Anything ⟨**silent or invisible**⟩ we / downgrade / in our minds. 　　　　　　단어₁　등위접속사　단어₂	→ 두 단어가 등위접속사 or로 연결 되어 Anything을 수식하고 있다.
	토네이도나 허리케인이 접근하는 경우에 / 사람들은 / 추구할 수 있다 / 안전을 / 정보의 도움으로 / 드론에 의해 수집된	
628 고2 9월	In case of nearing tornados **or** hurricanes, / people / can seek / safety / with 　　　　　　　　　　단어₁　등위접속사　단어₂ the help of the data ⟨gathered by drones⟩.	→ 과거분사구 gathered by drones가 the data를 뒤에서 수식하고 있다.
	작지만 값비싼 상품들은 / 넥타이와 액세서리같이 / 대체로 판매된다 / 어두운색의 쇼핑백 또는 케이스에 담겨	
☆ **629** 고1 11월 응용	Small **but** expensive products / like neckties **and** accessories / are often sold / 단어₁　등위접속사　단어₂　　　　　　　　단어₁　등위접속사　단어₂ in dark-colored shopping bags **or** cases. 　　　　　단어₁　　등위접속사　단어₂	→ 두 단어가 등위접속사 but, and, or로 각각 연결되어 있다.
	개인의 맹점은 / ~이다 / 부분들 / 보이는 / 다른 사람들에게 / 하지만 당신에게는 아닌	
630 고2 6월	Personal blind spots / are / areas [that are visible / to others / **but** not to you]. 　　　　　　　　　　　　　　　　구₁　　등위접속사　　구₂	→ 두 개의 구가 등위접속사 but으로 연결되어 있다.
	Einstein은 / 표를 꺼내려고 자신의 조끼 주머니에 손을 넣었다 / 그러나 그것을 찾지 못했다	
631 고1 11월	Einstein / reached into his vest pocket for the ticket, / **but** did not find it. 　　　　　　　　구₁　　　　　　　　등위접속사　　구₂	
	뷔페 테이블을 생각해 보라 / 파티의 / 또는 아마도 호텔의 / 여러분이 방문했던	
632 고2 3월	Think of a buffet table / at a party, / **or** perhaps at a hotel [you've visited]. 　　　　　　　　　　구₁　　등위접속사　　구₂	→ 두 개의 구가 등위접속사 or로 연결 되어 있다. → you've visited는 a hotel을 수식
	우리는 / 예측할 수 없었다 / 무슨 일이 일어날지 / 우리 앞과 우리 주위에서	하는 관계대명사절이다.
633 고2 3월	We / couldn't predict [what was going to happen / in front of us **and** around us]. 　　　　　　　　　　　　　　　　구₁　　등위접속사　구₂	→ predict의 목적어로 쓰인 명사절 내에 두 개의 구가 등위접속사 and로 연결 되어 있다.

- 등위접속사 and, but, or와 so(그래서)와 for(때문에)는 절과 절을 대등한 관계로 연결해 준다.
- 명령문 뒤에 「S+V ~」 형태의 완전한 절이 등위접속사 and/or로 연결되면 조건 또는 가정의 의미를 나타내며, '~하라, 그러면/그렇지 않으면 …'으로 해석한다.

		구문 노트 ✎
	토론은 표현 방식보다는 내용에 초점을 둔다 / 그래서 관심은 논거에 맞추어진다 / 사람이 아니라	
634 고2 9월	Debate provides a focus on the content over style, / so the attention is on the 절₁(원인)　　　　　　　　　등위접속사　　　절₂(결과) arguments, / not on the person.	→ 두 개의 절이 등위접속사 so로 연결되어 원인-결과를 나타낸다.
	그녀는 그 청구서를 열기가 두려웠다 / 왜냐하면 그녀는 확신했기 때문에 / 그것을 모두 지불하려면 자신의 남은 인생이 다 걸릴 거라고	
635 고2 6월 응용	She feared to open the bill, / for she was sure [it would take the rest of her 절₁(결과)　　　　등위접속사　　　　　절₂(원인) life to pay for it all].	→ 두 개의 절이 등위접속사 for로 연결되어 결과–원인을 나타낸다.
	당신은 많은 다양한 방법으로 파이를 자를 수 있었다 / 하지만 그것은 절대 조금도 더 커지지 않았다	
636 고2 3월	You could cut the pie in many different ways, / but it never got any bigger. 절₁　　　　　　　　　등위접속사　　　절₂	→ 두 개의 절이 등위접속사 but으로 연결되어 있다.
	이 건물들은 오래되고 진품일 수도 있다 / 또는 그것들은 최근의 복제품일 수도 있다	
637 고2 11월 응용	These buildings may be old and genuine, / or they may be recent reproductions. 절₁　　　　　　등위접속사　　　절₂	→ 두 개의 절이 등위접속사 or로 연결되어 있다.
	중년에 / 쌍둥이 중 한 명은 암에 걸린다 / 그리고 다른 한 명은 암에 걸리지 않고 건강하게 오래 산다	
638 고2 3월	In mid-life, / one twin develops cancer, / and the other lives a long healthy 절₁　　　　등위접속사　　　절₂ life without cancer.	→ 두 개의 절이 등위접속사 and로 연결되어 있다.
	할머니는 / 미소를 지으며 말했다 / 이것을 기억해라 / 그러면 너는 성공할 것이다 / 무엇이든 네가 하는 일에	
639 고2 3월 응용	The grandmother / smiled and said, / "Remember this, / and you will be 명령문　　　and+절(S+V ~) successful / in [whatever you do]."	→ 명령문과 절이 등위접속사 and로 연결되어 있다.
	그 생각은 / 유래한다 / Mark Twain의 말에서 / 아침에 살아있는 개구리를 제일 먼저 먹어라 / 그러면 그 이후에는	
640 고2 6월	The idea / comes / from a Mark Twain quote: "Eat a live frog first thing in 명령문	
	그보다 더 나쁜 어떤 일도 여러분에게 일어나지 않을 것이다	
	the morning, / and nothing worse will happen to you the rest of the day." and+절(S+V ~)	
	Stessin 교수는 / 농담조로 말했다 / 그에게 / Frank, 이것을 너무 잘 연주하지 말거라 / 그렇지 않으면 내가 할 말이 없을 거야	
641 고2 3월 응용	Mr. Stessin / jokingly warned / him, / "Don't play this too well, Frank, / or 명령문　　　　　　　or I'll have nothing to say!" +절(S+V ~)	→ 명령문과 절이 등위접속사 or로 연결되어 있다.

- 상관접속사는 두 개 이상의 단어나 구가 짝을 이루어 하나의 접속사 역할을 하는 것이다.
  - both A and B: A와 B 둘 다　　－ either A or B: A나 B 둘 중 하나　　－ neither A nor B: A와 B 둘 다 아닌

		구문 노트 🖊
	당신은 / 제출할 수 있다 / 포스터와 표어 둘 다를	
642 고2 9월	You / can submit / both a poster and a slogan. both A and B: A와 B 둘 다	→ 목적어가 상관접속사 both A and B 로 연결되어 있다.
	농경은 / 부양하는 동시에 필요로 한다 / 더 많은 사람을 / 농작물을 기를 / 그들을 지탱해 주는	
643 고2 3월	Agriculture / both supports and requires / more people / to grow the crops both A and B: A와 B 둘 다 [that sustain them].	→ 동사가 상관접속사 both A and B로 연결되어 있다.
	수컷과 암컷 임팔라 둘 다 / ~이다 / 색깔이 비슷한 / 흰 배와 끝이 검은 귀를 가져서	
644 고2 6월	Both male and female impalas / are / similar in color, / with white bellies and both A and B: A와 B 둘 다 black-tipped ears.	→ 주어가 상관접속사로 연결되어 있다. → both A and B는 복수 취급한다.
	이러한 가설을 검증하기 위해 / 그녀는 / 수집한다 / 자료를 / 부정행위에 대한 / 큰 수업과 작은 수업 둘 다에서 /	
645 고2 6월	To test this hypothesis, / she / collects / data ⟨on cheating / in both large both A and B: 그리고 분석한다 / 그 자료를 classes and small ones⟩ and then analyzes / the data. A와 B 둘 다	→ 전치사의 in의 목적어가 상관접속사 both A and B로 연결되어 있다.
	고양이는 / 될 수 있다 / 액체나 고체가 / 환경에 따라	
646 고2 9월	Cats / can be / either liquid or solid, / depending on the circumstances. either A or B: A와 B 둘 중 하나	→ 형용사 보어가 상관접속사 either A or B로 연결되어 있다.
	Xia는 / 아마도 ~였을 것이다 / 공식 궁정 화가 / Ningzong 황제나 Lizong 황제의	
647 고2 6월	Xia / was probably / the official court painter / to either the emperor Ningzong or the emperor Lizong.　　either A or B: A와 B 둘 중 하나	→ 전치사 to의 목적어가 상관접속사 either A or B로 연결되어 있다.
	교육자들은 / 흔히 물리적으로 재배치한다 / 그들의 학습 공간을 / 모둠 활동이나 개별 학습을 지원하도록	
648 고2 3월	Educators / often physically rearrange / their learning spaces / to support either group work or independent study. either A or B: A와 B 둘 중 하나	→ to부정사구 내 목적어가 상관접속사 either A or B로 연결되어 있다.
	우산도 우비도 / 없었다 / 이용할 수 있는 / 집안에	
649 고2 6월 응용	Neither an umbrella nor a raincoat / was / available / in the house. neither A nor B: A와 B 둘 다 아닌	→ 주어가 상관접속사로 연결되어 있다. → neither A nor B는 B에 수를 일치시 킨다.
	여러분은 / 알고 있다 / 사과나 지구상의 그 어떤 것도 / ~하지 않는다는 것을 / 태양이 / 우리에게 추락하도록	
☆650 고2 9월 응용	You / know [that neither apples nor anything else on Earth / cause / the Sun / neither A nor B: A와 B 둘 다 아닌 to crash down on us].	→ that절 내 주어가 상관접속사 neither A nor B로 연결되어 있다.

- not *A* but *B*: A가 아니라 B
- not only[just] *A* but (also) *B*: A뿐만 아니라 B도 (= *B* as well as *A*)

		구문 노트 ✏️
	귀사의 상품인 'Indian Green' 수프에 부착된 이미지는 / ~이다 / 인도의 춤이 아니라 한국의 것	
651 고2 11월	The image on your product "Indian Green" soup / is / **not** of an Indian dance **but** a Korean one.　　　　　　　*not A but B*: A가 아니라 B (of)	→ 전치사구 보어가 상관접속사 not A but B로 연결되어 있다.
	비언어적 의사소통은 / 언어적 의사소통을 대체하는 것이 아니라 오히려 그것을 보완한다	
652 고1 11월 응용	Non-verbal communication / does **not** substitute verbal communication **but** rather complements it.　　　　*not A but B*: A가 아니라 B	→ 동사구가 상관접속사 not A but B 로 연결되어 있다.
	쓰기의 발달은 / 개척되었다 / 수다쟁이, 이야기꾼, 또는 시인에 의해서가 아니라 회계사에 의해서	
653 고2 6월	The development of writing / was pioneered / **not** by gossips, storytellers, or poets, **but** by accountants.　　　*not A but B*: A가 아니라 B	→ 수동태 문장의 「by+목적어」가 상관접속사 not A but B로 연결되어 있다.
	특허권의 원래 목적은 / ~이었다 / 발명가에게 독점 이익을 보상하는 것이 아니라 그들이 발명품을 공유하도록 장려하는 것	
654 고2 9월 응용	The original idea of a patent / was / **not** to reward inventors with monopoly 　　　　　　　　　　　*not A but B*: A가 아니라 B profits, **but** to encourage them to share their inventions.	→ to부정사구 보어가 상관접속사 not A but B로 연결되어 있다.
	언어적, 비언어적 신호들은 / ~이다 / 관련되어 있을 뿐만 아니라 중요한 / 문화 간 의사소통에	
655 고2 9월	Verbal and nonverbal signs / are / **not only** relevant **but also** significant / to intercultural communication.　　*not only A but (also) B*: A뿐만 아니라 B도	→ 형용사 보어가 상관접속사 not only A but also B로 연결되어 있다.
	그들은 / 잊는다 / 사회 문제에 대한 해결책이 / 필요로 한다는 것을 / 지식뿐만 아니라 사람들에게 영향력을 행사할 능력도	
☆**656** 고1 11월 응용	They / forget [that the solution to a social problem / requires / **not only** 　　　　　　　　　　　*not only A but (also) B*: knowledge **but also** the ability to influence people]. A뿐만 아니라 B도	→ that절 내 목적어가 상관접속사 not only A but also B로 연결되어 있다.
	자료는 / 그들이 출판하기 위해 선택하는 / 상업적 가치를 지니고 있어야 할 뿐만 아니라 만족할 만하게 작성되어야 한다	
657 고2 3월 응용	The material [they choose to publish] must **not only** have commercial value, **but** be very competently written.　　*not only A but (also) B*: A뿐만 아니라 B도	→ 동사구가 상관접속사 not only A but (also) B로 연결되어 있다.
	자아는 / 형성된다 / 사회적 힘에 의해 / 내적으로뿐만 아니라 외적으로 살펴봄으로써	
658 고2 6월	The self / is formed / by social forces, / by looking outwards **as well as** inwards. 　　　　　　　　　　　*B as well as A*: A뿐만 아니라 B도	→ 부사가 B as well as A로 연결되어 있다.
	음파는 / 이동할 수 있다 / 공기를 통해서뿐만 아니라 많은 고체 물질을 통해서도	
659 고2 9월	Sound waves / are capable of traveling / through many solid materials **as well as** through air.　　　*B as well as A*: A뿐만 아니라 B도	→ 부사구가 B as well as A로 연결되어 있다.

- 등위접속사 또는 상관접속사로 둘 이상의 단어, 구, 절이 연결된 것을 병렬구조라고 한다.
- 접속사를 중심으로 연결된 대상은 문법적 구조나 성격이 일치한다.

		구문 노트 ✏
	임팔라들은 / 먹고 산다 / 풀, 과일, 그리고 나뭇잎들을	→ 명사(구) 목적어 3개가 and로 연결
660 고2 6월	Impalas / feed upon / grass, fruits, **and** leaves from trees. 명사₁　　　명사₂　　　　명사(구)₃	되어 있다.
	당신이 문에 Eco 카드를 걸어두면 / 우리는 / 교체하지 않을 것이다 / 당신의 침대 시트와 베갯잇 그리고 잠옷을	→ 명사 목적어 3개가 and로 연결되어
661 고1 11월	[If you hang the Eco-card at the door], we / will not change / your sheets, 명사₁	있다.
	pillow cases, **and** pajamas. 명사₂　　　　　명사₃	
	교육에서 우리가 필요한 것은 / ~이 아니다 / 측정, 책무성, 또는 표준	→ 명사 보어가 3개가 or로 연결되어
662 고2 9월	[What we need in education] is not / measurement, accountability, **or** standards. 명사₁　　　　　명사₂　　　　명사₃	있다.
	고려하라 / 가져갈 것을 / 작은 봉지를 / 견과류, 과일, 또는 채소를 담은 / 여러분이 집을 떠나 있을 때	→ 전치사의 목적어로 쓰인 명사 3개가
663 고2 3월 응용	Consider / taking / small bags ⟨of nuts, fruits, **or** vegetables⟩ with you [when 명사₁　명사₂　　명사₃	or로 연결되어 있다.
	you are away from home].	
	사람들은 / 적극적으로 특정한 사람들을 찾는다 / 그리고 특정한 기술들 또는 특성들을 선택한다 / 비교를 위해	→ 동사구가 and로 연결되어 있고,
664 고2 6월	Humans / actively seek out particular people / **and** select particular skills 동사구₁　　　　　　　　동사구₂　　　명사₁	select의 목적어로 쓰인 명사가
	or attributes / for comparison. 명사₂	or로 연결되어 있다.
	그는 / Jason을 그의 침대에서 끌어내렸고 / 앞문을 열었다 / 그리고 그를 눈 속으로 내쫓았다	→ 동사구 3개가 and로 연결되어 있다.
665 고1 11월	He / pulled Jason out of his bed, / opened the front door / **and** threw him out 동사구₁　　　　　　동사구₂　　　　　　동사구₃	
	into the snow.	
	1849년에 / 그는 / 아일랜드 Cork의 Queen's College의 최초 수학 교수로 임명되었다 / 그리고 1864년에	→ 동사구 2개가 and로 연결되어 있다.
666 고1 11월	In 1849, / he / was appointed the first professor of mathematics at Queen's 동사구₁	→ was appointed는 수동태, taught는
	생을 마감할 때까지 그곳에서 가르쳤다 College in Cork, Ireland **and** taught there until his death in 1864. 동사구₂	능동태이다.
	나는 / 제안할 것이다 / 당신에게 / 해결책을 / 당신의 새끼 양들을 안전하게 지킬 / 그리고 당신의 이웃 또한 좋은	→ 관계대명사절 내에 동사구 2개가
✿ **667** 고1 11월 응용	I / will offer / you / a solution [that keeps your lambs safe / **and** will also turn 동사구₁　　　　　　　동사구₂	and로 연결되어 있다.
	친구로 바꿀 수 있는 your neighbor into a good friend].	

구문 노트 ✏️

668
고2 11월

그 프로젝트는 / 목표로 한다 / 장애에 관한 대화를 이어 나가는 것을 / 그리고 더 나은 접근성과 통합을 요청하는 것을

The project / aims / to build conversation around disability **and** to push for
　　　　　　　　　　　　　　to부정사구₁　　　　　　　　　　　　　　　to부정사구₂

→ to부정사구 목적어 2개가 and로
연결되어 있다.

greater accessibility **and** inclusion.
　　　명사₁　　　　　　　명사₂

→ to부정사 to push for의 목적어가
and로 연결되어 있다.

☆ **669**
고2 9월

건전한 발달을 위해 / 아이는 / 필요로 한다 / 실패를 다루는 것을 / 어려운 시기를 헤치고 나아가는 것을 / 그리고

For healthy development, / the child / needs / to deal with some failure, / struggle
　　　　　　　　　　　　　　　　　　　　　　　　　　to부정사구₁

→ to부정사구 목적어 3개가 and로
연결되어 있다.

고통스러운 감정을 경험하는 것을

through some difficult periods, / **and** experience some painful emotions.
　　(to)부정사구₂　　　　　　　　　　　　　　　(to)부정사구₃

670
고1 11월

매일 / 학교가 끝날 때 / 수십 명의 학생들이 / 도서관에 온다 / 숙제를 하려고 / 도서관의 컴퓨터를 사용하려고 /

Each day, / as school closes, / dozens of students / come to the library / to
　　　　　　　　　　　　　　　　　　　　　　　　　　　　　　　to부정사구₁

→ 목적을 나타내는 수식어 to부정사구
3개가 or로 연결되어 있다.

또는 안전한 장소에서 교제하려고

do homework, / use the library's computers, / **or** socialize in a safe place.
　(to)부정사구₂　　　　　　　　　　　　(to)부정사구₃

671
고1 11월

Anna의 소박한 옷차림을 보고, 그녀가 작은 마을 출신이라는 것을 알자마자, / 교실의 몇몇 학생들은 / 시작했다 / 그녀를 놀리기를

Upon seeing Anna's simple clothing **and** knowing [she was from a small
　　　　동명사구₁　　　　　　　　　　　　　동명사구₂

→ 전치사의 목적어로 쓰인 동명사구
2개가 and로 연결되어 있다.

village], some students in the classroom / started / making fun of her.

672
고2 9월
응용

전자책을 읽는 것 / 할머니와 화상 통화를 하는 것 / 혹은 아이의 사진을 아이에게 보여 주는 것은 / 당신이 방금 찍은 /

Reading an e-book, / video-conferencing with grandma, / **or** showing your child
　동명사구₁　　　　　　　　　　동명사구₂　　　　　　　　　　　　　동명사구₃

→ 동명사구 주어 3개가 or로 연결되어
있다.

~ 아니다 / 수동적으로 TV를 시청하는 screen time과 같은

a picture [you just took of them] / is not / the same as the passive, television-
watching screen time.

673
고2 3월
응용

나는 / 이해한다 / 이 작업이 자비 부담이라는 것을 / 그리고 내가 임대차 계약에 따라 허락을 받아야 한다는 것을

I / understand [that this would be at my own expense], **and** [that I must get
　　　　　　　　that절₁　　　　　　　　　　　　　　　that절₂

→ 명사절 목적어 2개가 and로 연결되
어 있다.

permission as per the lease agreement].

674
고2 9월

나는 / 말했다 / Michael에게 / 내가 그의 행동에 대해 매우 고마워하고 있다고 / 그곳에 머무는 남은 시간 동안

I / told / Michael [that I greatly appreciated his gesture], [that I would enjoy
　　　　　　　　　that절₁　　　　　　　　　　　　　　　that절₂

→ 명사절 직접목적어 3개가 and로 연
결되어 있다.

즐거운 마음으로 그의 클로버를 가지고 있을 것이라고 / 그리고 내가 반드시 이 추억을 가져가겠다고

holding his clover for the rest of my visit there], **and** [that I would certainly
take the memory of it with me].
　　　　　　　　　　　　　　that절₃

4 비교구문: 원급

- 형용사/부사의 원급을 이용한 표현으로 두 대상의 정도가 대등한지 아닌지를 나타낼 수 있다.
  - as+형용사/부사의 원급+as: ~만큼 …한/…하게
  - not+so[as]+형용사/부사의 원급+as: ~만큼 …하지 않은/…하지 않게

대표 문장		구문 노트 🖊
	이야기는 / 오직 ~하다 / ~만큼 믿을 만한 / 이야기하는 사람(만큼)	
675 고2 11월	A story / is only / **as believable as** / the storyteller. 　A　　　　　　　as+원급+as　　　　　B	→ 「as+원급+as」의 원급 비교 표현이 쓰였다.
	두 번째 숏은 / ~이었다 / ~만큼 완벽한 / 첫 번째 숏(만큼)	
676 고2 6월 응용	The second shot / was / **as perfect as** / the first. 　A　　　　　　　as+원급+as　　　B	→ the first 뒤에 shot이 생략되었다.
	고속도로에서 천천히 운전하는 것은 / ~이다 / ~만큼 위험한 / 도시에서 경주하듯 달리는 것(만큼)	
677 고2 6월 응용	Driving slowly on the highway / is / **as dangerous as** / racing in the cities. 　A　　　　　　　　　　as+원급+as　　　　　B	→ 동명사구가 비교 대상이다.
	거기에 / 서 있었다 / 그의 당나귀가 / (그런데 그것은) 보였다 / ~만큼 늙고 노쇠하게 / 그 농부(만큼)	
☆**678** 고2 11월	There / stood / his donkey, [which looked / **as old and weathered as** / the 　　　　　A　　　　　　　　　　　　　as+원급+as　　　　　B farmer].	→ 관계대명사절 내에 원급 비교 표현이 쓰였다.
	계획의 이행은 / ~이다 / ~만큼 매력적이지 않은 / 그 계획(만큼)	
679 고1 11월 응용	The implementation of the plan / is / **not as appealing as** / the plan. 　A　　　　　　　　　　not+as+원급+as　　　　B	→ 「not+as+원급+as」의 원급 비교 표현이 쓰였다.
	나의 생활 방식은 / ~이다 / ~만큼 화려하거나 신나지 않은 / 다른 사람들의 것(만큼)	
680 고2 3월 응용	My lifestyle / is / **not as colorful or exciting as** / other people's. 　A　　　not+as+원급+as　　　　B	
	결론은 / ~이었다 / 일반적으로 / 여자들은 / ~만큼 경쟁에 의해 동기를 부여받지 않는다는 것 / 남자들(만큼)	
☆**681** 고2 6월 응용	The conclusion / was [that, / in general, / females / are **not as motivated by** 　　　　　　　　　　　　　A　　　　not+as+원급+as **competition as** / males]. 　　　B	→ 보어로 쓰인 명사절 내에 원급 비교 표현이 쓰였다.

- as+원급+as possible(as+원급+as+주어+can[could]): 가능한 한 ~한/~하게
- as many[much] as: 무려 ~나 되는 수[양]의
- 배수 표현(twice, three times, ...)+as+원급+as: ~보다 배 …한/…하게

		구문 노트 🖊
	코알라들은 / 움직이는 경향이 있다 / 가능한 한 적게	
682 고2 3월 응용	Koalas / tend to move / **as little as possible**. as+원급+as possible	→ as little as possible은 as little as they can으로 바꿔 쓸 수 있다.
	나는 / 진심으로 바란다 / 당신이 / 바로잡기를 / 이것을 / 가능한 한 빨리	
683 고2 11월	I / sincerely hope [that you / correct / this / **as soon as possible**]. as+원급+as possible	→ as soon as possible은 as soon as you can으로 바꿔 쓸 수 있다.
	밤마다 / 그는 / 책을 읽었다 / 할 수 있는 한 오랫동안	
684 고2 3월 응용	Night after night / he / read / **as long as he could**. as+원급+as+S+could	→ as long as he could는 as long as possible로 바꿔 쓸 수 있다.
	진입로에서 / 그녀는 / 그녀의 자전거에 올라탔다 / 그리고 페달을 밟기 시작했다 / 가능한 한 빠르게	
685 고1 11월	In the driveway, / she / jumped on her bike / and started to pedal / **as fast as she could**. as+원급+as+S+could	→ as fast as she could는 as fast as possible로 바꿔 쓸 수 있다.
	그 영화들은 / 자막 처리가 된다 / 무려 17개 언어로	
686 고2 11월 응용	The movies / are subtitled / in **as many as** 17 languages. as many as: 무려 ~나 되는 수의	
	공원의 더 외진 곳에서는 / 엘크들이 / 도망간다 / 스키 선수들이 4분의 1마일만큼 멀리 떨어져 있을 때	
687 고2 3월 응용	In more remote parts of the park, / elk / take flight [when skiers are **as much** **as** a quarter mile away]. 무려 ~나 되는 양의	as much as:
	사실 / 검은색은 / 인식된다 / ~보다 두 배 무겁다고 / 흰색(보다)	
688 고1 11월	In fact, / black / is perceived 〈to be **twice as heavy as** / white〉. 　　　　A　　　　　　　　　배수 표현+as+원급+as　　　B	
	1999년에 / 수입된 생과일의 시장 점유율은 / ~이었다 / ~보다 세 배 많은 / 수입된 말린 과일의 그것(보다)	
689 고2 3월 응용	In 1999, / the market share of imported fresh fruit / was / **three times as** 　　　　　　　　　　　A　　　　　　　　　　　　　　배수 표현+as+원급+as **much as** / that of imported dried fruit. 　　　B	→ that은 the market share를 가리킨다.

5 비교구문: 비교급

- 형용사/부사의 비교급 형태를 이용한 표현으로 두 대상의 정도 차이를 나타낼 수 있다.
  - 형용사/부사의 비교급+than: ~보다 더 …한/…하게
  - much[still, (by) far, even, a lot, a great deal]+비교급+than: ~보다 훨씬 더 …한/…하게

구문 노트 ✏️

'공격' 거리는 / 항상 ~이다 / ~보다 더 짧은 / 도주 거리

690　The 'fight' distance / is always / **smaller than** / the flight distance.
고2 3월　　　　　A　　　　　　　　　　비교급+than　　　　　　B

그것들의 유사점은 / ~이다 / ~보다 더 크고 더 심오한 / 그것들의 차이점

691　Their similarities / are / **greater** and **more profound than** / their dissimilarities.
고1 11월　　　A　　　　　　　　비교급+than　　　　　　　　B
응용

→ 두 형용사의 비교급 greater와 more profound가 and로 연결되어 있다.

우리의 뇌는 / 상상한다 / 인상적인 결과를 / ~보다 더 쉽게 / 평범한 것

692　Our brains / imagine / impressive outcomes / **more readily than** / ordinary ones.
고2 6월　　　　　　　A　　　　　　　　비교급+than　　　　　　B

북미에서 15세 미만의 인구 비율은 / ~이었다 / ~보다 더 작은 / 아시아의 그것

693　The proportion of the population under 15 years old in North America / was /
고2 6월　　　　　　　　　　　　　A

smaller than / that in Asia.
　비교급+than　　　B

→ that은 the proportion of the population under 15 years old를 가리킨다.

그 소녀들은 / ~이었다 / ~보다 단지 몇 살 더 많은 / 나

694　The girls / were / just a few years **older than** / I.
고2 11월　A　　　　　　　비교급+than　　B
응용

기차들은 / ~이었다 / ~보다 훨씬 더 빠른 / 낡은 마차들

695　The trains / were / **much faster than** / the old carriages.
고2 9월　　A　　　비교급 강조 ↘ 비교급+than　　　B
응용

→ 비교급을 강조하는 부사 much가 쓰였다.

우리는 / 잊어버린다 / 우리가 / 사랑한다는 것을 / 진짜 꽃을 / ~보다 훨씬 더 많이 / 플라스틱 꽃

696　We / forget [that we / love / the real flower / so **much more than** / the plastic one].
고2 3월　　　　　　　　　A　　　　비교급 강조 ↘ 비교급+than　　B
응용

→ so는 much를 수식하는 부사이고, much가 비교급을 강조한다.
→ one은 flower를 가리킨다.

컴퓨터들은 정확하게 데이터를 처리할 수 있다 / ~보다 훨씬 더 빠른 속도로 / 사람들이 할 수 있는 것

☆697　Computers can process data accurately / at **far greater speeds than** / people can.
고2 6월　　　　A　　　　　비교급 강조 ↘　　비교급+than　　　B
응용

→ can 뒤에 반복 어구 process data accurately가 생략되었다.

- the+비교급 ~, the+비교급 …: ~하면 할수록 더 …하다
- 비교급+and+비교급: 점점 더 …한/…하게
- 배수 표현(three times, four times, …)+비교급+than ~: ~보다 배 …한/…하게

		구문 노트 ✏️
	그들이 더 많은 선택 항목을 가질수록 / 그들은 더 마비된다	
698	**The more options** they have, / **the more paralyzed** they become.	
고2 6월 응용	The+비교급　　　　　　　　　　　　the+비교급	

	연령 집단의 나이가 많을수록 / 사람들의 비율은 점차 낮아졌다 / 두 형식을 모두 들은	
699	**The older** the age group was, / **the lower** the percentage of those [who	
고2 9월	The+비교급　　　　　　　　　　　the+비교급	
	listened to both] was.	

	그는 / 재빨리 알아차렸다 / 그녀가 더울수록 / 더 빨리 숫자를 센다는 것을	
☆ 700	He / quickly noticed [that **the hotter** she was, / **the faster** she counted].	
고2 6월 응용	the+비교급　　　　　the+비교급	

	점점 더 많은 기관들이 / 따랐다 / 열차 회사들의 선례를	
701	**More and more** institutions / followed / the lead of the train companies.	→ more and more가 institutions를
고2 9월	비교급+and+비교급	수식하고 있다.

	폭탄들은 / 맞히곤 했다 / 점점 더 멀리 / 목표물에서 / 그것들이 떨어질 때마다	
702	The bombs / would hit / **farther and farther** / from their targets [every time	→ farther and farther는 부사로
고2 3월	비교급+and+비교급	쓰였다.
	they fell].	

	2017년에 / 라틴 아메리카-카리브해로의 여행 수는 / ~이었다 / ~보다 5배 이상 더 높은 / 중동-북아프리카로의 그것	→ 배수 표현 앞의 more than은 '~ 이
703	In 2017, / the number of trips to Latin America-The Caribbean / was / **more**	상'의 의미로 쓰인다.
고1 11월	A	→ that은 the number of trips를
	than five times higher than / that to The Middle East-North Africa.	가리킨다.
	배수 표현+비교급+than　　　　　　　　　B	

	'(집안일을) 동일하게 분담하는' 가정의 비율은 / ~이다 / ~보다 두 배 넘게 더 높은 / '엄마가 더 많이 하는' 가정의	
☆ 704	The percentage of "share equally" households / is / **over two times higher**	→ that은 the percentage를 가리킨다.
고2 9월 응용	A　　　　　　　　　　　　　　　배수 표현+비교급+than	→ 원문의 그래프는 가정의 노동 분담
	그것 / 두 개의 항목에서	(the division of labor in household)
	than / that of "mother does more" households / in two categories.	을 나타낸다.
	B	

6 비교구문: 최상급

- 형용사/부사의 최상급 형태를 이용하여 특정 범위에서 가장 정도 차이가 있는 하나를 나타낼 수 있다.
  - the+최상급(+명사)+in+단수명사[of+복수명사]/(that)+S+have ever p.p.: …에서/이제껏 가장 ~한 (명사)
  - much[by far]+최상급, 최상급+ever: 월등히[현저히, 압도적으로] 가장 …한/…하게
  - one of the+최상급+복수명사: 가장 ~한 … 중 하나

		구문 노트 ✏
	완공 당시에 / Gunnison 터널은 / ~이었다 / 가장 긴 관개 터널 / 세계에서	→ 최상급 뒤에 범위를 나타내는 「in+
705 고2 11월 응용	At the time of its completion, / the Gunnison Tunnel / was / **the longest irrigation** 　　　　　　　　　　　　　　A　　　　　　　　　　　　　　the+최상급+명사	단수명사」가 쓰였다.
	tunnel / **in the world**. in+단수명사	
	1993년에 설립된 / 공룡 박물관은 / 발전해 왔다 / 가장 큰 전시관으로 / 공룡과 선사 시대의 생활의 / 캐나다에서	
706 고1 11월	Established in 1993, / the Dinosaur Museum / has developed / into **the largest** 　　　　　　　　　　　A	
	display 〈of dinosaur and prehistoric life〉 **in Canada**. the+최상급+명사　　　　　　　　in+단수명사	
	두 해 모두 / 사람들의 비율을 / 가장 좋아하는 것으로 코미디를 선택한 / ~이었다 / 가장 높은 / 모든 장르 중에서	→ 최상급 뒤에 범위를 나타내는 「of+
707 고1 11월	In both years, / the percentage of people 〈selecting comedy as their favorite〉 　　　　　　　　　　　　　　　A	복수명사」가 쓰였다.
	was / **the highest** / **of all the genres**. the+최상급　　　of+복수명사	→ selecting ~ favorite은 people을 수식하는 현재분사구이다.
	사이버 관련 사기는 / ~이다 / 단연코 가장 흔한 범죄 형태 / 개인들을 공격하는	→ that hits individuals는 crime을
708 고2 11월 응용	Cyber-related fraud / is / **by far the most common form of crime** [that hits 　　　　　최상급 강조 ↘　　　　　　the+최상급+명사	수식하는 관계대명사절이다.
	individuals].	
	그는 / 되었다 / 최연소 편집자가 / 이제껏 'The Saturday Evening Post'에 고용된	→ ever hired ~는 that had ever been
☆ **709** 고2 9월 응용	He / became / **the youngest editor** 〈**ever hired**〉 / by *The Saturday Evening Post*〉. 　　　　　the+최상급+명사　　　↖ 최상급 강조	hired ~로 바꿔 쓸 수 있다.
	임팔라는 / ~이다 / 가장 우아한 네발 동물들 중 하나	
710 고2 6월	The impala / is / **one of the most graceful four-legged animals**. 　　　　　　　　one of the+최상급+복수명사	
	가장 호기심을 끄는 그림들 중 하나는 / 르네상스의 / ~이다 / Albrecht Düer의 잡초가 무성한 지대의 정교한 묘사	→ 「one of the+최상급+복수명사」는
☆ **711** 고2 9월	**One of the most curious paintings** 〈**of the Renaissance**〉 is / a careful depiction 　　　one of the+최상급+복수명사	단수 취급하므로, 동사 is가 쓰였다.
	of a weedy patch of ground by Albrecht Düer.	
	공적인 말하기에 대한 불안감은 / ~이다 / 가장 흔한 공포들 중 하나 / 사람들 사이에서	
712 고2 9월	Nervousness about public speaking / is / **one of the most common fears** / 　　　　　　　　　　　　　one of the+최상급+복수명사	
	among people.	

- 형용사/부사의 원급과 비교급을 이용하여 최상급의 의미를 나타낼 수 있다.
  - 비교급+than any other+단수명사: 다른 어떤 …보다도 더 ~한/~하게
  - No (other) A ~ 비교급+than B/Nothing ~ 비교급+than: (다른) 어떤 A도 B보다 ~하지 않다/아무것도 …보다 ~하지 않다
  - No (other) A ~ as+원급+as B/Nothing ~ as[so]+원급+as: (다른) 어떤 A도 B만큼 ~하지 않다/아무것도 …만큼 ~하지 않다

한 식품이 포함하고 있다면 / 다른 어떤 성분보다 더 많은 설탕을 / 정부 규정은 / 요구한다 / 설탕이 기재될 것을

구문 노트

713
고2 3월

[If a food contains / **more sugar than any other ingredient**], government
　　　　　　　　　　비교급+than any other+단수명사

→ 비교급을 이용한 최상급 표현이
쓰였다.

/ 라벨에 첫 번째로

regulations / require [that sugar be listed / first on the label].

→ require의 목적어로 쓰인 that절에
조동사 should가 생략되었다.

2002년에 / 인터넷 광고 수입은 / ~이었다 / 더 작은 / 다른 어떤 매체보다도

714
고2 11월
응용

In 2002, / Internet advertising revenue / was / **smaller** / **than any other media**.
　　　　　　　　　　　　　　　　　　　　비교급　　　than any other+단수명사

비디오 클립에 관해서는 / 60대 응답자들이 / 선호하고 있다 / 그것들을 / 더 많이 / 다른 어떤 연령대보다

715
고2 11월

When it comes to video clips, / respondents in their 60s / favor / them / **more** /
　　　　　　　　　　　　　　　　　　　　　　　　　　　　　비교급

than any other age group.
than any other+단수명사

아무것도 ~ 않다 / 더 중요한 / 행운보다 / 사람들이 더 좋은 좌석을 구하려고 할 때

716
고2 11월

Nothing is / **more important** / **than** luck [when people are trying to get good
Nothing　　　　　비교급　　　　　than

seats].

태도는 / 아무것도 ~ 않다는 / 더 쉬운 / 사랑하는 것보다 / 계속해 왔다 / 사랑에 관한 널리 퍼져 있는 생각이기를

717
고2 3월
응용

The attitude [that **nothing** is / **easier** / **than** to love] has continued / to be the
　　　　　　　　　nothing　　비교급　than

→ 관계대명사절 내에 비교급을 이용한
최상급 표현이 쓰였다.

prevalent idea about love.

→ to be ~는 continued의 목적어로
쓰인 to부정사구이다.

7 가정법: 과거, 과거완료

- 가정법 과거는 현재와 반대되는 사실이나 상황을 가정할 때 사용하는 표현이다.
  - 「If+S+V(과거) ~, S+조동사의 과거형+V(원형) ….」: 만약 ~라면, …할 텐데/…할 것이다.

		구문 노트 ✎
대표 문장	만약 당신이 로봇이라면 / 당신은 온종일 여기에 갇혀 있을 텐데	→ 가정법 과거 if절의 be동사는 주어
718	**If you were** a robot, / **you'd be stuck** here all day.	에 관계없이 were를 쓴다.
고2 6월 응용	If+S+V(과거)　　　　　S+조동사의 과거형+V(원형)	
	만약 우리가 그 물감들을 함께 섞는다면 / 우리는 의도된 결과를 얻는 데 실패할 것이다	→ getting 이하는 전치사 in의 목적어
719	**If we mixed** the paints together, / **we would fail** in getting the intended result.	로 쓰인 동명사구이다.
고1 11월 응용	If+S+V(과거)　　　　　　S+조동사의 과거형+V(원형)	
	만약 그들이 자신들의 가맹점 수를 두 배로 늘린다면 / 13개에서 26개로 / 그들은 각각 128달러를 벌 수 있을 것이다 / 하루에	
720	**If they doubled** the number of their franchises / from thirteen to twenty-six, /	
고2 6월	If+S+V(과거)	
	they could each make one hundred and twenty-eight dollars / in one day!	
	S+조동사의 과거형+V(원형)	
	만약 우리가 곤충 소비를 늘리고 육류 소비를 줄인다면 / 세계적으로 / 식량 체계로 인한 지구 온난화 가능성은 현저히 줄어들 것이다	→ 가정법 과거 if절에 동사구 2개가
721	**If we increased** insect consumption and **decreased** meat consumption /	and로 연결되어 있다.
고2 6월	If+S+V₁(과거)　　　　　　　　V₂(과거)	
	worldwide, / **the global warming potential of the food system would be**	
	significantly **reduced.**　　　　S+조동사의 과거형+V(원형)	
	만약 내가 이번 프레임에서 스트라이크를 치면 / 나는 그 게임에서 이길 것이다	
☆722	**If I could bowl** a strike in this frame, / **I would win** the game.	
고2 11월	If+S+조동사의 과거형+V(원형)　　　　S+조동사의 과거형+V(원형)	
	만약 당신의 뇌가 하룻밤 사이에 완전히 변할 수 있다면 / 당신은 불안정해질 것이다	
723	**If your brain could** completely **change** overnight, / **you would be** unstable.	
고2 11월	If+S+조동사의 과거형+V(원형)　　　　　S+조동사의 과거형+V(원형)	
	멋질 것이다 / 만약 의회가 의견 불일치를 해결한다면 / 같은 방법으로	→ 가정법 if절과 주절의 위치가 바뀌
☆724	**It would be** great / **if Congress settled** their disagreements / the same way.	었다.
고2 6월	S+조동사의 과거형+V(원형)　　　if+S+V(과거)	
	많은 학생들은 아마 이익을 얻을 수 있을 것이다 / 만약 그들이 기계적인 암기 반복에 시간을 덜 보낸다면 / 그리고	→ 전치사 on의 목적어 자리에 동명
725	**Many students could** probably **benefit** / **if they spent** less time on rote	사(구) paying attention to와
고2 9월	S+조동사의 과거형+V(원형)　　　　　if+S+V(과거)	analyzing이 and로 연결되어 있다.
	더 많이 (시간을) 보낸다면 / 실제로 집중하고 / 분석하는 데 / 그들의 읽기 과제의 의미를	→ the meaning ~ assignments는 전치
	repetition / and more on 〈actually paying attention to / and analyzing / the	사 to와 analyzing의 목적어이다.
	meaning of their reading assignments〉.	

- 가정법 과거완료는 과거와 반대되는 사실이나 상황을 가정할 때 사용하는 표현이다.
  - 「If+S+V(과거완료) ~, S+조동사의 과거형+have p.p. ….」: 만약 ~했다면, …했을 텐데/…했을 것이다.

		구문 노트 ✏️
	만약 Wills가 스스로를 내버려 두었다면 / 아웃된 것에 의해서 자신이 좌절하도록 / 그는 결코 어떠한 기록도 세우지	
726 고1 11월 응용	**If Wills had allowed** himself / to become frustrated by his outs, / **he would** 　　If+S+had p.p.　　　　　　　　　　　　　　　　　　　　S+조동사의 과거형+have p.p.	→ to become ~ outs는 목적격보어로 쓰인 to부정사구이다.
	못했을 것이다 **have never set** any records.	
	만약 트럭이 조금만 더 가까웠더라면 / 큰 재앙이 발생했을 것이다	
727 고2 11월 응용	**If the truck had been** any closer, / **it would have been** a disaster. 　　If+S+had p.p.　　　　　　　　　　S+조동사의 과거형+have p.p.	
	만약 내가 그동안 내내 일회용 기저귀를 사용했더라면 / 나는 거기에 4,000달러에서 4,500달러 사이의 돈을 썼을 것이다	
728 고2 9월	**If I had used** disposable diapers all of that time, / **I would have spent** between 　　If+S+had p.p.　　　　　　　　　　　　　　　　　　S+조동사의 과거형+have p.p.	
	$4,000 and $4,500 on them.	

8 가정법: as if 가정법

본책 p. 164

- as if[though] 가정법 과거/과거완료는 현재 또는 과거와 반대되는 사실이나 상황을 가정한다.
  - 「S+V(현재/과거)+as if[though]+S+V(과거) ~.」: 마치 ~인 것처럼 …한다/…했다. (주절과 같은 시제)
  - 「S+V(현재/과거)+as if[though]+S+V(과거완료) ~.」: 마치 ~였던 것처럼 …한다/…했다. (주절보다 앞선 시제)

		구문 노트 🖊
	우리 중 다수는 / 살아간다 / 하루하루를 / 마치 그 반대가 진실인 것처럼	
729 고2 11월	Many of us / live / day to day [**as if the opposite were** true]. 　　S　　　V(현재)　　　　　　　as if+S+V(과거)	→ as if 가정법 과거가 쓰였다.
	내가 어릴 때 / 나의 부모님은 / 우러러보았다 / 의사들을 / 마치 그들이 뛰어난 존재인 것처럼 / 신과 같은 재능을 지닌	
730 고2 3월	[When I was young], my parents / worshipped / medical doctors [**as if they** 　　　　　　　　　　S　　　　V(과거)　　　　　　　　　as if+S+V(과거) **were** exceptional beings ⟨possessing godlike qualities⟩].	
	나는 / 결심했다 / 뉴욕에 계신 할머니께 편지를 쓰기로 / 마치 ~처럼 / 마라톤이 이미 지나간 것 / 그리고 / 내가	
731 고2 6월 응용	I / decided / to write a letter to my grandmother in New York, [**as if** ⟨**the** 　S　V(과거)　　　　　　　　　　　　　　　　　　　　　　　　　as if+S₁+V₁(과거완료) 그것을 즐겁게 끝낸 것 **marathon had** already **come** and **gone**⟩ and ⟨**I had** happily **completed** it⟩]. 　　　　　　　　　　　　　　　　　　　　S₂+V₂(과거완료)	→ as if 가정법 과거완료가 쓰였다. → as if 뒤에 두 개의 절이 and로 연결 되어 있다.
	행동하라 / 마치 당신이 긍정적이고, 쾌활하고, 행복하고, 호감이 가는 사람의 역할을 해보려는 것처럼	
732 고2 3월	Act [**as though you were trying** out for the role of a positive, cheerful, happy, V(현재)　　as though+S+V(과거) and likable person].	→ as though 가정법 과거가 쓰였다. → 주어 You가 생략된 명령문이다.
	× / 보였다 / 마치 하늘 전체가 검게 변했던 것처럼	
733 고2 9월	It / appeared [**as though the entire sky had turned** dark]. 　S　　V(과거)　　　as though+S+V(과거완료)	→ as though 가정법 과거완료가 쓰였다. → It은 비인칭 주어이다.

- if 없이 가정법을 나타내는 표현들도 있는데, 일부는 if 가정법으로 바꿔 쓸 수 있다.
  - without, but for: ~이 없다면 (= if it were not for, were it not for)
                      ~이 없었다면 (= if it had not been for, had it not been for)
  - otherwise: 그렇지 않으면/않았다면 (= if ~ not)

	구문 노트 ✏
돈이 없다면 / 사람들은 물물 교환만 할 수 있을 것이다	
734 **Without money**, / **people could** only **barter**. 고2 6월 Without+명사 S+조동사의 과거형+V(원형)	→ Without은 If it were not for [Were it not for]로 바꿔 쓸 수 있다.
긍정적 스트레스가 없다면 / 당신은 이런 유리한 출발을 할 수 없을 것이다	
735 **Without eustress**, / **you would never get** this head start. 고1 3월 Without+명사 S+조동사의 과거형+V(원형)	
그러한 열정이 없었다면 / 그들은 아무것도 이루지 못했을 것이다	
736 **Without such passion**, / **they would have achieved** nothing. 고1 3월 Without+명사구 S+조동사의 과거형+have p.p.	→ Without은 If it had not been for [Had it not been for]로 바꿔 쓸 수 있다.
사회적 유대의 형성과 유지가 없었다면 / 초기의 인간들은 아마도 대처하거나 적응하지 못했을 것이다 / 그들의	
737 **Without the formation and maintenance of social bonds**, / **early human** 고1 6월 Without+명사구 S+조동사의 과거형+have p.p.	
물리적 환경에	
beings probably **would not have been** able to cope with or adapt to / their physical environments.	
현명하게도 / Voltaire는 속표지에서 자신의 이름을 지웠다 / 만약 그렇지 않았다면 / 그 책의 출판은 다시 그를	
738 Wisely, / Voltaire left his name off the title page, / **otherwise** / **its publication** 고2 9월 otherwise	→ otherwise는 if Voltaire had not left his name off the title page로 바꿔 쓸 수 있다.
감옥에 갇히게 했을지도 모른다 / 종교적 신념을 조롱한 이유로	
would have landed him in prison again / for making fun of religious beliefs. S+조동사의 과거형+have p.p.	
기억은 / 의미한다 / 저장하는 것을 / 여러분이 배운 것을 / 그렇지 않다면 / 애초에 우리는 왜 배우려고 애쓰겠는가?	
739 Memory / means / storing [what you have learned]; **otherwise**, / why **would** 고2 11월 otherwise	→ otherwise는 if memory did not mean storing what you have learned로 바꿔 쓸 수 있다.
we bother learning in the first place? 조동사의 과거형+S+V(원형): 의문문	

10 기타 구문: 부정, 도치, 강조

- 부정어를 이용하여 전체 부정, 부분 부정(부분 긍정), 이중 부정(강한 긍정)을 나타낼 수 있다.
  - no, not ~ any, nobody, none, neither: (전체 부정) 모두 ~ 아니다
  - not all[always, necessarily]: (부분 부정) 모두[항상, 반드시] ~한 것은 아니다
- 주어 아닌 다른 어구가 문장 앞에 올 때 주어와 (조)동사의 순서가 바뀌는 도치가 일어날 수 있다.
  - 「부정어(not, never, rarely, only 등)+V+S」   - 「so[neither, nor]+V+S」   - 「There+V+S」

		구문 노트 ✏️
	그 거짓말 중 어느 것도 확신을 주지 못했다 / 그 왕에게 / 그가 최고의 거짓말을 들었다고	
740 고2 3월 응용	**None** of those lies convinced / the king [that he had listened to the best one]. 전체 부정	→ 전체 부정을 나타내는 None이 주어로 쓰였고, of those lies가 None을 수식하고 있다.
	진실은 / ~이다 / 실제 세계에서 / 누구도 홀로 일하지 않는다는 것	
741 고2 6월	The truth / is [that in the real world, / **nobody** operates alone]. 전체 부정	→ 보어로 쓰인 that절의 주어로, 전체 부정을 나타내는 nobody가 쓰였다.
	모든 음악이 사용하는 것은 아니다 / 이 음계를	
742 고2 9월 응용	**Not all** music uses / this scale. 부분 부정	→ 부분 부정을 나타내는 Not all이 주어 music을 수식하고 있다.
	녹음기를 사용하는 것은 / 일부 단점이 있다 / 그리고 항상 ~인 것은 아니다 / 최고의 해결책	
743 고2 9월 응용	Using a recorder / has some disadvantages / and is **not always** / the best solution. 부분 부정	→ 동사구 두 개가 and로 연결되어 있고, 두 번째 동사 is 뒤에 부분 부정을 나타내는 not always가 쓰였다.
	씨앗을 심는 것은 / 반드시 필요로 하는 것은 아니다 / 엄청난 지능을	
744 고2 6월 응용	Planting a seed / does **not necessarily** require / overwhelming intelligence. 부분 부정	→ 조동사 does 뒤에 부분 부정을 나타내는 not necessarily가 쓰였다.
	그제야 / 그녀는 뒤돌아서 온 길을 되돌아갔다 / 해변으로	
745 고1 11월	**Only then** / **did she turn** and **retrace** her steps / to the shore. 부정어 조동사+S+V: 도치	→ only로 시작하는 부사구가 문장 앞에 쓰여 「조동사+S+V」 형태로 도치가 일어났다.
	인생은 / ~이다 / 균형을 맞추는 행위 / 그리고 우리의 도덕심도 그러하다	
746 고2 9월	Life / is / a balancing act, / and **so is our sense of morality**. 도치: so+V+S	→ 「so+V+S」 도치 구문이다.
	힘이 너무 많다 / 서로 대항하여 작용하는	
747 고1 11월 응용	**There are too many forces** ⟨working against each other⟩. 도치: There+V+S	→ working ~은 주어 too many forces를 수식하는 현재분사구이다.

- 문장 내 특정 어구를 강조하는 다양한 방법이 있다.
  - It is ~ that 강조 구문: …한 것은 바로 ~이다 〈주어, 보어, 목적어, 부사 강조〉
  - 「do[does]/did+V(원형)」: 정말 ~하다/~했다 〈동사 강조〉　　- 「the very+명사」: 바로 그 ~ 〈명사 강조〉
  - not ~ at all: 절대[결코] ~ 아니다 〈부정어 강조〉

대표 문장		구문 노트 ✏
	바로 ~이다 / 삶의 취약함 / 그것을 소중하게 만드는 것은 / 그의 글은 채워져 있다 / 바로 그 사실로 / 자신의 삶이 끝나가고 있다는	
748 고2 3월	**It is** / the weakness of life [**that** makes it precious]; / his words are filled with / └ It is ~ that 강조 구문(주어 강조) ┘ **the very** fact / **of his own life passing away**. 명사 강조 ↰ └(=)┘ 동격의 of	→ It is ~ that 강조 구문이 원래 문장의 주어 the weakness of life를 강조하고 있다. → the very는 명사 fact를 강조하고 있다.
	바로 ~이다 / '땅 아래에' 있는 것 / 땅 위에 있는 것을 만드는 것은	
749 고1 11월	**It's** / what's *under the ground* [**that** creates what's above the ground]. └─── It's ~ that 강조 구문(주어 강조) ───┘	→ It's ~ that 강조 구문이 원래 문장의 주어를 강조하고 있다.
	바로 ~이다 / 그 결과의 불확실성과 경기의 수준 / 소비자들이 매력적이라고 여기는 것은	
750 고1 11월	**It is** / the uncertainty of the result and the quality of the contest [**that** consumers └──────── It is ~ that 강조 구문(목적어 강조) ────────┘ find attractive].	→ It is ~ that 강조 구문이 원래 문장의 목적어를 강조하고 있다.
	동전과 주사위와는 달리 / 인간은 / 기억이 있다 / 그리고 승패에 정말로 관심을 갖는다	
751 고2 3월	Unlike coins and dice, / humans / have memories / and **do** care about wins 동사 강조 ↰ and losses.	→ 두 개의 동사구가 and로 연결되어 있고, do가 두 번째 동사를 강조하고 있다.
	춤곡들은 / Bach에서 Chopin에 이르는 유명한 작곡가들에 의해서 작곡된 / 원래 사실상 정말로 춤을 동반했다	
752 고2 6월	The dances 〈composed by famous composers from Bach to Chopin〉 originally **did** indeed accompany dancing. 동사 강조　　　　　　　V	→ composed ~ Chopin은 주어 The dances를 수식하는 과거분사구이다. → did가 동사 accompany를 강조하고 있다.
	나는 / 타고 갔다 / 내 자전거를 / 혼자 / 직장으로부터 / 바로 그 한적한 도로에서 / 내 고향의	
753 고2 3월	I / rode / my bicycle / alone / from work / on **the very** quiet road 〈of my 명사 강조 ↰ hometown〉.	→ the very가 명사 road를 강조하고 있다.
	제품이나 서비스를 진정으로 마케팅할 때 / 소비자의 요구가 / 고려된다 / 신제품 개발 과정의 아주 초기에서부터	
754 고2 3월 응용	[When a product or service is truly marketed], the needs of the consumer / are considered / from **the very** beginning of the new product development process. 명사 강조 ↰	→ the very가 명사 beginning을 강조하고 있다.
	당신의 목소리는 / 다른 소녀들과 조화를 이루지 못하고 있다 / 전혀	
755 고2 11월	Your voice / is not blending in with the other girls / **at all**. 부정어 강조	→ at all이 부정어 not을 강조하고 있다.
	비록 그것이 잔인하게 들리기는 하지만 / 그것은 ~아니다 / 해를 끼치는 것에 관한 것이 / 결코	
756 고2 9월 응용	[Even though it sounds cruel], it's not / about causing harm / **at all**. 부정어 강조	

11 기타 구문: 삽입, 동격, 생략

- 보충 설명을 위해 문장 내에 어구 또는 절을 삽입할 수 있다. 삽입어구 앞뒤에 주로 콤마(,)나 대시(—)가 쓰인다.
- 자세한 설명을 위해 명사 또는 대명사에 「(대)명사+콤마(,)/of/that ~」의 형태로 동격의 명사구 또는 명사절을 덧붙일 수 있다.

		구문 노트 ✏
	결국 / 여러분은 / 얻게 된다 / 두통, 피로, 또는 우울증을 / (또는 심지어 질병까지도)	→ get의 목적어 명사 3개가 or로 연결
757 고2 3월	In the end, / you / get / a headache, fatigue or depression(— **or even disease**). 삽입구	되어 있고, 삽입구의 disease도 get 의 목적어이다.
	여러분이 마지막 도미노를 치료하려 한다면 / (즉 최종 결과인 증상만을 치료하려 한다면) / 그 문제의 원인은 /	→ 부사절 내에 동사구가 삽입되었다.
758 고2 3월	[When you try to treat the last domino (— **treat just the end-result symptom** —)] 삽입구	
	해결되지 않는다	
	the cause of the problem / isn't addressed.	
	제품의 가격이 더 비싸다면 / (하지만 그만한 가치가 있다면) / 그것의 가치는 / ~하게 된다 / 소비자들에게 받아들여지는	
759 고2 3월 응용	[When a product costs more, / (**but is worth it,**)] its value / becomes / acceptable 삽입구	
	to the consumer.	
	그 사실이 / 모든 것을 떠나야 한다는 / 그녀가 알고 있었던 / 아프게 했다 / 그녀의 마음을	→ 동격을 나타내는 명사절(that ~)이
760 고1 11월	The fact [**that she had to leave everything** ⟨**she knew**⟩] broke / her heart. └── (=) ──┘	쓰였다. → she knew는 everything을 수식하는
		관계대명사절이다.
	그 생각은 / 음식이 유전자 발현에 특정한 영향을 미친다는 / ~이다 / 비교적 새로운	
761 고2 3월	The notion [**that food has a specific influence on gene expression**] is / relatively └── (=) ──┘	
	new.	
	Beebe는 / 시작했다 / 고려하는 것을 / 가능성을 / 심해용 선박을 이용해 잠수할 / 해양 생물들을 연구하기 위해 / 자연 서식지에 있는	→ 동격을 나타내는 명사구(of ~)가
762 고2 11월 응용	Beebe / began / to consider / the possibility ⟨**of diving with a deep-sea vessel** / └── (=) ──┘	쓰였다. → diving 이하는 전치사 of의 목적어로
	to study marine creatures / in their natural habitat⟩.	쓰인 동명사구이다.
	그 이미지는 / 보여 준다 / 부채춤을 / 전통적인 한국 부채 무용인	→ 콤마 뒤에 동격을 나타내는 명사구가
763 고2 11월	The image / shows / Buchaechum, / **a traditional Korean fan dance**. └── (=) ──┘	쓰였다.
	몇 년 후 / Yolanda는 / (이제 십 대인) / 자신의 할머니를 다시 찾아왔다	→ now a teenager는 동격 삽입구이다.
764 고2 3월	In a few years, / Yolanda, (**now a teenager**), / came to visit her grandmother └── (=) ──┘	
	again.	

- 문장을 간결하게 하기 위해 의미 전달에 무리가 없는 어구를 생략할 수 있다.
  - 앞에 나왔던 반복된 어구 생략
  - 부사절의 「주어+be동사」의 생략: 주절의 주어와 같을 때
  - 대부정사(to): 앞에 나온 동사의 반복을 피하려고 to부정사구(to+동사원형 ~)에서 동사원형 이하를 생략

		구문 노트 ✏️
	내 가족은 / 말했다 / 내가 노래할 수 있다고 / 그러나 그 선생님은 / 말했다 / 내가 (노래)할 수 없다고	
765 고2 11월	My family / said [I could sing], but the teacher / said [I **couldn't**]. 　　　　　　　　　　　　　　　　　　　= couldn't sing	→ 반복된 동사 sing이 생략되었다.
	일란성 쌍둥이는 / 거의 항상 같은 눈 색깔을 갖고 있다 / 하지만 이란성 쌍둥이는 / 종종 그렇지 않다	
766 고2 11월 응용	Identical twins / almost always have the same eye color, / but fraternal twins / often **do not**. 　　= do not have the same eye color	→ 반복된 동사구 have the same eye color가 생략되었다.
	왜 쓰레기가 존재하는가 / 인간 체계에 / 하지만 더 널리 존재하지 않는가 / 자연에	
767 고2 11월	Why does garbage exist / in the human system / but **not** more broadly / in nature? 　　　　　　　　　　　　　　= why does garbage not exist	
	그는 / 새들을 보고 들어야 한다 / 아버지가 그에게 그렇게 하기를 원하는 방식으로	
768 고2 3월 응용	He / has to see and hear birds [the way the father wants him **to**]. 　　　　　　　　　= to see and hear birds	→ to는 대부정사이고, 반복된 동사원 형(see and hear ~)이 생략되었다.
	나일강이 불어났을 때 / 그것은 / ~이었다 / 그 강이 그러길 원했기 때문 / 비가 왔기 때문이 아니라	
769 고2 11월	[When the Nile rose], it / was [because the river wanted **to**], [not because it had rained].　　　　　　　　　　= to rise	→ to는 대부정사이고, 반복된 동사 rose의 원형인 rise가 생략되었다.
	거기에 있는 동안 / 그는 / 보았다 / 독일과 플랑드르 지방의 작품들을 / 그에게 크게 영향을 준 / 특히 Jan van Eyck의 작품을	
☆ **770** 고2 3월	**While there**, / he / saw / German and Flemish artworks [that influenced him = While he was there	→ 부사절 접속사 While 뒤에 「주어+ be동사」가 생략되었다.
	greatly], (especially the work of Jan van Eyck). 　　　　　　　　삽입구	→ especially ~ Eyck는 삽입구이다.
	Wiseman의 결론은 / ~이었다 / 도전 과제에 직면했을 때 / '운이 나쁜' 사람들은 융통성을 덜 발휘한다는 것	
771 고2 6월	Wiseman's conclusion / was [that, / **when faced** with a challenge, / 'unlucky' 　　　　　　　　　　= when they ['unlucky' people] were faced	→ 부사절 접속사 when 뒤에 「주어+ be동사」가 생략되었다.
	people were less flexible].	
	컴퓨터는 / 독립적인 결정을 할 수 없다 / 또는 문제를 해결하기 위해 단계들을 만들어낼 수 없다 / 그렇게 하도록	
772 고2 6월 응용	A computer / cannot make independent decisions, / or formulate steps for 프로그램되지 않는 한 / 인간에 의해서 solving problems, / **unless programmed** to do so / by humans. 　　= unless it [the computer] is programmed	→ 부사절 접속사 unless 뒤에 「주어+ be동사」가 생략되었다.

중학부터 수능까지 필수 어휘를
단계별로 마스터하는
바로 VOCA

예비중~중3 ──────────────── 예비고~고1

중학 기본	중학 실력	중학 완성	고교 기본	수능 필수

중학 기본 800	반복 어휘 300	반복 어휘 300	반복 어휘 500	반복 어휘 1,000
	신출 어휘 900	신출 어휘 600	신출 어휘 1,000	신출 어휘 1,000
	누적 어휘 1,700	누적 어휘 2,300	누적 어휘 3,300	누적 어휘 4,300

바로 VOCA

- ▶ 최빈출 핵심 어휘는 단계별로 반복되도록 체계적으로 구성
- ▶ 교과서, 모의고사, 수능 기출문제에서 뽑은 실전 예문으로 구성
- ▶ QR코드로 연결되는 바로 듣기 앱 (두 가지 버전 표제어 MP3 파일 제공)
- ▶ 암기 테스트용 어휘 출제 프로그램 제공 (book.chunjae.co.kr)

특별부록
암기하기 편하다!
바로 확인하는
휴대용 암기카드

기출문장
완벽분석
가 이 드